LIEUX ET MONUMENTS HISTORIQUES DES CANTONS DE L'EST ET DES BOIS-FRANCS

Me Rodolphe Fournier, N.-P.

ÉDITIONS PAULINES

DU MÊME AUTEUR:

Lieux et Monuments historiques de Québec et Environs
Lieux et Monuments historiques de l'Île de Montréal
Lieux et Monuments historiques du Sud de Montréal
Lieux et Monuments historiques du Nord de Montréal

Maquette de la couverture: ANTOINE PÉPIN

Composition et montage: MANICOMPO LTÉE

ISBN 0-88840-622-3
Dépôt légal — 1er trimestre 1978
Bibliothèque nationale du Québec
Bibliothèque nationale du Canada

3965 est, boul. Henri-Bourassa
Montréal, Qué., H1H 1L1

Fièrement nous exaltons
La coquetterie
Des vivants et gais cantons
De notre coin de patrie.
Un terroir généreux,
Une race de preux,
Un passé glorieux
Gardent nos coeurs à l'Estrie.

Maurice O'Bready

TROIS SIECLES D'HISTOIRE

Les Cantons de l'Est et les Bois-Francs forment un territoire d'une superficie d'environ quatre millions d'acres, s'étendant des seigneuries au sud du Saint-Laurent jusqu'aux frontières américaines et du Richelieu à la Chaudière.

La richesse de leur sol et de leur sous-sol, la splendeur de leurs collines et de leurs montagnes, la beauté de leurs 150 lacs et la cordialité de leur demi-million de population en font l'une des plus magnifiques régions du Québec. Les villégiateurs et les touristes les apprécient en toutes saisons.

Leur histoire peut se diviser en cinq périodes distinctes : 1.- indienne ; 2.- loyaliste et américaine ; 3.- britannique ; 4.- canadienne-française ; 5.- « estrienne ».

1.- PÉRIODE INDIENNE (1680-1775)

Avant 1680, tout ce territoire, était inhabité, sauf par des Indiens itinérants y faisant la chasse et la pêche.

C'est entre 1680 et 1683 que, molestés par les Bostonnais et bien accueillis par le gouverneur Frontenac et, généralement, par les Français et les Canadiens, les Abénaquis de Kénébec, partis du Maine, vinrent s'établir sur les rives de la Chaudière. Les Sokokis, de la même origine, restèrent au lac Mégantic. Plus tard, ces deux groupes, formant environ 200 familles, allèrent dresser leurs tentes successivement à Bécancour, Loretteville, Saint-François-du-Lac et enfin Odanak (Pierreville) ; ils y demeurent encore, au nombre de quelques centaines, leur petite église et leur musée étant toujours accueillants.

Jusqu'à 1759 surtout, ils parcoururent toute la région : MEGANTIC (endroit poissonneux), MASSAWIPPI (eau profonde), COATICOOK (rivière à la terre de pin), MEMPHREMAGOG (grand lac), YAMASKA (là où il y a de l'herbe au fond de l'eau), ARTHABASKA (là où il y a des joncs et des roseaux), etc.

Les pères Gabriel Drouillettes, Jacques Bigot et Sébastien Rasles furent leurs principaux missionnaires.

Avant l'établissement de ces tribus sur ce territoire, des Français y passèrent en 1690, et des Canadiens en 1708, pour explorer les lieux et aller ensuite porter la guerre en Nouvelle-Angleterre. Citons, parmi les Français : Portneuf, Tilly de Courtemanche, Repentigny, François Hertel ; et parmi les Canadiens : de Saint-Ours Deschaillons et Hertel de Rouville.

2.- PÉRIODE LOYALISTE ET AMÉRICAINE (1775-1840)

L'Indépendance des États-Unis (1774-1783) provoqua l'arrivée au Canada d'Anglais d'outre frontière demeurés fidèles au roi d'Angleterre. On les appela, pour cette raison, « United Empire Loyalists ». Ils pénétrèrent chez nous par le lac Champlain. Un certain nombre demeura à la baie Missiquoi soit pour s'y établir, soit en attendant d'aller se fixer ailleurs. Plusieurs se rendirent immédiatement à Dorchester (Saint-Jean), William-Henry (Sorel), Montréal, Trois-Rivières, Québec et jusqu'en Gaspésie. Le plus grand nombre prit le chemin du Haut-Canada (Ontario).

Les autres, ne voulant pas se fixer avec les Canadiens français, cultivateurs dans les seigneuries, désiraient aller occuper les terres vierges des futurs townships. Mais les autorités anglaises, à Québec, redoutèrent que parmi ces nouveaux venus ne se trouvent des espions ou des révolutionnaires. Aussi mirent-elles beaucoup de temps avant de leur accorder les autorisations requises.

Plusieurs de ces Loyalistes, arrivés avec peu d'argent et un minimum de vêtements et d'effets divers, n'attendirent pas les documents nécessaires pour s'installer sur ces terres. Gilbert Hyatt à Sherbrooke, Van Lyck à Dunham, Frenzer Hovey au lac Memphrémagog, et d'autres furent de ceux-là.

Londres attendit jusqu'en 1791 pour autoriser Lord Dorchester à mettre ce territoire à la disposition des immigrants, mais de langue anglaise seulement. Huit ans auparavant avaient été fondés, près de Kingston, les WESTERN TOWNSHIPS. Par opposition, on appela ce nouveau territoire du Bas-Canada les EASTERN TOWNSHIPS, même si, géographiquement, il est au sud du Québec.

L'arpentage se fit sous la direction, surtout, de Samuel Holland et de Joseph Bouchette, en commun soccage, c'est-à-dire en townships (ceux-ci étant des quadrilatères de dix milles de côté subdivisés en lots de 100 ou 200 acres). Ces lots n'étaient pas sujets à des rentes ou autres obligations semblables des seigneuries ; l'acheteur n'avait qu'à en payer le prix pour y habiter et défricher cinq ou six acres de terre.

Il y eut deux vagues d'immigrants loyalistes aux Cantons de l'Est. La première, qui dura jusque vers 1800, fut la plus importante et la plus stable. Parmi ses pionniers, mentionnons : Nicholas Austin dans Bolton (1782), Philipp Ruiter à Philippsburg (1784) ; Gilbert Hyatt à Sherbrooke (1792) ; Edmund Heard à Compton (1793) ; Josiah Sawyer à Sawyerville (1794) ; Henry Collins et Isaac Sewell dans Brome (1795) ; W. Marsh et W. Huntingdon à Sutton (1797) ; John Fordyce et d'autres près de Cowansville (1800) ; le colonel Wadleigh à Saint-Félix-de-Kingsey (1800) ; John Bishop à Bishopton (1800) ; Cable Tree à Stanbridge-Est (1801). La seconde vague comprit surtout des Américains, dont plusieurs recevaient des pensions. Ils se firent remarquer par leur sens des affaires, leur ténacité et même leur combativité. Ils s'établirent à Mansonville (1803), à Bolton (1808), à Shipton (1805), etc. Loyalistes et Américains se fixèrent ainsi dans les Eastern Townships au nombre d'au moins 12 000.

3.- PÉRIODE BRITANNIQUE (1815-1840)

Dès 1805, le gouverneur-général du Canada, Shore Milnes ainsi que d'autres chefs de file de l'Angleterre et du Canada anglais rêvèrent de créer, dans les futurs Townships de l'Est, une Nouvelle-Angleterre assez puissante pour être une barrière contre les Américains et pour repousser l'« élément français dans le fleuve », ainsi que le disait un jour l'un d'eux.

Afin d'atteindre ce but, on accorda gratuitement — et en fraude — à la « Clique du Château » (c'est-à-dire aux amis et courtisans se réunissant à la résidence du gouverneur) des étendues aussi grandes que 20 000 acres et même jusqu'à 40 000. Shore Milnes, devenu ex-gouverneur, en reçut 60 000.

Les immigrants britanniques commencèrent à arriver dans les Townships vers 1815. De 1825 à 1830, ce fut le tour des Irlandais et des Écossais, s'établissant surtout dans les cantons de Leeds, de Halifax, d'Irland, d'Inverness, de Shitton, de Sherbrooke, etc.

L'abbé Raimbault célébra la première messe à Sherbrooke, en 1816.

En 1815, le gouverneur Craig avait fait construire un chemin qui porta son nom. En 1821, fut crée le district judiciaire Saint-François. En 1829, le territoire était devenu assez populeux pour diviser le comté de Buckinghàmshire en six nouveaux comtés : Yamaska, Drummond, Nicolet, Lotbinière, Sherbrooke et Mégantic. Des anglophones résidants y furent élus : Benjamin Tremain, Samuel Brooke, Charles Frederick, Henry Godhue, Bartholomew Conrad, Auguste Gugy et John Moore.

En 1835, fut fondée, à Londres, la BRITISH AMERICAN COMPANY, qui a joué un rôle considérable dans les Townships. Elle eut un bureau d'affaires à Sherbrooke, centre de ses ramifications. Elle reçut, entre 1836 et 1848, environ 4 000 acres dans le township d'Orford, 25 000 dans celui de Roxton, 13 000 dans celui d'Ely, 1 000 dans celui de Stukely, 9 500 dans celui de Brompton, etc. Elle fit faire des travaux d'envergure : routes, ponts, scieries, meuneries, etc. En fait, cette compagnie constitua un monopole à l'avantage de l'élément anglais, mais au préjudice des Canadiens français qui se voyaient ostracisés dans leur propre province. Ce fut l'une des causes de la Révolte de 1837-38.

Cette immigration anglaise-irlandaise-écossaise dura jusque vers 1840 et fut suivie d'une émigration partielle. Ainsi, dans le township de Bury, où s'étaient établies 300 familles environ, celles-ci quittèrent presque toutes, allant en grand nombre au Haut-Canada et dans l'Ouest.

Cet état de chose mit la BRITISH AMERICAN LAND dans une situation critique. Non seulement elle ne pouvait plus vendre ses terres à ceux qui avaient été ses privilégiés jusqu'alors, mais elle voyait aussi ses revenus diminuer. Il lui fallut ouvrir ses portes à la colonisation canadienne-française.

4.-PÉRIODE CANADIENNE-FRANÇAISE (1840-1954)

Les Canadiens français, tant qu'ils avaient pu s'établir sur les terres seigneuriales, avaient accepté de ne pas profiter, eux aussi, de celles des Townships. Mais leur taux élevé de natalité, la rareté des emplois, (les villes n'étant pas industrialisées pour recevoir le surplus rural), les obligèrent à s'expatrier. Ils durent aller aux États-Unis chercher un gagne-pain dans les usines, etc. Cette émigration — alors qu'il y avait immigration d'autres nationalités dans leur pays — augmenta à un rythme tel qu'elle devint une hémorragie.

Leurs chefs de file plaidèrent pour que la colonisation canadienne-française se fasse dans les Townships de l'Est. L'abbé John Holmes, qui avait été missionnaire dans la région de Sherbrooke (1824-1827), fut l'un des premiers propagandistes de cette croisade ; « Emparons-nous du sol », ainsi que l'abbé Antoine Racine, qui deviendra le premier évêque de Sherbrooke, le disait.

Une fois bien établi, l'élément anglais bénéficia de l'Université Bishop, en 1853. Celle-ci avait commencé par être un collège depuis 1845 ; elle doit son nom à son premier recteur qui fut le T.R. Dr Williams, évêque anglican de Québec.

Les Canadiens français commencèrent leur percée par les Bois-Francs où très peu d'Anglais étaient établis dans les townships touchant aux seigneuries. Cette région d'environ 15 000 acres avait été concédée à la Compagnie du Nord-Ouest. Les colons lui donnèrent ce nom parce qu'il s'y trouvait de belles forês de chênes, d'érables, de hêtres, etc., appelés bois francs. Leurs cendres transformées en potasse rapportaient un revenu immédiat, tout en favorisant le déboisement. Les colons s'établirent ainsi, graduellement, dans la vallée Saint-François qui devait se diviser en trois comtés : Mégantic, Arthabaska et Wolfe (1955), regroupant les townships de Blandford, Stanfold, Somerset, Nelson, Warwick, Arthabaska, Bulstrode, Inverness, Halifax, Chester, Tingwick, Wolfestown et Ham Nord. Cette région est distincte de celle du reste des Townships de l'Est par le fait que la population y fut française dès le début, sauf dans les parties plus au sud.

Les autorités gouvernementales, dont Louis-Hippolyte Lafontaine était le chef avec son ami Baldwin, adoptèrent une loi autorisant à taxer les propriétaires de terres non exploitées, ce qui força ceux-ci à vendre des lots à tous.

Les Canadiens français, exhortés et accompagnés par des missionnaires colonisateurs comme les abbés Jean-Baptiste Chartier, Bernard O'Reilly, J.C. Canac-Marquis, et des laïques comme Jean-Baptiste-Eric Dorion, Jérôme-Adolphe Chicoyne, envahirent non seulement les Bois-Francs, mais tout le territoire, après avoir surmonté des difficultés considérables.

La construction du premier chemin de fer, en 1852, et de ceux qui suivirent, facilita cette colonisation. Les trains transportaient près des centres de colonisation non seulement les colons, mais les animaux, les instruments agricoles, les effets divers. Après dix ans, il se faisait plus de colonisation que durant les décades antérieures.

Antoine Gérin Lajoie puis Stanislas Drapeau furent les premiers à traduire EASTERN TOWNSHIPS par CANTONS DE L'EST, expression qui, peu à peu, fut employée par les francophones.

En 1857, George-Étienne Cartier fit adopter une loi qui établissait les lois françaises dans les Cantons de l'Est, ce qui facilita la venue des francophones. Auparavant, on y employait tantôt les lois anglaises et tantôt les lois françaises. En 1866, le gouvernement, sous l'Union, décida que les comtés de Missisquoi, Brome, Shefford, Stanstead, Compton, Wolfe-Richmond, Mégantic et Sherbrooke ne pourraient voir leurs limites changées sans l'assentiment de la majorité de leurs députés.

Pour donner une idée de l'augmentation de la population française de ces cantons, il faut dire qu'en 1821 les Canadiens français y étaient à peu près inexistants. Mais ils y étaient : en 1831 : 2%; 1841 : 10%; 1851 : 26.3%; 1861 : 43.3%; 1871 : 51.4%; 1881 : 52.9%; 1891 : 59.3%; 1901 : 63.2%; 1911 : 70%; 1921 : 77.8%; 1931 : 79.7%; 1941 : 82%.

La présence, sur une même région si vaste d'Anglais, d'Américains, d'Écossais, d'Irlandais et de Canadiens français donna nécessairement place au bilinguisme et créa une mentalité spéciale faite de tolérance et de fraternité, même s'il y eut, en certains endroits, surtout dans les débuts, des frictions.

La grande force des francophones fut leur appartenance commune à la religion catholique romaine. Ils avaient aussi l'amour des enfants et l'esprit de famille. Dès qu'ils étaient assez nombreux dans une localité, ils demandaient un prêtre pour les desservir, puis réclamaient l'érection d'une paroisse avec curé. Ils se sentaient favorisés quand ils pouvaient confier à des Frères et à des Soeurs l'instruction de leurs enfants. Mgr Antoine Racine, devenu évêque de Sherbrooke en 1874, érigea en séminaire, dès l'année suivante, son collège fondé en 1855.

Le PIONNIER, fondé de 1866, fut le premier journal canadien-français à Sherbrooke. Il était dirigé par H.C. Cabana et L.C. Bélanger. Le quotidien LA TRIBUNE fut fondé en 1910 et ses débuts furent assez modestes. La population anglaise eut aussi ses journaux : FARMERS AND MECANIC JOURNAL (1833), qui devint THE SHERBROOKE GAZETTE en 1837; le SHERBROOKE EXAMINER vit le jour en 1878 e le SHERBROOKE DAILY RECORD en 1897. LE MESSAGER SAINT-MICHEL fut fondé en 1915.

En 1951, les Canadiens français formaient environ 85% de la population des Cantons de l'Est et des Bois-Francs. En cent ans, les forces étaient inversées par rapport aux anglophones.

5.- PÉRIODE « EXTRIENNE » (depuis 1954)

Cette proportion s'accrut à un rythme accéléré. En 1961 : 85.2%; en 1971 : 90% et en 1976 : 95% environ. Non seulement l'immigration des anglophones était arrêtée depuis longtemps, mais l'influence britannique et américaine se faisait de moins en moins forte. L'échange de population s'effectuait, dès lors, avec les régions avoisinantes. Cet état de chose a provoqué des réalisations importantes et manifestes.

Le bilinguisme — tant qu'ils ont pu le faire, les Anglais n'ont parlé que leur propre langue — a cédé le pas au français dans les foyers, la rue, les magasins, les conseils municipaux et la députation, (les comtés réservés n'existant plus), et aussi à la radio et à la télévision, avec postes émetteurs puissants dans Sherbrooke même.

Les établissements dans le domaine éducatif, hospitalier, etc., se sont multipliés, en grande partie grâce aux congrégations religieuses. La fondation de l'Université de Sherbrooke, en 1954, fut la manifestation la plus spectaculaire dans cette sphère. Mgr Maurice O'Bready, qui a largement contribué à cette oeuvre, y a inauguré une chaire d'histoire régionale après avoir participé à la fondation de la SOCIÉTÉ D'HISTOIRE DES CANTONS DE L'EST. Celle-ci a mis une bibliothèque historique à la disposition de toute la population.

Le commerce est passé, en presque totalité entre les mains des Canadiens français, bien que les anglophones demeurent encore majoritaires dans la finance et l'industrie.

On voit souvent, dans la même localité, de nombreuses églises de diverses confessions protestantes, mais elles sont fermées ou très peu fréquentées, le nombre des fidèles ayant beaucoup diminué. Par contre, les églises catholiques ont leurs clochers dans toutes les paroisses ; il s'en rencontre même plusieurs dans la même ville ; ces églises sont encore fréquentées régulièrement.

On a appelé ce vaste territoire EASTERN TOWNSHIPS puis les TOWNSHIPS DE L'EST jusque vers l'année 1900. L'expression CANTONS DE L'EST, suggérée par Antoine Gérin-Lajoie en 1862, devint de plus en plus populaire par la suite. Mais depuis que Mgr Maurice O'Bready a lancé, en 1951, le nom d'ESTRIE et que les Cantons de l'Est ont évolué dans le sens que nous venons d'indiquer, la population, les commerçants, les journaux, la radio et la télévision l'emploient de plus en plus. C'est un signe des temps.

L'Histoire des Cantons de l'Est et des Bois-Francs est l'une des plus captivantes du Québec. Elle mérite d'être connue de tous. Profitons de ses lieux, de ses monuments, de ses plaques, de ses maisons natales et de ses immeubles historiques, dont un grand nombre ont été érigés par l'élément anglais, pour la mieux connaître et l'aimer davantage.

500 ANS AVANT JÉSUS CHRIST

Pierres au musée du Séminaire de Sherbrooke, au no 195, rue Marquette, Sherbrooke

Traduction par Barry Fell de l'inscription dont une photographie est ci-dessous.

Sur les pierres du musée :

EXPÉDITION QUI TRAVERSA (la mer), AU SERVICE DU ROI HIRAM, CONQUÉRANT DU TERRITOIRE.

GRAVÉ PAR HATA QUI ATTEIGNIT ICI LES LIMITES AVEC SON EMBARCATION ET GRAVA CETTE PIERRE.

Sur une pierre d'un rocher à Beauvoir :

HANNON, FILS DE TAMU, QUI ATTEIGNIT CETTE MONTAGNE.

Deux de ces pierres ont été trouvées sur la terre de Ludger Soucy, dans le 6e rang de Saint-François-Xavier-de-Brompton, près de Bromptonville. L'autre l'a été dans les environs de Beauvoir. L'on ne sait pas qui les a trouvées ni qui les a confiées à ce musée ; ce fut fait, cependant, en 1910.

Leur inscription demeura indéchiffrable jusqu'en 1975, alors que Barry Fell, éminent spécialiste de l'Université Harvard, en fit la traduction ci-dessus, grâce aux démarches de Thomas Lee, archéologue de l'université Laval. Celui-ci, au cours d'une visite au musée du séminaire en 1966, remarqua ces pierres et depuis, se passionna à leur sujet.

Monsieur Lee croit possible que le Québec ait été visité par les Phéniciens environ deux mille ans avant Jésus Christ. Ce peuple, qui occupait une étroite bande de terre sur le côté occidental de la Libye, était cultivateur et commerçant. Ses flottes sillonaient les mers et étaient formées de vaisseaux fort manoeuvrables, quoique beaucoup plus gros que ceux de Christophe Colomb.

Ces pierres ont attiré l'attention des scientistes qui, dans un avenir prochain sans doute, nous en diront bien davantage sur les visites faites au Québec non seulement par les Vikings, mais par d'autres peuples, comme les Phéniciens.

1632

LES GRANDES FOURCHES

Plaques à Sherbrooke, au pont Dufferin, près du no 225 rue Dufferin, ainsi que dans la rue sous le viaduc.

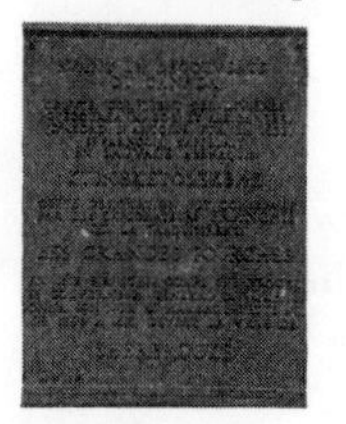

AVANT LA DÉCOUVERTE DU CANADA CE SITE, CONFLUENT DES RIVIÈRES POTÉGOURKA (MAGOG) ET ALSIGANTÉKA (D'ABORD ST-ANTOINE, PUIS, EN 1632, ST-FRANÇOIS) S'APPELAIT EN SAUVAGE ABENAQUIS : KTINÉKÉTOLÉKAK. CETTE DÉSIGNATION FUT CONSERVÉE PAR LES EXPLORATEURS FRANÇAIS QUI LA TRADUISIRENT : LES GRANDES FOURCHES.

EN 1818, SIR JOHN COAPE SHERBROOKE, 8e GOUVERNEUR GÉNÉRAL ANGLAIS, DONNA SON NOM AU HAMEAU (HYATT'S MILL DE 1796 À 1818) DEVENU LA VILLE DE SHERBROOKE. A.D. 1943.

BEFORE THE DISCOVERY OF CANADA THIS SITE, CONFLUENCE OF THE PONTEGOURKA (MAGOG) LAND ALSIGANTEKA (FIRST NAMED ST-ANTOINE, THEN, IN 1632, ST-FRANÇOIS) RIVERS, WAS CALLED IN ABENAQUIS INDIAN : KTINEKETOLEK8AK. THIS NAME WAS KEPT BY THE FRENCH EXPLORERS WHO TRANSLATED IT : LES GRANDES FOURCHES — BIG FORKS —

IN 1818, SIR JOHN COAPE SHERBROOKE, 8TH ENGLISH GOVERNOR GENERAL, GAVE HIS NAME TO THE HAMLET (HYATT'S MILL FROM 1796 TO 1818) NOW THE CITY OF SHERBROOKE.

I.P.

Longtemps, les Abénaquis et les Algonquins, ainsi que d'autres tribus, firent halte à cet endroit.

La Terrière, qui y fit du portage, écrivait le 7 septembre 1788 : « Un jour à venir, cet endroit sera établi et de conséquence parce qu'il sera l'entrepôt d'un lieu où tout va »... « Cette route est si fréquentée par les Sauvages que, de distance en distance, ils ont des cabanes faites, que chacun répare et entretient à son tour ; elles servent à tout « primo campi ».

C'est à Noël Tremblay et à Pierre DesMarais que l'on doit le nom de « Grandes Fourches », (les « Petites Fourches » étant à Lennoxville).

Sherbrooke, né en 1794, à Nottingham (Angleterre), servit son pays.

Il fut gouverneur général du Canada de 1816 à 1818. Parmi les gestes importants qu'il posa à ce titre, mentionnons : la nomination de Mgr Plessis, évêque de Québec, comme conseiller législatif ; l'autorisation donnée de fonder des vicariats apostoliques dans les autres provinces.

Son nom a été donné non seulement à la ville et au comté de Sherbrooke, mais aussi, à la plus belle rue de Montréal.

1692

LE COMBAT SINGULIER MENA'SEN

Croix sur un îlot de la rivière Saint-François
(visible du pont Saint-François)
ainsi que sur la rue Holmes à l'angle de la rue Saint-François

Sur un îlot rocheux, situé à 2 300 pieds en amont de l'embouchure de la rivière Magog, vécut durant trois siècles un pin solitaire (MENA'SEN). Le 23 novembre 1913, une tempête lui arracha le peu de rameaux qui lui restaient.

Ce pin unique se dressant sur cette petite île a intrigué tous ceux qui sont passés là.

Jérôme-Adolphe Chicoyne (1844-1910), avocat et journaliste, qui fut maire de la ville de Sherbrooke de 1890 à 1892 et député provincial de Wolfe de 1892 à 1904, a écrit ce qui suit à leur sujet, dans LE BULLETIN DES RECHERCHES HISTORIQUES d'août 1897 :

« Mais ce qui rend le « Rocher du Pin » particulièrement intéressant pour les amateurs de recherches historiques, c'est le combat étrange que s'y livrèrent deux tribus sauvages, dans des circonstances extraordinaires. C'était en février 1692... À peine les Abénaquis eurent-ils jeté les yeux sur la rive droite du Magog, qu'ils perçurent la fumée d'un camp ennemi. La bataille était inévitable ; mais on convint de part et d'autre de s'en rappoter à un combat singulier. Il fut arrêté qu'un guerrier de chaque nation devrait courir autour du rocher jusqu'à épuisement. Le vainqueur de la course aurait le droit de tuer son adversaire, ce qui déciderait de la victoire entre les deux armées... Ce fut l'Abénaquis qui l'emporta et qui eut l'honneur de massacrer l'Iroquois, auquel les forces avaient manqué le premier. Ce tournoi original, qui rappelle quelque peu la lutte des Horaces et des Curiaces, est l'objet d'une tradition conservée parmi les vieux Abénaquis de Saint-François. »

C'est la Société Saint-Jean-Baptiste de Sherbrooke qui, en 1934, fit les démarches requises pour ériger une croix. Elle devint propriétaire le 14 janvier 1936, par lettres patentes du ministère des Terres et Forêts du Québec.

Cette petite île surmontée d'une croix demeure une attraction touristique.

1775

BENEDICT ARNORD ENVAHISSEUR DU CANADA

Plaque dans le hall de l'hôtel de ville de Lac-Mégantic

LE 26 OCTOBRE 1775, DES TROUPES AMÉRICAINES, SOUS LA CONDUITE DU GÉNÉRAL ARNOLD, PARTIES DE CAMBRIDGE POUR ATTAQUER QUÉBEC, CAMPÈRENT ICI, APRÈS UN VOYAGE PÉRILLEUX ET HÉROÏQUE À TRAVERS FORÊTS ET MARÉCAGES.

OCTOBER, 26 1775, AMERICAN TROOPS UNDER GENERAL ARNOLD, EN ROUTE FROM CAMBRIDGE TO ATTACK QUEBEC, CAMPED ON THIS SITE AFTER A PERILOUS AND HEROIC JOURNEY TROUGH FORESTS AND SWAMPS.

COMMISSION DES MONUMENTS HISTORIQUE DU QUÉBEC.

Benedict Arnold, marchand de drogues et de chevaux, de New Haven, recruta comme soldats environ 1 100 hommes de divers métiers, pour envahir le Canada. Le 13 septembre 1775, il partit de Cambridge, remonta la Kénébec, prit la rivière qui porta ensuite son nom, après avois suivi la hauteur des terres, puis arriva au lac Mégantic. Les 30 octobre et 1er novembre, l'armée campa au nord de ce lac. Il avait alors perdu environ 500 hommes.

Arnold et quelque 600 hommes restés fidèles suivirent la rivière Chaudière jusqu'à Québec, où ils arrivèrent le 13 novembre.

Le 31 décembre, avec Montgomery, qui avait pris la route de la rivière Richelieu, il attaqua Québec sommé plusieurs fois de se rendre. Montgomery y fut alors tué. Arnold, quoique blessé à la jambe, continua d'assiéger la ville jusqu'à l'arrivée de Wooster, en avril suivant ; il prit alors le commandement de Montréal.

Le 14 juin, devant l'arrivée de la flotte anglaise à Montréal, les Américains durent retraiter vers leur pays. Le 17 juin, Arnold abandonna Chambly. L'armée américaine, désimée par la désertion et la maladie, fut poursuivie par les troupes anglaises et canadiennes. Le 11 octobre 1775, Arnold, profitant de la nuit, put sauver sa flotte, à Crown Point. Il aida ensuite, à mettre en déroute l'armée anglaise de Burgoygne.

En 1778, il épousa, en secondes noces, Margaret Shippen, fille d'un loyaliste ; il prit dès lors le parti des Anglais, à qui il donna la liste des rebelles. Il reçut de ceux-ci le grade de brigadier général et combattit en 1781, puis fut envoyé à Londres pour conseiller l'état major sur la conduite à tenir dans la guerre américine. Là, il fut dédaigné par des politiciens et des officiers supérieurs ; ses services furent repoussés. Il mourut pauvre, à Londres en 1801.

1782

NICHOLAS AUSTIN

À Saint-Benoît-du-Lac. Grosse roche gravée d'une inscription, sur la rive du lac Memphrémagog. Elle se trouve à l'arrière du monastère Saint-Benoît-du-Lac. Un chemin y conduit, partant de celui-ci non loin de cette roche, se trouve un terrain privé.

AUSTIN FIRST SETTLEMENT. BOLTON. 1782.

I. P.

Nicholas Austin, chef de ses cinquante-trois associés, reçut avec eux, par lettres patentes, tout le township Bolton, soit 62 620 acres. Il est considéré comme le véritable fondateur et le premier résident de Magog.

Loyaliste convaincu et Quaker, il quitta le New Hampshire (États-Unis) pour ne pas se joindre aux partisans de l'Indépendance américaine. Lui et son épouse Phebe Chesley naquirent à Somersworth, N.H., respectivement en 1736 et 1746. Ils décédèrent à Bolton, lui le 2 mars 1821 et elle, le 5 mars 1841.

Il construisit à Outlet (aujourd'hui Magog) un moulin pouvant scier le bois et moudre le grain.

Dans HISTORY OF BROME COUNTY d'Ernest-M. Taylor on lit :

« The date on the Austin Monument il believed to be about ten years earlier than the first settlement effected by Austin, as he petitioned for land in what is now known as Stanstead years, after 1782 and about 1783, and made a settlement in Bolton at what is known as the David Perkins Farm, at Vale Perkins, thinking that he had reached the limit of his grant ; but learning his mistake, he went with a band of men and cleared up ninety-five acres at what is now Austin's Bay, at Gibraltar Point, Lake Memphremagog. The first house which he constructed was built at the place were the Bolton monument now stands. »

Lorsque ce monument fut érigé, ses initiateurs n'avaient pas « les moyens de faire plus » comme l'écrivait Pierre-Georges Roy dans LES MONUMENTS COMMÉMORATIFS DE LA PROVINCE DE QUÉBEC, qui n'en reproduit qu'un dessin.

1793

LE DÉFRICHEMENT DES PREMIERS 10 ACRES DU TOWNSHIP DE NEWPORT

Plaque à Randboro, sur le chemin conduisant à Bonneterre, (près du cimetière Maple Leaf)

DÉFRICHEMENT DES PREMIERS DIX ACRES DANS LE TOWNSHIP DE NEWPORT (COMTÉ DE COMPTON) EN 1793 PAR LE COL. EDMUMD HEARD ET LE CAP. JOSIAH SAWYER. VENUS À TRAVERS BOIS DE BAIE MISSISQUOI. DON DE L'EMPLACEMENT DU CIMETIÈRE EN 1802 PAR W.M. HEARD.

IN 1793, COL. EDMUND HEARD AND CAPT. JOSIAH SAWYER EXPLORED FROM MISSISQUOI BAY TO THIS SITE. NEAR HERE THEY SLASHED THE FIRST TEN ACRES OF LAND IN NEWPORT TOWNSHIP (COMPTON COUNTY). THIS CEMETERY WAS DONATED IN 1802 BY W.M. HEARD.

C.M.H.Q.

Robert Shore Milnes (1746-1836), lieutenant-gouverneur du Bas-Canada (1799-1805) émit, le 4 juillet 1801, une proclamation créant le township de Newport divisé en 308 lots.

Le quart de ces terrains fut accordé à Edmund Heard et à ses associés : Samuel Hurd, Longley Williard, Edmund Heard fils, Nathaniel Beaman fils, Peter Truman, John Squires, William Heard, William Hudson, Elisha Hudson et Calbe Sturtevant.

Le capitaine Josiah Sawyer et le colonel Edmund Heard, voulant préparer l'établissement dans le township d'Eaton, voisin de celui de Newport, arrivèrent à l'été 1793 dans celui-ci. Ils se mirent à défricher là où se trouve maintenant Dudley Williams' Place. Après avoir déboisé dix acres, ils s'en retournèrent à la baie Missisquoi.

À l'automne de la même année, un chasseur, fort surpris de trouver ces dix acres défrichés, fit brûler les abattis.

Lorsque Josiah Sawyer revint, il fut estomaqué de constater ce qui était arrivé à son déboisement. Il crut que le Seigneur y avait fait descendre le feu du ciel.

Constatant ensuite son erreur, il alla s'établir avec sa famille et plusieurs de ses associés là où se trouve, maintenant, la localité qui porte son nom : Sawyerville.

1794

JOSIAH SAWYER FONDATEUR DE SAWYERVILLE

Monument à Sawyerville, à l'angle des rues Principale et Cookshire

ERECTED TO THE MEMORY OF CAPT. JOSIAH SAWYER THE FIRST SETTLER IN THE EASTERN TOWNSHIPS WHO SETTLED ON THE PRESENT SITE IN THE YEAR 1794 WHO DIED MAR. 10, 1837 IN THE 81st YEAR OF HIS AGE.

I. P.

Le capitaine Josiah Sawyer, après avoir fait plusieurs explorations dans la partie sud-ouest des Eastern Townships, obtint une partie du canton d'Eaton, avec ses associés : Israël Bailey, Orsanus Bailey, Amos Hawley, Ward Bailey, John Perry, John Cook, Royal Learned, Samuel Hayes, John French, Levi French, Timothy Bailey, Abner Osgood, Waltham Balwin, Benjamin Bishop, Jessie Cooper, Abner Powers, Samuel Beach, Jules Balwin, John Gordon, Charles Cutter, Royal Cutter, James Lucus, Philip Jordan, William McAllister, Abel Benet, Georges Rimball, Calvin Rice, Charles Lothrop, A. Caswell et Peter Green Sawyer.

Josiah Sawyer, originaire des États-Unis, épousa Nancy Rice, fille de Calvin Rice susnommé. De cette union naquirent Peter Green, Josiah, Rufus et John ainsi que trois filles. Il vécut le reste de ses jours dans la localité qu'il avait fondée.

Il y construisit un moulin à scie qu'on appela Sawyer's Mills.

Le 5 octobre 1822, devant le notaire D. Thomas, il fit don d'un terrain, près de la rivière, à 60 « rods » plus bas que son moulin, aux Syndics afin d'y ériger une école, conformément à la loi « Free Schools for the advancement of Learning ». À la même date, devant le même notaire, il acceptait, comme membre du Syndic de ces écoles, un terrain donné par le Rév. Jonathan Taylor, ministre du canton d'Eaton, terrain destiné à l'érection d'une autre école, en bordure de la St. Peter Church.

Un de ses descendants fut député du comté de Compton, à Québec.

Érigée canoniquement le 8 mars 1921, la paroisse Notre-Dame-du-Rosaire (Sawyerville) fut d'abord desservie par des missionnaire de 1890 à 1893 ; elle reçut alors son premier prêtre résidant. Ses registres s'ouvrirent en 1893.

1795

HENRY COLLINS

Monument à Brome-Ouest, dans le rang Lafleur. (Pour s'y rendre, suivre le rang Scott sur une distance d'environ 2 milles depuis la route no 139).

1795 FIRST HOUSE T'P. BROME COLLINS. B.C.H.S. 21 10 1899.

I.P.

Henry Collins construisit la première maison du township de Brome, en 1795. C'est pour rappeler cet événement que la BROME COUNTY HISTORIC SOCIETY, le 21 octobre 1899, plaça cette grosse roche-monument à l'endroit même où s'élevait cette bâtisse pièce sur pièce.

Né à Southborough, comté de Worcester (Massachusetts), le 14 avril 1794, il s'était enrôlé, en mars 1781, comme soldat dans la compagnie de Smith et Sewell; il en fut licencié en 1783. Après être demeuré successivement à Marlborough (N.H.), Lensingburgh (N.Y.) et Lanesborough (Mass.), il résolut d'aller s'établir au Bas-Canada, son titre de Loyaliste l'obligeant à s'expatrier. Il y parvint par le lac Champlain et s'arrêta à Saint-Armand, le 1er mai 1793, accompagné de sa femme, née Lucy Noble, fille du Rév. Oliver Noble et de Lacy Weld. De cette union naquirent: Elisabeth (1792) à Lanesborough, Charles (1794) à Saint-Armand, Fanny (1798), Wild (1805) et William à Brome. Son épouse décéda vers 1812 de « consomption ».

Henry Collins se remaria à Ruth Fifield, dont il eut Suzan, Joseph et Edward. Ils vécurent à Abbotsford. Il y reçut sa pension des vétérans. Il alla mourir, le 10 avril 1847, à Lake County, en Illinois, et fut innumé dans le Mount Rest Cemetery, près du village de Wadsworth.

Vers 1797, son frère Ebenener Collins vint aussi s'établir là où est présentement le village de Brome Ouest. Il vendit sa terre à Jake Pickle, à peu près à la date du départ de son frère Henry. Celui-ci y avait été juge de paix et, à ce titre, célébrait des mariages.

La BROME COUNTY HISTORICAL SOCIETY fut organisée provisoirement, en août 1897, lors d'un pique-nique tenu justement là où se trouvait la maison précitée, à la suggestion du Rév. Ernest M. Taylor. Celui-ci en fut le premier secrétaire et le juge W.W. Lynch le premier président. Cette association fut incorporée le 19 mars 1897.

1797

L'ARRIVÉE DES PREMIERS COLONS À SUTTON

Plaque à Sutton, sur l'hôtel de ville, au no 11 rue Principale

SUTTON, 1797, ARRIVÉE DES PREMIERS COLONS. W. MARSH ET W. HUNTINGDON. 1837, CRÉATION DU SERVICE POSTAL ET DU RELAIS DE DILIGENCE ENTRE ST-JEAN ET TROY, RECEVEUR : G. FRARY. 1896, ÉRECTION EN MUNICIPALITÉ.

ELDER WM. MARSH AND WM. HUNTINGDON FIRST SETTLERS HERE, IN 1797. MAIL ROUTE AND ST. JOHN-TROY STAGE VIA SUTTON STARTED IN FEB 1837, WITH GILBERT FRARY AS SUTTON'S POSTMASTER. VILLAGE INCORPORATED IN 1896.

MINISTÈRE DES AFFAIRES CULTURELLES COMMISSION DES MONUMENTS HISTORIQUES.

Les premiers habitants du village de Sutton furent William Marsh, William Huntingdon et Salomon Squier, en 1797.

William Marsh, né à Shaftebury (Vermont) en 1767 était le fils de Jacob, Loyaliste. Dès son arrivée à Caldwell's Manor (près de Clarenceville), il se construisit une cabane en bois rond sur un terrain loué. Sa famille vint s'y établir en 1784. Trois ans après, il épousait Elizabeth, fille de William Huntingdon, Loyaliste venu lui aussi des États-Unis. Son instruction étant supérieure à celle des autres, on le choisit pour lire le « Whitefield's Sermon » à l'office du dimanche. Il fut, plus tard, nommé ministre de l'Eglise baptiste de Sutton, qui devint ainsi la première du Canada. Il mourut à Whitby, Ontario, en 1843.

Salomon Squier vit le jour à Woodbury (Connecticut). Il était tout jeune lorsqu'il arriva d'abord à Dunham.

Les premiers colons du canton de Sutton furent des « squatters », c'est-à-dire des gens établis sur des terrains de la Couronne, sans contrat. Le 31 août 1802, Robert Shore Milnes concédait des terres dans ce township à 170 Loyalistes, chacun recevant 200 acres, sauf quelques amis qui, comme Patrick Conroy et Christian Wher en eurent 1 200 et plus.

Les premières familles canadiennes-françaises qui y arrivèrent, après 1837, vécurent dans la pauvreté. Les Dubé, les Lusignan, les Métivier, les Godue, les Gendron ne furent pas acceptés cordialement par leurs prédécesseurs. On célébra la première messe dans la maison d'Olivier Godue, vers 1847.

1800

JOHN FORDYCE, JOSEPH ELLISON ET MICHAEL HEARNE

Plaque à 2 milles à l'ouest de Cowansville, sur la route no 202, à l'angle de celle vers Dunham

IN HONOUR OF JOHN FORDYCE, WHO CAME HERE FROM NOVA SCOTIA IN 1800, AND ALONG WITH JOSEPH ELLISON AND OTHER PIONEERS FOUNDED THIS COMMUNITY.

MICHAEL HEARNE GAVE THIS LAND IN 1867 FOR THE THIRD SCHOOL BUILT BY THE SETTLERS.

IN 1967, HIS GRANDCHILDREN, KATHLEEN AND JOHN MOORE GAVE THE LAND TO FORDYCE WOMEN'S INSTITUTE WHO HAVE ERECTED THIS CAIRN.

I.P.

Fordyce Corner doit son nom à John Fordyce qui, né dans le Rhode Island en 1744, se rendit d'abord en Nouvelle-Écosse où il reçut don d'une terre, en 1784.

Lui et sa famille vinrent s'établir, en 1800, au Canton de Dunham, à l'ouest de Fordyce Corner, sur la route no 104.

Il y éleva de nombreux enfants.

Il fut inhumé dans le petit cimetière, près de Fordyce Corner, non loin de Farnham Centre.

Joseph Ellison, originaire du New Hampshire, arriva au Canada en 1797, prêtant serment d'allégence, à la baie Missisquoi. Il aida les arpenteurs à faire le cadastre du canton et, en récompense, reçut 200 acres de terre, au 7e rang de Dunham, près de Fordyce Corner, et de la route no 202.

Michael Hearne, né à Galway, Irlande, arriva au canton avec sa mère et ses frères. Il travailla comme fermier jusqu'à ce qu'il puisse acheter sa propre terre. En 1848, il construisit une maison en pierre, qui est encore là, sur la route no 104, vis-à-vis le chemin conduisant à Dunham.

1800

LE PREMIER ÉTABLISSEMENT À KINGSEY

Pierre-monument à Saint-Félix-de-Kingsey, au rang de la Rivière, à environ 6 milles de l'église et à 3 milles du 4e rang de Saint-Cyrille.

THIS STONE COMMEMORATES THE FIRST SETTLEMENT OF KINGSEY IN 1800. ERECTED 1900. C. SMILE.

I.P.

En 1800, le colonel Wadleigh, sa femme et leurs enfants arrivèrent dans le township de Kingsey par la rivière Saint-François, dont ils furent les pionniers. Leur fils fut le premier à naître là.

La célébration de ce centenaire se fit sur la ferme de Madame Sarah Abercrombie Parker, où se réunirent environ 2 000 personnes. Elle débuta vers dix heures de l'avant-midi, le 15 août 1900, par la visite des reliques du passé comme : une coupe de punch ayant appartenu au fondateur ; un livre de prières imprimé en 1779 et propriété de la famille Evans depuis cinq générations ; une Bible imprimée en 1706 venant de Mary R. Judd, de Kingsey Falls, etc.

Après la signature d'une centaine de personnalités sur une tablette destinée à être placée dans un des trois canons donnés pour cette circonstance par le Dominion du Canada, il y eut pique-nique à l'heure du midi. À deux heures, le maire G.W. Wadleigh dévoila le monument du centenaire : une pierre roulée offerte par C.J. Hill, tailleur de marbre, de Richmond.

Une adresse, signée par G. Wilton Wadleigh, maire, par W.W. Wadleigh, secrétaire du comité des fêtes et par J.S. Sykes, président de celui-ci, fut lue. Elle soulignait que Madame S.A. Parker avait non seulement pris l'initiative de cette célébration mais en avait ordonné le programme ; elle lui exprimait la gratitude de tous.

La fête, présidée par le Rév. J.S. Sykes, se termina par un feu d'artifice et par la danse. La fanfare de L'Avenir, dirigée par le notaire J.S. St-Amand, fit les frais de la musique durant la journée.

Plusieurs personnes prirent la parole, en particulier : Rév. J.C. Wurtele, d'Acton Vale, Rév. J.S. Sykes, F.J. Bothwell et autres. Parmi les invités qui s'excusèrent de ne pas avoir pu assister à cette célébration, mentionnons : Sir Wilfrid Laurier, Premier ministre du Canada, Hon. S.A. Fisher, L. Laverade, député du comté de Drummond, Hon. H.T. Duffy et autres.

1800

L'ÉTABLISSEMENT DE JOHN BISHOP À DUDSWELL

Monument à Bishopton, sur la route no 112, à l'angle de celle allant vers Bishopton, endroit appelé Bishop's crossing.

TO COMMEMORATE THE SETTLEMENT OF DUDSWELL BY JOHN BISHOP AND OTHERS IN 1800. ERECTED A.D. 1900.

I. P.

Les ancêtres de John Bishop (orthographié alors Bishoppe), d'origine hollandaise, s'étaient établis à la Nouvelle-Armsterdam (New York).

John Bishop non seulement sympathisa avec les révolutionnaires américains, mais s'enrôla dans leurs troupes et fut nommé capitaine. Capturé par les Anglais et amené à Québec où il fut gardé jusqu'à la fin de la guerre, il apprit alors comment obtenir une concession de terres au Bas-Canada.

À la fin des hostilités, il retourna dans sa localité, à Moncton, comté d'Addison (Vermont), où il trouva sa maison détruite et ses biens saccagés. Il décida alors de s'établir dans les townships québécois où il se fit concéder le canton de Dudswell, sur le lac de ce nom. Il y arriva le 4 octobre 1800 avec sa femme et ses sept enfants. Bientôt, les colons Trueman et Andrews se joignirent à lui; son épouse était la soeur de celui-ci.

Il décéda malheureusement le 20 août 1801, victime des souffrances endurées durant un voyage en vue de se procurer du fer pour la construction de son moulin. Ainsi, comme il n'eut pas le temps de remplir toutes les obligations auxquelles il s'était engagé, ses héritiers ne purent avoir que les deux tiers du canton, ce qui était déjà considérable. Il fut inhumé dans le cimetière LAKESIDE, à Bishopton.

C'est son frère, Napthtale Bishop qui, avec sa famille, continua l'entreprise. Des colons vinrent se joindre à eux. En 1815, on y comptait environ 80 personnes.

Le comité formé pour ériger ce monument était composé de N.-W. Bishop, T.-S. Chapman, F.-W.-J. Glascock, A.-G. Bishop, H. Cunningham, G.-M. Willard, H.-G. Bishop, J.-J. Bishop, F. Hall, J. Cunningham, J.-R. Andrews, E.-F. Orr, J.-A. Chicoyne, L. Gilbert, Geo. Lindley, J.-B. Hooker et J.B. Nadeau. Mgr Paul Larocque, évêque de Sherbrooke, le dévoila le 29 août 1900.

1801

CALEB TREE

Plaque sur un cairn, à Stanbridge Est, sur la route conduisant à Dunham, face au village de Stanbridge, à l'angle de la route 202.

IN HONOR OF CAPT. CALEB TREE WHO CAME TO CANADA FROM H.H. AND SETTLED ON THIS FARM, AND ALONG WITH OTHER PIONEERS FOUNDED STANBRIDGE EAST IN 1801.

I. P.

Le canton de Stanbridge-Est fut érigé le premier septembre 1801 ; son nom est celui d'une ville d'Angleterre.

Caleb Tree, d'origine irlandaise et Nathan Andrews, partis du Rhode Island, furent les pionniers de Stanbridge-Est, en 1797, où ils arrivèrent avant les arpenteurs, la fondation se faisant en 1801.

En 1808, Ebenezer Martin y construisit une tannerie. Deux ans plus tard, Ebenszer Hart y ouvrit un magasin et, en 1820, John Baker, originaire de Barre (Vermont), y installa le premier moulin à carde de la région ainsi qu'une manufacture de vêtements.

Les rejoignirent Oscar Anderson, qui épousa une demoiselle Beatty, les familles Boomhours, Gages, Harris, Palmere, Rose et autres.

Le 15 octobre 1966, Graham et Byron Lackey, de Saint-Lambert, arrière-arrière-petits fils de Caleb Tree dévoilèrent le monument de ce dernier. Des discours furent prononcés par le Rév. Peter Hannen, de l'Église anglicane, et le Rév. Peter Macaskill, de l'Église Unie du Canada. Le curé de la paroisse catholique locale, l'abbé Miclette, récita la prière d'usage et bénit le monument.

Le terrain où se trouve ce dernier a été donné par M.K.D. Tree, descendant du fondateur, à la SOCIÉTÉ HISTORIQUE DU COMTÉ DE MISSISQUOI, qui a construit le cairn et l'escalier y conduisant. M. Tree et des amis payèrent le coût de la plaque, M. Crellar aida le donateur à effectuer les travaux requis.

1810

LE CHEMIN CRAIG

Monument avec plaque à Richmond dans un parc à l'angle des rues Principale Sud et Craig

CRAIG ROAD. THIS ROAD, COMPLATED IN 1810 FROM ST. GILES TO THE TOWNSHIP OF SHIPTON, WAS FOR MANY YEARS THE PRINCIPAL LINE OF COMMUNICATION BETWEEN LEVIS AND THE EASTERN TOWNSHIPS FOR THE TRANSPORTATION OF CATTLE AND AGRICULTURE PRODUCE.

CHEMIN CRAIG. OUVERT EN 1810 ENTRE SAINT-GILLES ET LE CANTON DE SHIPTON. SERVIT PENDANT PLUSIEURS ANNÉES DE PRINCIPALE VOIE DE COMMUNICATION ENTRE LEVIS ET LES CANTONS DE L'EST POUR LE TRANSPORT DU BÉTAIL ET DES PRODUITS AGRICOLES.

C.S.M.H.C.

Ce chemin, allant de Lévis à Richmond, porte le nom de celui qui l'a fait construire, James-Henry Craig (1748-1812), gouverneur du Canada de 1807 à 1811.

Commencé en 1810, il fut ouvert à la circulation en 1811. Auparavant il fallait, quand on ne pouvait pas profiter des cours d'eau, parcourir les sentiers difficiles en portant les marchandises sur le dos.

Vers 1805, les habitants des Cantons de l'Est avaient signé une requête aux autorités, soulignant l'importance d'une route carrossable pour assurer le progrès de la région. Le Parlement adopta une loi à cette fin, le 6 septembre 1806. Mais, faute d'argent, il offrit aux constructeurs de les indemniser en leur donnant des terres adjacentes, ce qui ne donna pas de résultat.

Le gouverneur Craig, appuyé par son secrétaire Herman-Witsius Ryland et Jonathan Sewell, président du Conseil législatif, prit sur lui de faire cette construction, grâce aux troupes britanniques dirigées par le général J. Kempt et le major Robinson, en se servant du plan préparé par John Caldwell. 75 milles furent ainsi faits jusqu'à Shipton sur une largeur de quinze pieds. On construisit 120 ponts. Étaient placés aux endroits pas assez solides, des arbres couchés côte à côte. Les propriétaires des terrains adjacents furent invités à collaborer à l'entretien de cette route. Jusqu'en 1910, on s'appliqua bien plus à ouvrir des nouveaux chemins pour desservir les colons qu'à maintenir en bon état les anciens.

1815

GEORGE FREDERICK HERIOT, FONDATEUR DE DRUMMONDVILLE

Plaque à Drummondville au parc Saint-Frédéric, à l'angle des rues Heriot, Marchand et Brook

DRUMMONDVILLE (DRUMMOND). DRUMMONDVILLE S'HONORE D'AVOIR COMME FONDATEUR LE LIEUTENANT-COLONEL GEORGE FREDERIC HERIOT QUI PRIT PART AVEC HONNEUR À LA GUERRE DE 1812-1813.

DRUMMONDVILLE (DRUMMOND). DRUMMONDVILLE HAS THE HONOUR OF HAVING AS ITS FOUNDER LIEUTENANT-COLONEL GEORGE FREDERICK HERIOT, WHO PAYED A DISTINGUISH PART IN THE WAR OF 1812.

JE ME SOUVIENS *C.M.H.Q.*

George Frederick Heriot Écossais par son père Roger, chirurgien dans l'armée anglaise, et Irlandais par sa mère Anne Nugent, vit le jour le 11 janvier 1786. Il était le troisième de cinq garçons. Très jeune, il entra dans l'armée. C'est vers l'âge de seize ans qu'il arriva au Canada avec le 49e régiment.

Capitaine en 1806, il était en garnison à Québec en 1812, quand la guerre éclata entre l'Angleterre et les États-Unis. Le 25 mars 1813, il passa comme officier au Voltigeurs, régiment fondé par de Salaberry. Participant avec honneur à tous les engagements sauf à celui de Châteauguay, il s'illustra particulièrement à Saskett's Harbour, Chrysler's Farm et Plattsburg.

La guerre terminée, le gouverneur Drummond, en 1815, nomme Heriot surintendant de la colonie qu'il avait décidé de fonder sur les bords de la rivière Saint-François, afin de protéger le pays d'une autre invasion américaine. Aussitôt, Heriot s'y rendit et choisit l'endroit le plus propice. Dans ses instructions, Drummond voulait favoriser les officiers et soldats (à qui il donnait 200 acres de terre aux premiers et 100 aux autres), mais précisant que c'était un établissement «to be made by disbanded Soldiers and Emigrants from Scotland and Ireland in Lower Canada».

Ce territoire ne comptait alors que deux habitants : M. Spicer propriétaire d'un moulin et W. Menut demeurant au nord des chûtes appelées plus tard Hemming. L'année suivante, à la vingtaine de maisons du village s'ajoutaient un moulin à farine et une scierie sur la rivière Noire ; 25 milles de chemin furent aussi faits. C'est Heriot qui fit ouvrir, en 1815, la première route entre Saint-François-du-Lac et Drummondville. Il fit de même, en 1824, pour la voie conduisant aux cantons de Grantham et d'Upton.

VERS 1815
LE MOULIN D'HUNTINGVILLE

À Huntingville, sur la route 143, près du pont

Les frères William et Seth Hunting partirent de Templeton, (Mass. E.U.), pour venir s'établir au Bas-Canada, en 1815. Ils arrivèrent d'abord à ce qui est aujourd'hui Lennoxville, mais n'y demeurèrent que le temps requis pour trouver l'endroit désiré.

Le gouvernement leur céda une centaine d'acres sur les lots 6 et 7 du 5e rang d'Ascot, là où se trouve actuellement Huntingville, appelée ainsi en leur honneur.

Seth prit pour lui la plus grande partie de cette terre. Il y construisit une maison avec dépendances et se mit à exploiter le tout; ses descendants y demeurèrent 125 ans.

William obtint le privilège d'édifier un barrage sur la partie qu'il s'était réservée, pour y faire fonctionner un moulin à scie et un moulin à farine. En 1832, le fils de William, William Jr., acquit ces moulins dans lesquels il installa une scie circulaire. Il améliora si bien l'équipement du moulin à farine que l'on partait de très loin pour venir y faire moudre son grain. En 1888, le fils de ce dernier, William-Herbert, prit la succession. Lui aussi apporta des perfectionnements surtout en 1904: un barrage en grosses pièces de bois, une moulange à rouleaux.

Le fils de William-Herbert, Kenneth Wm, devint propriétaire en 1923, faisant affaires sous le nom de Wm H. Hunting & Sons, Reg'd. En 1939, il construisit un moulin à planer et un pouvoir d'eau du côté nord de la rivière, sur l'ancien emplacement du moulin à scie. En 1946, il érigea un barrage en ciment. Car, en 1942 et en 1943, une débâcle avait emporté les moulins à scie et à farine. En cette dernière année, la municipalité et le gouvernement remplacèrent le pont couvert qui avait été emporté, en 1942, par un pont en ciment.

Pour exploiter son entreprise, Kenneth Wm forma, en 1952, la compagnie W.H. Hunting & Sons Limited ayant comme membres lui-même président, Alice M. Hunting, vice-présidente et Ross E. Hunting, leur fils, secrétaire-trésorier. En 1960, un incendie détruisit le moulin à scie, le moulin à farine et le bureau. Il fut résolu de reconstruire aussitôt un moulin à scie électrifié, un peu plus loin de la rive. Ross-E. Hunting, en 1966, devint propriétaire de toutes les actions, sauf deux.

1816

LA PREMIÈRE MESSE DANS LA RÉGION DE SHERBROOKE

Plaque à Sherbrooke, sur la route de l'Université, à environ un quart de mille à l'Est de la route 216

MESSIRE JEAN RAIMBAULT, CURÉ DE NICOLET, CÉLÉBRA ICI LA PREMIÈRE MESSE DITE DANS LA RÉGION DE SHERBROOKE, CHEZ MADAME W.B. FELTON, NÉE ANNA MARIA VALLS, EN MAI 1816.

IN MAY 1816, FOR THE FIRST TIME IN THE REGION OF SHERBROOKE, HOLY MASS WAS SAID ON THIS SITE IN THE HOME OF MRS W.B. FELTON (ANNA MARIA VALLS), BY REV. JEAN RAIMBAULT, PARISH PRIEST OF NICOLET.

MINISTÈRE DES AFFAIRES CULTURELLES. COMMISSION DES MONUMENTS HISTORIQUES.

L'abbé Jean Raimbault devint, en 1816, le premier missionnaire du territoire de Sherbrooke, qui reçut son premier missionnaire résident le 16 juin 1834. Il naquit à Orléans (France), le 4 février 1770, d'Étienne, militaire, et de Françoise Doucet ; il fit ses études à Meung et à Orléans. Cependant, il fut ordonné prêtre à Longueuil, par Mgr Denaut, le 26 juillet 1795. D'abord professeur au Séminaire de Québec pendant deux ans, puis vicaire à Château-Richer, il fut ensuite curé de l'Ange-Gardien-de-Montmorency (1797-1805), de la Pointe-aux-Trembles-de-Montréal (1805-1806), puis de Nicolet jusqu'à son décès, le 16 février 1841. C'est durant cette dernière période qu'il desservit les missions de Drummondville (1815-1819) et de Sherbrooke (1816-1823), ce qui n'était pas une sinécure ! Sa vie et ses œuvres méritent tout un volume non seulement comme prêtre mais comme éducateur au Séminaire de Nicolet.

Mme W.B. Felton née Valls, une Espagnole catholique désirait le baptême pour ses enfants. Son époux, un ancien membre de la flotte de Nelson, avait reçu comme récompense des terres dans les Cantons de l'Est. Étant établi avec sa famille au no 8g du 10e rang, depuis un an, il demanda alors à Mgr Plessis un missionnaire pour le township d'Ascot.

La paroisse de Sherbrooke fut érigée canoniquement en 1872.

1818
L'ÉGLISE ÉRIGÉE PAR CHARLES JAMES STEWART

À Hatley, comté de Stanstead, rang Nord
à l'angle du rang Côté, (environ 1½ mille du village)

ON THIS SITE STOOD THE CHURCH ERECTED IN 1818 BY CHARLES JAMES STEWART THE MISSIONARY OF THE CHURCH OF ENGLAND IN THE EASTERN TOWNSHIP AND AFTERWARDS SECOND BISHOP OF QUEBEC.

I.P.

Charles-James Stewart fut le deuxième évêque anglican au Canada ; il succéda à George-J. Mountain. Il naquit en Écosse, le 15 avril 1775, cinquième enfant de John Stewart, septième Earl of Galloway. Après ses études à l'Université d'Oxford (M.A. en 1799) et son ordination dans l'Église d'Angleterre en 1817, il obtint son D.D. de cette même université.

THE SOCIETY FOR THE PROPAGATION OF THE GOSPEL l'envoya, en 1808, comme missionnaire au Canada. Il exerça d'abord son ministère à Saint-Armand près du lac Champlain où étaient concentrés alors plusieurs Loyalistes qui, graduellement, devaient aller s'établir dans les Cantons de l'Est, pour un bon nombre. C'est lui qui, en 1818, fut le fondateur de la paroisse de Hatley, l'une des premières du diocèse anglican de Québec. En son honneur on l'appela Charleston et, peu d'années après, East Hatley puis Hatley.

Les colons de religion anglicane y étaient alors très peu nombreux, les autres étaient surtout baptistes. Le missionnaire Stewart construisit l'église grâce, pour une bonne partie, à même ses deniers ; le presbytère fut bâti sur un lot voisin donné par Ephraim Wedleigh. Il se servit de cette paroisse comme point de départ pour exercer son ministère aussi loin que Sherbrooke, Drummondville, Eaton, etc. À partir de 1819, il dut aller visiter toutes les missions du diocèse, ce qui était une tâche accablante. Il devint évêque de Québec en 1826. En plus de ses sermons et ses rapports missionnaires, il publia A SHORT VIEW OF THE PRESENT STATE OF THE EASTERN TOWNSHIP (1815) et LETTER ON THE DIFFERENCE OF OPINION RESPECTING THE CLERGY RESERVES AND OTHER POINTS (1827). Il mourut célibataire à Londres (Angleterre), le 13 juillet 1837.

L'église qu'il avait bâtie ne servit que quelques années au profit des Anglicans. Car, une autre, celle actuelle construite au village sous le nom de St. James, fut consacrée par lui, devenu évêque. L'ancienne fut mise à la disposition des Baptistes. Celle-ci, délabrée, fut démolie en 1826. Le cairn et sa plaque en gardent le souvenir.

1819
PHILIPSBURG CHURCH

À Philipsburg, à l'angle de la rue Montgomery et de la route no 133

PHILIPSBURG CHAPEL — 1819.

HISTORIC SITE. PHILIPSBURG UNITED CHURCH.

AFTER 1776 LOYALISTS CAME TO CANADA BY THE CHAMPLAIN WATERWAY. AMONG THEM WERE METHODISTS WHO HELPED TO ESTABLISH HERE, IN 1784, THE FIRST SETTLEMENT OF THE EASTERN TOWNSHIPS.

METHODIST CLASS WERE FORMED AND VISITED BY ITINERANT CIRCUIT RIDERS FROM THE NEW YORK CONFERENCE. LORENZO DOW CAME HERE IN 1779.

IN 1806 SAMUEL EMBURG, SON OF PHILIP EMBURG (THE FIRST METHODIST PREACHER IN AMERICA AND BUILDER OF THE FIRST CHAPEL AT NEW YORK), CAME HERE AND WAS CLASS LEADER.

AFTER 1812-14 CLASSES WERE SERVED BY PREACHERS FROM THE BRITISH CONFERENCE. THIS CHAPEL WAS BUILTED, IN 1819. THE FIRST PREACHER WAS THE REVEREND RICHARD WILLIAMS.

THE MISSION HOUSE, TO YOUR LEFT, WAS BUILTED IN 1825 AND IS STILL OWNED AND USED BY THE CONGREGATION.

DURING THE BATTLE OF MOORE'S CORNER AT ST. ARMAND, IN 1837, THIS CHAPEL WINDOWS WERE BARRICADED AND ARMS AND MUNITIONS WERE PASSED OUT TO THE MILITIA IN THE GREEN. AFTER THAT ACCOUNTER THE SOLDIERS RETURNED HERE FOR FOOD AND SHELTER.

IN THE 1860'S MANY REFUGEES FROM THE SOUTH FOUND A HAVEN IN THIS HOUSE OF THE CONGREGATION IN THE « UNDERGROWN RAILWAY ».

IN 1925 THE CONGREGATION ENTERED THE UNION OF METHODIST CONGREGATION AND PRESBYTERIAN CHURCHES TO FORM THE UNITED CHURCH OR CANADA.

THE BUILDING HAS BEEN IN CONTINIOUS USE SINCE 1819. IT IS THE OLDEST FORMER METHODIST CHURCH STILL IN USE IN THE PROVINCE OF QUEBEC.

I. P.

1819

JOHN HENRY POPE

Plaque à Cookshire au no 85 rue Principale Ouest (sur l'édifice du Conseil de comté)

JOHN HENRY POPE. 1819-1889. CITOYEN DE COOKSHIRE, DÉPUTÉ DE COMPTON (1857-89), MINISTRE DE L'AGRICULTURE, PUIS DES TRANSPORTS SOUS SIR JOHN A. MACDONALD, FIT PROGRESSER BANQUES, SOIERIES, MINES, LAINERIES ET EXPLOITATION AGRICOLES.

RÉSIDENT OF COOKSHIRE, M.P. COMPTON COUNTY (1857-1889), PROMOTED AND FINANCED BANKS, LUMBERING, RANCHES, MINING AND WOOLENS UNDER SIR JOHN A. MACDONALD, HELD MINISTRIES OF AGRICULTURE, RAILWAYS AND CANALS. COMMISSION DES MONUMENTS HISTORIQUES DU QUÉBEC.

John Henry Pope naquit à Cookshire, le 19 décembre 1819, de John et de Sophia Laberee. Ayant reçu une éducation fort rudimentaire à l'école communale, il sut cependant bien s'exprimer et se perfectionner ; dès sa jeunesse il s'exerça à faire grandir son influence sur les autres. Il devint populaire et se prépara à jouer un rôle dans la politique. En attendant, il se fit promoteur en divers domaines.

En 1854, s'étant présenté comme candidat libéral-conservateur à la Législature dans le comté de Compton, il ne fut pas élu. Trois ans plus tard, il devenait député à Québec et fut réélu en 1861 et en 1863.

Favorable à la Confédération, il fut élu premier député de Compton à Ottawa, en 1867, et réélu en 1871, 1872, 1874, 1878, 1882 et 1887. Membre du Conseil privé en 1871, il devint ministre de l'Agriculture (1871-1873 et 1878-1885) puis ministre des Chemins de fer et Canaux (1885-1889). Favorable depuis toujours aux chemins de fer et appuyant particulièrement le Pacifique Canadien, il fut président de St. Francis & Megantic Railway et de l'International Railway of Maine, reliant celui-ci à Montréal. Lorsque ce dernier fut inauguré à Sherbrooke, en 1885, John Henry Pope reçut une ovation au banquet réunissant des centaines de convives.

Il fut directeur de COMPTON COLONIZATION SOCIETY, de EASTERN TOWNSHIPS BANK, SHERBROOKE WATER POWER CO, SHERBROOKE GAS AND WATER, etc. Il exploita une mine d'or à Ditton, durant une vingtaine d'années.

Il mourut à Ottawa, le 1er avril 1889. Il avait épousé en 1845 Persis Baily, dont fut issu Rufus Henry, qui devint sénateur.

1825

LE BERCEAU DES BOIS-FRANCS

Monument à Saint-Louis-de-Blandford, en face de l'église

ST-LOUIS DE BLANDFORD « BERCEAU DES BOIS-FRANCS » 1825-1975. HOMMAGE À CEUX QUI ONT PASSÉ. RESPECT À CEUX QUI PASSENT. CONFIANCE EN CEUX QUI PASSERONT. UN JOUR NOUS SERONS TOUS RÉUNIS À LA MÊME TABLE.

I. P.

La paroisse de Saint-Louis-de-Blandford fut le berceau des Bois-Francs. Fondée, en 1825, par Charles Héon qui y bâtit la première maisonnette en bois rond, c'est là aussi que fut construite, en 1833, la première chapelle de tout ce territoire.

Elle fut érigée canoniquement le 11 juillet 1848 et civilement le 18 mai 1861. Elle est une partie des cantons de Blandford, Maddington, Bulstrode et de Somerset. Elle est sous le patronage de saint Louis, roi de France, en souvenir de l'Honorable Louis Massue, conseiller législatif, de Québec, qui donna le terrain de l'église et fournit à celle-ci vitres, ferrures, etc.

Sont aussi considérés comme fondateurs : Georges Héon, frère du susnommé, Hubert Poirier et Charles Thibodeau. Ces derniers avec Charles Héon ouvrirent, en 1826, un chemin de douze milles de longueur entre Blandford et Maddington.

Jusqu'en 1862, les fidèles furent desservis par des missionnaires venant de Gentilly, Somerset et Blandford. C'est alors que l'abbé Arthur Sicard de Carufel devint le premier curé résidant. La population était de 580 âmes, et il existait deux écoles, l'une au village, l'autre près de la grande ligne de Maddington et Blandford. L'abbé Gabriel Courtin fut le premier à célébrer la messe dans la paroisse. Son sixième curé fut l'abbé Charles-Édouard Mailhot (1886-1898), qui a écrit l'excellent historique de la région sous le titre BOIS-FRANCS.

En 1975, cette paroisse a célébré son 150e anniversaire avec éclat. Un album-souvenir de plus de 400 pages a alors été publié.

1825

CHARLES HÉON, FONDATEUR DE BOIS-FRANCS

Plaque à Saint-Louis-de-Blandford, au 10e rang (ou de la Rivière), près du viaduc de l'autoroute 20

LE FONDATEUR DES BOIS-FRANCS 1825-1925. CHARLES HÉON, NÉ À BÉCANCOUR LE 19 MARS 1799, ARRIVA ICI LE 14 MARS 1825. EN DÉPIT DE GRANDS ET NOMBREUX OBSTACLES, CE PIONNIER PAR SON COURAGE ET SANS AUCUNE PROTECTION A TRACÉ LA VOIE QUE DES MILLIERS D'AUTRES ONT SUIVIE.

CHARLES HEON, BORN IN BECANCOUR, 19TH MARCH 1799, SETTLED HERE 19TH MARCH 1825. IN SPITE OF MANY GRAND OBSTACLES BY COURAGE, ALONE, UNASSISTED, THIS PIONEER PAVED THE WAY THAT MANY OTHERS FOLLOWED, ERECTED 1926.

C.S.M.H.C.

Charles Héon, issu de Charles-Raymond et de Marie-Solange Richard, fut non seulement le fondateur de Saint-Louis-de-Blandford mais aussi l'initiateur de la colonisation des Bois-Francs. De son mariage avec Louise Cormier naquirent : Marie-Odélie, Pauline, Julie, Sophie, Célina, Jules et Charles. Avec sa femme et ses enfants, il arriva aux lots E-F du 10e rang de Blandford, accompagné de son frère Georges, de Hubert Poirier ainsi que Charles Thibodeau et la femme de celui-ci, Rosalie Poirier.

Il se bâtit une cabane de 17′ x 17′ en bois rond puis retourna à Bécancour pour aller chercher une vache (la première des Bois-Francs), de la nourriture et autres effets. Au retour, il reçut l'aide d'amis et de parents. Plus tard, quand l'exploitation du bois servit la colonisation, il obtint du gouvernement 350 acres de terre qu'il partagea avec de nouveaux colons.

Après avoir construit une petite scierie, il y ajouta un moulin à farine, la moulange ayant été fournie par Louis Massue.

En 1833, il avait été nommé, avec Alexis et Godfroy Leblanc, Pierre Bruneau et Joseph Gagnon père, syndic pour la construction de la première chapelle. C'est lui qui l'érigea, en 1834-1835, pour la modique somme de $250.

Il décéda le 16 mai 1882. Le monument ci-dessous a été érigé à l'occasion du centenaire de la paroisse.

1826
SAMUEL GALE ET REBECCA WELLS

Plaque au Lac Brome (Knowlton) sur le mur latéral de Henry B. Shufelt Memorial Archives

HERE REST SAMUEL GALE, ESQUIRE FORMERLY ACTING DEPUTE PAYMASTER GENERAL OF HIS MAJESTY'S FORCES IN THE SOUTHERN PROVINCES NOW THE UNITED STATES OF AMERICA SUBSEQUENTLY SECRETARY OF HIS EXCELLENCY THE GOVERNOR IN CHIEF OF HIS MAJESTY'S DOMINION IN NORTH AMERICA, AUTHOR OF ESSAYS ON PUBLIC CREDIT & OTHER WORKS, BORN AT KEPTON HANTS ENGLAND OCT 14th 1747 O.S. DIED AT FARNHAM JUNE 27 1826.

AND REBECCA WELLS HIS WIFE BORN AT DEERFIELD IN MASSACHUSETTS, JANY 23d 1752, O.S. DIED AT FARNHAM JAN. 23 1826.

THEY WERE MARRIED, JUNE 25th 1773 & DURING A UNION WHICH PROVIDENCE WAS PLEASED TO EXTEND TO A PERIOD OF NEAR 53 YEARS, THEY LIVED TOGETHER WITH MUTUAL AFFECTION.

I. P.

Cette plaque était, auparavant, sur un monument érigé à Farnham-Est, comté de Brome, en mémoire des susnommés. Ce monument, propriété de la SOCIÉTÉ HISTORIQUE DU COMTÉ DE BROME, ayant été endommagé par des vandales, cette association apposa cette plaque à son musée.

Samuel Gale, envoyé comme militaire dans les colonies d'Amérique vers 1770, fut le chef des associés à qui le township de Farnham fut concédé le 22 octobre 1809.

Peu après son mariage avec Rebecca Wells, fille du colonel Samuel Wells, de Brattleboro, où il était domicilié, il démissionna du service militaire. Alors qu'il demeurait dans le comté de Cumberland, il devint greffier de la Cour en 1774. Grandement attaché à la cause du roi d'Angleterre, il fut plusieurs fois emprisonné par ceux qui voulaient l'indépendance des États-Unis. Il amena sa famille à Québec. Sous l'administration du gouverneur Prévost, il devint son secrétaire. Il l'accompagna en Angleterre, lorsque celui-ci dut se défendre contre les accusations de l'amiral Yeo.

Samuel Gale mourut dans sa résidence d'été de Farnham-Est. De son mariage avec Rebecca naquirent : Anna, qui épousa Whipple Wells, fils de l'un des associés de son père, et un fils, qui fut excellent avocat et juge de la Cour du Banc de la Reine à Montréal.

1827

JOHN-RUDOLPHUS BOOTH

Né à Waterloo le 5 avril 1827

John-Rudolphus Booth fut un multi millionnaire. Il bâtit un empire forestier qui lui donna le titre de « Roi du bois ». Sans lui, la ville d'Ottawa ne serait pas devenue ce qu'elle est devenue.

Il vit le jour dans la maison de pierre de son père, près de la ville de Waterloo (Québec); il était le deuxième fils de John, cultivateur, et de Helen Rowley.

John-Rudolphus, après des études fort limitées faites à l'école paroissiale, aurait voulu devenir charpentier, mais son père l'obligea à labourer. Vers l'âge de quinze ans, il franchit les frontières de l'État de New York où il s'engagea comme charpentier. Ayant écrit à son père qu'il se préparait à partir dans les mines d'or de Californie, celui-ci s'empressa d'aller chercher son fils et de le remettre à cultiver sa terre.

Mais dès sa majorité, il quitta le foyer pour le Vermont où il travailla encore comme charpentier sur un chemin de fer. Lorsqu'il eut assez d'argent, il alla à Philipsburg, épouser Roselinda Cook, fille de cultivateur. Il travailla ensuite comme charpentier-menuisier à Waterloo et les environs.

En 1852, seulement $8 en poche, il partit pour Bytown (Ottawa) avec sa femme et sa fille ; Arthur Leamy l'engageait pour construire un petit moulin à scie. Il était sur le chemin qui devait le conduire à la fortune, et cette fortune serait la plus grande de son époque au Canada.

Il se construisit un petit moulin à scie du côté nord de la rivière Ottawa. Un incendie le détruisit, mais il trouva l'argent pour en bâtir un autre, puis pour en acheter plusieurs, acquérant des terres boisées. Un jour, avec $45 000, il fit l'acquisition, à une enchère publique, de 150 milles carrés de forêt. Il vint à en posséder 4 250 milles carrés. Il devint propriétaire de 210 scies actionnées par la force hydraulique ; il y employait 400 hommes et 80 chevaux l'été, 850 bûcherons et 600 chevaux l'hiver. Il se porta acquéreur de moulins à papier, d'un chemin de fer unissant Chicago à Wilwaukee, de bateaux, etc. Il fut directeur de plusiers compagnies, bienfaiteur de l'Université Queen, de l'hôpital St. Luke, etc., et devint un homme puissant que les grands politiciens consultaient.

De son mariage naquirent trois fils et cinq filles. Le jour de ses funérailles, en 1925 à Ottawa, fut un deuil dans toute la ville.

AVANT 1827
LA VIEILLE ÉCOLE DE PIERRE

À Richmond, sur la route 143, à environ un mille et demi de la ville

THIS BUILDING WAS ERECTED OVER ONE HUNDRED YEARS AGO BY THE FOLLOWING AND OTHER PIONEERS: CHAUNCY CLARK, WYMAN BARTLETT, HARRY GALLUP, ORRIN WALES, WILLARD BARTLETT, JONATHAN PIERCE, BUSH STIMSON, JOHN WILSON.

THIS STONE PLACES BY E.G. AND E.L. PIERCE, 1927. DONATED BY T.C. THOMPSON.

I.P.

Cette solide construction ne servit pas seulement d'école mais aussi d'église à divers confessions protestantes, de résidence aux missionnaires et même de centre social.

Ses murs de pierre forment une architecture de style unique dans les Cantons de l'Est. On la désigne sous le nom de « Old Stone School », car elle servit longtemps d'école, depuis sa construction avant 1827. Durant les dernières années où elle fut employée à cette fin elle n'accueillait qu'une partie des élèves ; les autres fréquentaient la Dustin School située à une distance d'un mille ou deux.

Ses archives, qui datent des environs de 1850, mentionnent que l'institutrice ne recevait alors qu'un salaire d'à peu près $8 par mois, en plus du logement gratuit qu'elle avait chez les parents des écoliers. Une trentaine d'années après, le salaire avait à peine doublé. Mme Wesley (Mabel) Lyster, en 1905, en fut la dernière institutrice.

Comme l'immeuble avait commencé à se détériorer graduellement, il avait besoin de beaucoup de réparations lorsque E.L. Pierce en fit l'acquisition vers 1912. Avec l'aide financière et les services de plusieurs personnes, il la restaura et embellit les alentours, y compris le cimetière adjacent.

Les outrages du temps ayant continué leur œuvre, Mlle Dresser, présidente de la Société historique locale, et la CANADIAN HERITAGE SOCIETY prirent les moyens requis pour restaurer cette bâtisse et l'entretenir comme un monument historique. C'était rendre hommage aux pionniers dont les noms sont inscrits sur la plaque qui fut apposée, en 1927, par E.G. et E.L. Pierce, à la suite d'une donation faite par T.C. Thompson.

1827

LOCIUS-SETH HUNTINGDON

Né à Compton le 26 mai 1827

Lucius-Seth Huntingdon fut député de Shefford (1861-1882), ministre des Postes (1875-1878), dans le cabinet du Premier ministre libéral A. Mackenzie, et auteur du roman PROFESSOR CONANT.

Son père portait aussi le prénom Seth ; sa mère était la fille du capitaine Chester Hovey, l'un des associés, pionniers de Hatley. Il reçut du premier son goût de la lecture et de celle-ci le courage et une grande ambition.

Il n'avait que six ans quand ses parents déménagèrent à Hatley où il passa sa jeunesse. Sa mémoire était déjà si fidèle que, au retour de l'office dominical, il répétait presque mot à mot le sermon.

Il fit ses études au Brownington Seminary, au Vermont, où il se fit une grande popularité comme « debater and eloquent speaker ».

Il étudia le droit à Sherbrooke, avec l'avocat Sanborn, tout en enseignant au High Scholl de Hatley et à celui de Magog. Il fut le principal de Shefford Academy, à Frost Village.

En 1853, il épousa Miriam-Jane Wood, de Frost Village, et fut admis au barreau des Trois-Rivières.

Avec l'aide financière de Hiram S. Foster, du colonel Knowlton et de M. Moore, il dirigea *THE ADVERTIZER AND EASTERN TOWNSHIP SENTINEL,* où il batailla pour la décentralisation de la justice, ce que G.E. Étienne Cartier réalisa en 1857.

Il décéda à New York en 1886.

Ses ancêtres étaient Anglais. L'un d'eux, Simon, émigra à Norwish, au Massachusets, en 1633. C'est son grand-père, Thomas, qui partit de Roxbury (Vermont) pour venir s'établir à Compton après 1802.

1827

L'EMPLACEMENT DE LA PREMIÈRE ÉGLISE ANGLICANE

Monument à Sherbrooke, côté opposé du no 165 rue Bank

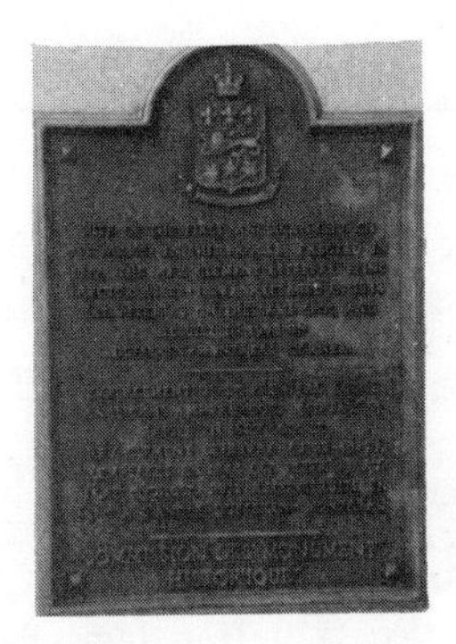

SITE OF THE FIRST ANGLICAN CHURCH (ST. PAUL'S) IN SHERBROOKE, ERECTED IN 1827. THE REV. CLEMENT LEFEBVRE BEING RECTOR (1822-1829), REPLACED IN 1844 (ST. PETER'S) ON THE SAME SPOT, AND REBUILT IN 1900 ON DUFFERIN-MONTREAL CORNER.

EMPLACEMENT DE LA PREMIÈRE ÉGLISE ANGLICANE À SHERBROOKE (S. PAUL'S), ÉRIGÉE EN 1827 SOUS LE RÉV. CLEMENT LEFEBVRE (1822-1829), REMPLACÉE EN 1844 (ST. PETER'S) AU MÊME ENDROIT, PUIS RECONSTRUITE EN 1900 À L'ANGLE DUFFERIN-MONTRÉAL.

COMMISSION DES MONUMENTS HISTORIQUES.

Le prélat angican George Mountain, futur évêque de Montréal (1836) puis de Québec (1837), visita pour la prmière fois les Eastern Townships en 1822.

J. Fietcher, Charles Whitcher, William Henry, C.F.H. Goodhue, C.B. Felton et Edward Parkin avaient signé une requête demandant une paroisse anglicane à Sherbrooke-Lennoxville.

La Société de la Propagation de l'Évangile désigna à cette fin, en 1822, le Rév. Clément F. LeFebvre, un Canadien français. En 1827, il fit construire une petite église sur la rue Bank, là où fut érigé le bureau d'enregistrement. Les travaux furent exécutés par Hiram Moe, qui reçut 37 livres de la société précitée, le restant ayant été payé par la congrégation elle-même. Cette construction était en bois avec couverture pointue surmontée, à l'avant, d'un petit clocher ; elle était du type des salles d'assemblée de la Nouvelle-Angleterre. Deux grosses colonnes en bois encadraient la grande porte centrale. Trois fenêtres de chaque côté, éclairaient l'intérieur.

Le Rév. LeFebvre passa, en 1829, à l'Universalist Church et émigra aux États-Unis. Il fut remplacé par le Rév. Edward Parkin, qui officia aux cérémonies de la consécration de cette église nommée St. Paul.

Parmi les ministres qui leur succédèrent, mentionnons les Rév. Lucius Doolittle, qui, avec l'évêque Mountain, fonda le Bishop's College de Lennoxville ; Isaac Helmuth, futur évêque de Huron ; George Thorneloe, futur évêque d'Algoma.

L'église anglicane actuelle, dont le patron est St. Peter, est l'une des plus belles des Cantons de l'Est.

1792 À 1829
LES PIONNIERS D'UNE PARTIE DE STANSTEAD

Plaque à Stanstead, à « Dufferin Heights », sur la route no 143, à environ 4 milles au nord de la ville

IN MEMORY OF THE PIONNER SETTLERS OF THIS PART OF STANSTEAD, RECORDING THE DATES OF THEIR ARRIVALS.

« THEY TOILED THAT WE MIGHT REAP. »

Joseph Aldrich, 1806; Daniel Bachelder, 1800; Jonathan Bachelder, 1800; Nathaniel Bachelder, 1800; Col. Heman Bangs; Capt. James Bangs, 1800; Deacon Ruben Bangs, 1798; John Barry, 1803; Collins Bartlett, 1820; Hon. James Baxter, 1817; Leonard K. Benton, 1820; Capt. John Boynton, 1805; Major William Boynton, 1797; Major Camp, 1800; Comfort Carpenter, 1800; Francis Cass, 1800; John Cass, 1800; Theophilas Cass, 1798; Seth Caswell, 1820; Col. Wright Chamberlain, 1809; Marcus Child, M.P., 1809; Dr. Samuel Clark, 1797; William Clark, 1797; Moses French Colby, M.D., 1814; Daniel Curtis, 1800; Silas Dickerson, 1813; Capt. Dudley Davis, 1800; Jesse Farley, 1803; Johnathan Field, 1808; Silas Fox, 1800; Urian Fox, 1803; George T. Gates, 1823; Rev. Joseph Cebb, 1829; Jacob Goodwin, 1798; Johnathan Gordon, 1800; Oliver Hartwell; Peter Heath, 1804; Daniel Heath, 1804; Pliny Hibbard; Daniel Holmes; Rev. Austin Hubbard, 1807; Phincas Hibbard, 1805; Francis Judd; Col. Charles Kilborn, 1804; Capt. Joseph Kilborn, 1792; Capt. Samuel Knight, 1823; Nathaniel Ladd, 1800; John Langmayde; Daniel Lee, 1797; Jedebiah Lee; Rev. Jason Lee, 1803; Abraham Libby, 1798; Ebenezer Lincoln, 1807; James Locke, 1800; James Lyford, 1802; Daniel Mansor, 1802; Abraham Martin; Asa May, 1805; Hezikiah May, 1806; Paul Morrill, 1803; David Morrill, 1804; Isaac Morrill, 1806; William Morrill, 1800; Rev. Avery Moulton, 1800; William Moulton, 1798; Charles McClary; William McClary, 1798; Oliver Nash, 1805; Adam Noyes, 1812; Israel Parons, 1815; Andrew Patton, 1804; James Paul, 1800; Wilder Pierce, 1816; Samuel Pinkham, 1800; Selah Pomeroy, 1798; John Quinby, 1808; Nathaniel Rix, 1799; John Roberts; Isaac Rogers, 1801; Philip Rogers, 1802; William Rogers, 1798; Edward Rose, 1800; Timothy Rose, 1800; Capt. John Rinter, 1800; Capt. H. Sleeper, 1801; Ichabod Smith, 1810; Joel Smith, 1803; Nathaniel Stearns, 1804; Johnson Taplin, 1796; Jacob Taylor, 1800; Silas Taylor, 1805; Joseph H. Terrill, 1800; Nathaniel Tilton; David Wallingford, 1806; Peter Weare, 1803; Dr. Isaac Whitcher, 1799; Calvin Wilcos, 1817; Capt. Israel Worth, 1800; Edward Worth, 1800; Joseph Worth, 1800; Andrew Young, 1801.

1829-1944
LES PIONNIERS D'INVERNESS

Monument à Inverness, au 3e rang. Pour s'y rendre en partant d'Iverness : chemin conduisant à Saint-Pierre-Baptiste (2 milles puis sud du 3e rang; monument à 1½ mille.

THE FIRST BURYING PLACE OF THIS SETTLEMENT, WHERE ABOUT SEVENTY PIONEERS OF INVERNESS, FROM ARRAN, SCOTLAND, WERE LAID TO REST. 1829-1844. SEE MEG. REG. NO: 73 76. ERECTED 1919.

I. P.

Voici la liste des Écossais qui s'établirent à Inverness de 1829 à 1832. Les noms sont suivis du nombre d'enfants :

1- Archibald McKillop et son épouse Janet McMillan, 5 — 2- Donald McKillop et son épouse Catherine Kelso, 6 — 3- Archibald McKillop et son épouse Flora McKillop, 10 — 4- Neil McKillop et son épouse Mary McKilvie, 7 — 5- Robert Kelso et son épouse Catherine Kelso, 7 — 6- Alexander Kelso et son épouse Janet Kerr, 5 — 7- William Kelso et son épouse Mary McKillop, 6 — 8- John McKinnon et son épouse Christina McKinnon, 3 — 9- Neil McMillan et son épouse Catherine Kerr, 7 — 10- Margaret McMillan, veuve, 2 — 11- Angus Brodie et son épouse Isabella Walker, 4 — 12- Dugald McKenzie et son épouse Isabella McKillop, 3 — 13- Mary Crawford, veuve de John McKillon, 3 — 14- Isabella Crawford, veuve de Peter Gordon, 1 — 15- James Fullerton, et son épouse Janet Murphy, 10 — 16- John McKenzie et son épouse Margaret Robertson, 5 — 17- Peter Sillers et son épouse Janet Kelso, 8 — 18- John McKillop et son épouse Mary McKenzie, 5 — 19- Dugald Campbell et son épouse Mary McKillop, 5 — 20- Catherine McKillop, veuve, 4 — 21- John Kerr et son épouse Janet Kelso, 3 — 22- Hugh Kerr et son épouse Euphemia Kerr, 8 — 23- Duncan McKelvie et son épouse Mary Stewart, 8 — 24- Donald Nichol et son épouse Janet Currie, 3 — 25- Archibald Cook et son épouse Mary McKelvie, 8 — 26- William McKenzie et son épouse Mary McKenzie, 4 — 27- John Kelso et son épouse Ann McMillan, 3 — 28- James Steart et son épouse Mary Cook, 7 — 29- John McKinnon et son épouse Annie Robertson, 6 — 30- Donald Hendry et son épouse Elizabeth Kelso, 0 — 31- Mme William Stewart, veuve, 6 — 32- James McKinnon et son épouse Catherine McKinnon, 5 — 33- Finley Kerr et son épouse Annie McPhee, 6 — 34- Peter McKenzie et son épouse Margaret Davidson, 5.

1830
LE MOULIN CORNELL

À Stanbridge-Est, rue River, près du pont

CONSTRUIT EN 1830 PAR Z. CORNELL PÈRE SUE L'EMPLACEMENT D'UNE SCIERIE ET D'UN MOULIN ANTÉRIEUR EXPLOITES DÈS 1800 PAR M. WILSON. LE MOULIN CORNELL A ÉTÉ ACQUIS ET CONVERTI EN MUSÉE PAR LA SOCIÉTÉ D'HISTOIRE DU COMTÉ MISSISQUOI EN 1964.

THE CORNELL MILL WAS PURCHASED IN 1964 BY THE MISSISQUOI COUNTY HISTORICAL SOCIETY FOR USE AS A MUSEUM. THIS OLD GRIST MILL WAS BUILT IN 1830 BY Z. CORNELL SR ON THE SITE OF SAW AND GRIST MILL OPERATED BY A MR. WILSON AS EARLY AS 1800.

COMMISSION DES MONUMENTS HISTORIQUES DU QUÉBEC.

Zabulon Cornell passa le contrat d'acquisition le 15 juin 1830. Il construisit le moulin en brique et le barrage. Il était arrivé au Canada en 1826, alors qu'il était tout jeune, avec des parents loyalistes originaires de l'État de New York. Il bâtit un magasin non loin de son moulin.

Le moulin Cornell est bien nommé, car quatre générations en furent successivement propriétaires de père en fils : Zabulon le fut de 1830 à 1853, (époux d'Elizabeth Morey) ; Edwin (qui se maria à Corinthia Hadley), de 1853 à 1890 ; Zabulon-Edwin, de 1890 à 1935 ; et Mathew Allan, de 1935 à 1947.

Zabulon-Edwin fut avocat. Il fit ses études à Yale University et exerça toujours sa profession à Stanbridge-Est. Il avait comme hommes de confiance William Scagel et John Daniels. En politique, il était libéral, admirateur de Wilfrid Laurier.

Matthew ouvrit une usine électrique près du moulin en 1947. Matthew-Allan vendit le tout à Howard Guthrie and Sons, qui installèrent 8 moteurs électriques. Plusieurs autres propriétaires se succédèrent jusqu'en 1964, alors que la Société historique fit l'acquisition de ces bâtiments pour son musée, inauguré le 19 juillet 1964. C'est grâce à un octroi d'environ $25 000 du ministère des Affaires culturelles qu'elle put construire la partie nouvelle.

Cette association, fondée à Bedford en 1899, avait organisé un musée à Dunham, en 1961. Depuis 1975, elle est incorporée sous le nom de SOCIÉTÉ D'HISTOIRE DE MISSISQUOI — THE MISSISQUOI HISTORIAL SOCIETY.

1830

JOHN JOHNSON INHUMÉ AU MONT JOHNSON

Plaque à Stanbridge East, sur la façade du musée Missisquoi (moulin Cornell)

1742-SIR JOHN JOHNSON 1830 INDIAN COMMISSIONER AND A FOREMOST LOYALIST FROM NEW YORK STATE, WHO LED THE REVOLUTIONARY WAR. BURIED AT MT. JOHNSON, QUEBEC. ERECTED BY THE SIR JOHN JOHNSON CENTENNIAL, BRANCH OF THE UNITED LOYALISTS.

I. P.

(Pierre tombale) : SACRED TO THE MEMORY OF SIR JOHN JOHNSON WHO DEPARTED THIS LIFE ON THE 4TH. OF JANUARY, 1830, IN THE 88TH YEAR OF HIS AGE.

John Johnson, fils de William, naquit à Johnstown (État de N.Y.), le 5 novembre 1742. Il seconda son père dans son commerce de fourrure avec les Iroquois dont William était le « chargé d'affaires ». En 1760, il était à Montréal avec les troupes anglaises.

En 1774, il succéda à son père comme propriétaire d'immenses terres en Nouvelle-Angleterre. À la déclaration de l'Indépendance, en 1775, il voulut demeurer neutre, ce qu'il obtint. Mais Schuyler pilla la population et saisit son bétail. Avec 200 Loyalistes, Johnson se rendit à Montréal en juin 1776 ; il reçut le commandement de régiments et en fut récompensé en devenant surintendant général des affaires indiennes du Canada et reçut de grandes propriétés, dont la région du mont Johnson (Saint-Grégoire), où il amena des colons.

Il mourut à Montréal et son corps fut mis dans un caveau, près de son manoir du mont Johnson. Sa pierre tombale était placée au-dessus de la porte de ce caveau, lequel est maintenant en ruines.

1831
HENRY-SETH TAYLOR

Né à Stanstead le 9 avril 1831

Henry-Seth Taylor naquit sur une ferme à environ trois milles de Stanstead, alors connu sous le nom de Stanstead Plain.

Tout jeune, il manifesta des aptitudes pour la mécanique. Ayant appris le métier d'horloger dans son village, il y ouvrit une boutique avec succès. Comme hobby, il exercait son talent dans la fabrication de divers objets mécaniques. Alors que le phonographe d'Edison n'était pas encore sur le marché, il réalisa une machine parlante, qu'il ne fit pas patenter.

En 1867, alors que l'auto était inconnue au Canada, l'invention d'un véhicule mû par la vapeur lui fit une réputation extraordinaire dans les Cantons de l'Est.

Voici, à ce sujet, un extrait du *SHERBROOKE DAILY RECORD* du 18 mars 1967 :

« The illustration of the carriage shown here is taken from an old and slightly défaced intype made many years ago, and so far as is known is the only picture of the machine over taken...

The boiler contained about 100 small fuses and was operated at a 60 lb. pressure. The two cylinders of the engine were fastened to the wagon reaches and the piston rods connected with crank shafts on the hind axle. Collars fitted to the hind exle trees with ratchet attachments served as compensators in rounding corners or turning about either in going forward or backward, in other words, affording free and independant movement of each wheel in its revolution.

A level running from the throttle valve to the driver's seat enabled the driver to control the movements of the wagon forward or backward by simply twisting it to the right or left as the case might be, or by shutting off the power by bringing it into neutral. »

Henry-Seth Taylor décéda le 7 janvier 1887, alors que l'automobile s'apprêtait à révolutionner le transport dans tout l'univers. On lui connaît deux filles : Mesdames Harriet Lamberton et Oscar Caswell, qui demeurèrent en possession du châssis de la voiture et des cylindres qui y étaient attachés. La machine à vapeur, dont l'inventeur se servit pour faire mouvoir un bateau de plaisance sur le lac Memphrémagog, est disparue ensuite mystérieusement.

1831

LA BÉNÉDICTION DE LA CHAPELLE SAINT-PIERRE ET DU CIMETIÈRE ADJACENT PAR HUCH PAISLEY

Plaque à L'Avenir, vis-à-vis le no 3045, route no 143

EN CE CANTON DE WICKHAM, OUVERT EN 1815 PAR FREDERICK GEORGE HERIOT ET SES MILITAIRES, HUCH PAISLEY, MISSIONNAIRE, A BÉNI ICI, LE 25 DÉC. 1831. LA CHAPELLE ST.-PIERRE, AINSI QU'UN CIMETIÈRE ADJACENT.

IN THIS SITE OF WICKHAM TOWNSHIP SETLLED IN 1815 BY A GROUP OF SOLDIERS UNDER GEORGE FREDERICK HERIOT, A CHAPEL, WITH AN ADJOINING CEMETERY, WAS DEDICATED TO ST. PETER BY REV. HUCH PAISLEY.

C.M.H.Q.

L'abbé Hugues (Huch) Paisley naquit en Écosse le 16 avril 1795, de Jean Paisley et de Marguerite Gavan.

Il fut ordonné prêtre le 3 octobre 1824.

Il fut chapelain de l'église Saint-Roch, à Québec, de 1824 à 1825.

Après avoir été vicaire à la cathédrale de Québec (1825-1828), il fut curé de Montebello de 1828 à 1831. C'est durant ce ministère qu'il administra le premier baptême à Ottawa, en 1829.

Il était curé à Drummondville (1831-1832) lorsqu'il bénit la chapelle précitée ainsi que son cimetière.

De 1832 à 1847, il devint le premier curé de Fossambault.

En cette dernière année, le typhus fit de nombreuses victimes sur les bateaux amenant au Canada des immigrants irlandais ; ceux-ci furent mis en quarantaine à Grosse-Île, dans le comté de Montmagny, à une trentaine de milles de Québec.

L'abbé Paisley alla les réconforter et les faire bénéficier des secours de la religion. Mais il fut à son tour victime de la terrible maladie le 15 août de cette même année.

1832

ÉDOUARD LECLERC

Monument à Princeville, au no 15 du 12e rang

À LA MÉMOIRE DE ROBERT LECLERC, BOURGEOIS NÉ À ROUEN, FRANCE, ET INHUMÉ AUX TROIS-RIVIÈRES, LE 5 JUILLET 1731, À L'ÂGE DE 85 ANS, ET SON ÉPOUSE, MARIE JALLAIS.

ÉDOUARD LECLERC (1810-1878), FONDATEUR DE STANFOLD, 1832, ET DE SES COMPAGNONS: FRANÇOIS PELLERIN, NARCISSE BÉLIVEAU. AFIN QUE NE PRÉRISSENT NI LEURS NOMS NI LE SOUVENIR DE LEURS DESCENDANTS, CE MONUMENT FUT ÉRIGÉ.

ALPHÉE-JOSEPH LECLERC, CURÉ. ÉRIGÉ EN 1928.

I.P.

En 1832, Édouard Leclerc se fixa aux 5e et 6e lots du 12e rang. Il était originaire de Saint-Grégoire-de-Nicolet et se trouvait célibataire à ce moment. C'est le 8 avril 1839, à Gentilly, qu'il épousa Marie-Zoé Landry Bercase, de Stanfold. Il eut vingt-deux enfants, dont sept du mariage précité et quinze de son second mariage avec Olive Poisson. Il mourut le 28 mars 1878.

Le donateur de ce monument, l'abbé Alphée Leclerc, était l'un de ses nombreux descendants. Né en 1876, d'Édouard, cultivateur, et de Léontine Robitaille, il fit ses études au collège de Nicolet et fut reçu prêtre à Manchester, N.H. en 1902.

La municipalité du township de Stanfold fut érigée le 1er juillet 1845 et celle du village de Pierreville, le 1er janvier 1857. Ce dernier porte le nom de l'un de ses pionniers, Pierre Prince, chez qui les premiers missionnaires se retiraient.

Le canton de Stanfold, érigé en 1807, porte le nom d'un village de l'Angleterre. La paroisse Saint-Eusèbe-de-Stanfold fut desservie par des missionnaires de 1838 à 1848; c'est alors qu'elle eut son premier curé. Ses registres datent de 1849. Elle fut érigée canoniquement en 1848 et civilement en 1855. Elle comprend tout le canton de Stanfold.

1935

JEAN RIVARD, DÉFRICHEUR ET ÉCONOMISTE

Monument à Plessiville, rue Saint-Calixte à l'angle de la rue Saint-Édouard (dans le parterre de l'hôtel de ville)

JEAN RIVARD, DÉFRICHEUR ET ÉCONOMISTE.

JEAN RIVARD EST LE HÉROS SYMBOLIQUE DE LA COLONISATION DES BOIS-FRANC IMMORTALISÉ PAR LE ROMAN DE GÉRIN LA JOIE. HOMMAGE DE PLESSIVILLE À SES VALEUREUX ANCÊTRES À L'OCCASION DU CENTENAIRE DU CANTON SOMERSET. 1835-1935.

INDUSTRIE. COMMERCE.

I.P.

ALFRED LALIBERTÉ, sculpteur

Antoine Gérin-Lajoie fut le premier à traduire « township » par « canton ». Il employa ce mot dans son roman JEAN RIVARD qu'il a d'abord publié, en 1862, dans la revue SOIRÉES CANADIENNES. C'est en 1875 que JEAN RIVARD parut en livre.

Il naquit à Yamachiche en 1823 du mariage d'Antoine, cultivateur, et de Marie-Amable Gélinas. C'est alors qu'il était à faire ses études classiques au Séminaire de Nicolet que, émotionné par l'exil des Patriotes en route pour l'Australie, il composa la chanson émouvante :

UN CANADIEN ERRANT
BANNI DE SES FOYERS,
PARCOURAIT EN PLEURANT
DES PAYS ÉTRANGERS.

Reçu avocat, il fut rédacteur à LA MINERVE, journal de Montréal, de 1845 à 1852, puis bibliothécaire au Parlement de Québec de 1852 à 1880. Il a aussi publié CATÉCHISME POLITIQUE et DIX ANS AU CANADA 1840-1850. Il fut, en outre, l'un des fondateurs de la revue FOYER CANADIEN.

De son mariage avec Joséphine Parent, il eut cinq enfants. Il décéda en 1882.

Jean Rivard, héros de son roman, fut une inspiration pour un grand nombre de travailleurs de la terre, particulièrement dans les Bois-Francs. C'est pour manifester ce sentiment que Plessisville a érigé ce monument, à l'occasion de son centenaire.

1835

QUELQUES-UNS DES PIONNIERS DU CANTON DE EAST FARNHAM

Monument à Bromont, dans le cimetière voisin du no 1035 de la rue Principale

PIONEERS EAST FARNHAM TOWNSHIP. WELLS NASH WOOD CIMETERY.

WELLS, OLIVER 1751-1835, WELLS, LUCY WHIPPLE WIFE 1758-1851, WELLS, CECILIA DAU. 1799-1817, WELLS, LUCY WHIPPLE DAU. -1851 WELLS, RICHARD 1767-1846, WELLS, GRATIA WIFE 1768-1838, WELLS, RICHARD D. JUN. 1791-1856, WELLS, ELIZABETH TOWNSEND WIFE 1793-1841, WELLS, HARRIET MATHILDA DAU. 1833-1866, WELLS, HARRIET SHELDON 1796-1870, WELLS, SOPHIA WILLARD WIFE 1798-1871. WELLS, ESTHER WILLARD 1833-1855, WELLS, LUCY WHIPPLE DAU. 1823-1841, WELLS, OLIVER SHELDON -1825, WELLS, GEORGE W. SON 1830-1830, WELLS, ALLONZO L. SON 1831-1832, WELLS, JONATHAN 1789-1852, WELLS, HANNAH GORDON WIFE OF L.W. 1788-1866, WELLS, ALPHONSO 1808-1853, WELLS, TOWNSEND 1785-1857, NASH, EPHRAIME PROV. LAND SURVEYOR 1754-1816, NASH, HANNAH WELLS WIFE 1759-1849, NASH, ELVIRA DAU. 1790-1817, NASH, ALFRED 1773-1861, NASH, LUCINDA K. WILLARD WIFE 1799-1855, NASH, ALFRED SON 1837-1849, NASH, LUCRETIA WILLARD DAU. 1831-1844, NASH, ELIZABETH DAU. 1824-1877, NASH, EPHRAIM 1821-1851, SCOTT, SUZAN E. GRANDDAU OF A HANS 1868-1892, WOOD, SAMUEL 1787-1848, WOOD, ABIGAIL CHURCH WIFE 1788-1837, WOOD, ELECTA CHURCH WIFE -1837, WOOD, MARG AN DAU. 1828-1832, WOOD, EUNICE WIFE HIRAM S. FOSTER 1819-1839.

INFORMATION CONCERNING PIONNERS TO BE FOUND IN BROME CO. HIST. SOC. ARCHIVES, KNOWLTON, QUE.

WILLIAMS BETSY WIFE OF JOHN W. 1771-1825, BENNETT, EDMOND 1772-1812, BENNETT EMMOLINE WIFE 1777-1813, BENNETT LUCINDA DAU. 1798-1799, BENNETT KATEHRINE DAU. 1804-1810, BENNETT EDMUND SON 1807-1833, CRAIG THOMAS BRITISH SOLDIER 1744-1837, CRAIG CATHERINE BENNETT NEE NEWTON 1751-1828, HAWLEY MICAH TOWNSEND 1805-1871, HAWLEY ELIZA JANE HACKETT WIFE 1821-1886, HAWLEY PERCIVAL C. SON 1859-1863, HAWLEY ANNA G. DAU. 1864-1864, HAWLEY ARTHUR A. SON 1860-1860, HAWLEY ERNEST AUGUSTUS SON OF S.G. & AMY 1877-1893, HAWLEY BERTHA M. DAU OF S.G. & AMY H. 1888-1908, HOYT ABIGAIL 1797-1815, KATHAN CHARLES SON OF J. & MAY K. 1880-1881, KATHAN ESTHER DAU. OF J. & MAY K. 1878-1881, LEWIS JAMES R. 1854-1936, LEWIS MARY M. HAWLEY WIFE 1848-1918, LEWIS JAMES SON 1887-1905, LEWIS HERMAN E. SON 1888-1889, LEWIS GRACE ARLINE DAU. 1893-1848

REQUIESCANT IN PACE

I. P.

1835-1935

LES FONTAINES EN FONTE

À Plessisville, au no 1700, rue Saint-Calixte (en face de l'hôtel de ville)

DON DE LA FONDERIE DE PLESSISVILLE ET DE SES MODELEURS ET MÉCANICIENS. 1835-1935.

I. P.

Ces fontaines identiques et de style original ont été fabriquées en 1935, à la demande du maire d'alors, Alphonse Olivier. Elles rappellent le centenaire de l'arrivée à Plessisville du premier défricheur, Jean-Baptiste Lafond et de son épouse, Marguerite Poirier.

C'est la Fonderie de Plessisville qui mena à bien cette oeuvre sous la direction de Louis Dancasse, contremaître du département de la modèlerie. Le dessin des fontaines fut conçu par Jacques Hébert (sculpteur renommé de Joliette), Georges et Gilbert Martineau y ayant collaboré aussi. Aimé Genest et Hervé St-Pierre exécutèrent le travail de coulage sous la direction de leur contremaître William Beaulieu. Tous ces employés firent leur travail gratuitement.

La Fonderie de Plessisville fut fondée en 1873 par un groupe d'hommes compétents et travailleurs. J.-Albert Forand en fut le gérant puis, plus tard, le président et principal actionnaire. Deux fois un incendie détruisit leur entreprise qui fut reconstruite aussitôt.

En 1923, la compagnie ouvrit une succursale à Montréal. Elle diversifia alors sa production et devint de plus en plus progressive. En 1945, elle prit le nom de FORANO, qui rappelle le souvenir de J.-Albert Forand et elle intensifia son action non seulement au Québec, mais hors de ses frontières. Ce fut un nouvel élan vers le succès.

Elle emploie plus de 1 000 personnes ; son complexe de gestion et de production, à Plessisville, couvre 450 000 pieds carrés sur un terrain de 35 acres. Elle est l'un des plus importants distributeurs d'équipement spécialisé pour la ferme, dans l'Est du Canada.

1835

JEAN-BAPTISTE LAFOND

Plaque à Plessisville, au 8e rang (1 mille de l'église, chez M. Jacques Jutras)

CROIX DU SOUVENIR À J.-BTE LAFOND, PREMIER DÉFRICHEUR DU CANTON SOMMERSET, 1835-1935.

Le titre de fondateurs de Plessisville revient à Jean-Baptiste Lafond et à sa femme, Marguerite Poirier, qu'il avait épousée en 1813.

Jean-Baptiste vit le jour à Baie-du-Febvre, en 1794.

Cherchant un endroit de son goût pour établir sa famille, il résida, en 1829, dans le canton de Kingsey puis, vers 1832, dans celui de Bulstrode.

À l'automne de 1835, il visita le canton de Sommerset et y choisit le lot 30 du 8e rang. Il y construisit sa cabane et commença le défrichement. Au printemps suivant, sa famille était avec lui.

Peu après, vinrent le rejoindre Narcisse Pépin, J.-Noël Dorais, Toussaint Grondin, Joseph Hébert, Moïse Barbeau, André Nadeau, Isaïe Bussière, Siméon Marcoux, Auguste Doré, Moïse Perrault et François Bourbeau, qui sont aussi considérés comme les pionniers de Plessisville.

1835
STEPHEN-HENDERSON-CAMPBELL MINER

Né à Granby, le 22 mars 1835

Pour lancer Granby dans le domaine industriel, nul n'a fait davantage que Stephen-Henderson-Campbell Miner, industriel et politicien dans les affaires municipales.

Son père, Harlow Miner, fils d'un médecin de Saint-Armand, était cordonnier. Il vint s'établir à Granby en 1824 et ouvrit une boutique de son métier dans l'immeuble Frost. Il se spécialisa dans la confection de bottes de cuir, qui étaient vendues au magasin de Richard Frost. Cinq ans après,il installa une tannerie entre le pont de la rue Mountain et la gare du Canadien National.

S.H.C. Miner s'était initié tout jeune aux entreprises de son père. Lorsque la tannerie fut incendiée, c'est lui qui la reconstruisit, inaugurant ainsi l'industrie granbyenne. Et non seulement il continua les affaires de son père, mais il les amplifia. Gérant de la compagnie GRANBY RUBBER, il fonda, en 1909, la compagnie MINER RUBBER LTD, ce qui en fit un pionnier dans l'industrie du caoutchouc au Canada. Ses entreprises, surtout cette dernière, ont, depuis, donné des emplois permanents à des centaines d'employés, contribuant considérablement au succès de Granby.

Citons aussi sa participation financière à plusieurs firmes, telle la EASTERN TOWNSHIP BANK, etc., et le rôle très important qu'il joua dans les affaires municipales de Granby comme échevin en 1872, 1884, 1886, 1890 et 1892 et, surtout, comme maire de 1873 à 1875 puis de 1893 à 1911, date de son décès.

Il se maria trois fois et fut le père de plusieurs enfants. Ses deux premières femmes avaient comme noms de familles Denison et Bullech.

En 1875, il se fit construire une demeure à l'angle des rues Denison et Mountain. En son souvenir, on l'appelle encore la MAISON MINER.

1835

CHARLES BEAUCHESNE

Plaque à Arthabaska, en face de l'hôtel de ville

À LA MÉMOIRE DE CHARLI BEAUCHESNE, PREMIER COLO DE LA PAROISSE ST-CHRISTOPHI ARTHABASKA. LES CITOYEN D'ARTHABASKA. 30 JUIN 1851

I.P

Le 18 mars 1835, Charles Beauchesne fonda Arthabaska (du mot indien « AYABASKA » signifiant « Là où il y a des joncs ». Ces joncs se trouvaient près de Victoriaville dans une savane).

Né à Bécancour le 25 décembre 1792, de Charles et d'Agathe Deshaies, il combattit avec le colonel de Salaberry en 1813. L'année suivante, il épousait Marguerite LeVasseur. Ils s'établirent à Gentilly; 22 ans plus tard, ils avaient six enfants.

Son seigneur n'ayant plus de terre à concéder, il résolut d'aller en ouvrir une dans les Bois-Francs. Accompagné d'Olivier Morisset, il s'installa près de la rivière Nicolet, à 6 arpents de l'église actuelle d'Arthabaska, au pied du mont qu'on appela bientôt Cristo. Ils abattirent un arbre pour se chauffer puis construisirent un abri en bois rond qui leur donna un toit pour les nuits suivantes. Le 26 mars, 16 autres colons dont Joseph Lavigne, Louis Lavigne, Louis Garneau et autres, furent de ce nombre.

Charles Beauchesne se construisit une cabane puis alla chercher sa femme et ses enfants. Malheureusement le trajet avec ceux-ci fut harassant. Il y avait encore plusieurs pieds de neige. Son cheval s'épuisa à traîner les objets de grande nécessité et mourut peu après être arrivé à destination. Heureusement ils purent être accueillis chez Louis Parent, où ils refirent leurs forces et trouvèrent le courage de continuer.

L'abbé Clovis Gagnon fut le premier desservant d'Arthabaska. En 1843, il y bénit la première chapelle construite entre les deux bras de la rivière. La paroisse date canoniquement de 1851. Desservie par des missionnaires jusqu'alors, ses registres s'ouvrirent l'année suivante.

1836

UN SERVICE DE DILIGENCE ENTRE SAINT-JEAN ET STANSTEAD

À South Bolton (Bolton Pass), 5 milles à l'est de Knowlton, sur la route 104

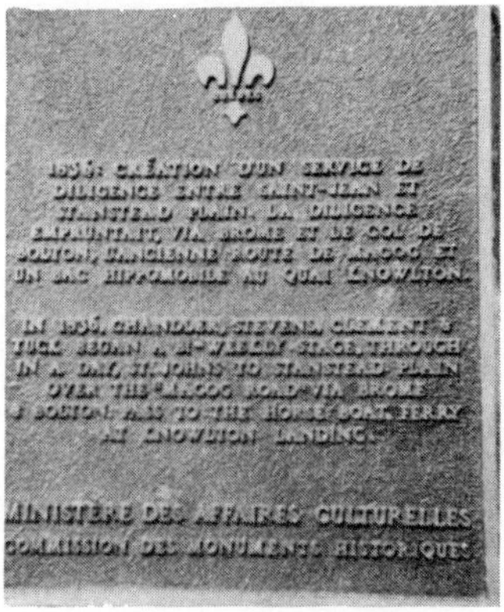

1836: CRÉATION D'UN SERVICE DE DILIGENCE ENTRE SAINT-JEAN ET STANSTEAD PLAIN. LA DILIGENCE EMPRUNTAIT, VIA BROME ET LE COL DE BOLTON, L'ANCIENNE ROUTE DE MAGOG ET UN BAC HIPPOMOBILE AU QUAI DE KNOWLTON.

IN 1836, CHANDLER, STEVENS, CLEMENT & TRUCK BEGAN A BI-WEEKLY STAGE, THROUGH IN A DAY, ST. JOHN TO STANSTEAD PLAIN OVER THE « MAGOG ROAD » VIA BROME & BOLTON PASS TO THE HORSE FERRY AT KNOWLTON LANDING.

MINISTRE DES AFFAIRES CULTURELLES. COMMISSION DES MONUMENTS HISTORIQUES.

Les Cantons de l'Est bénéficièrent d'un service de diligence dès 1811. Québec et Boston se trouvaient ainsi reliées par le chemin Craig durant l'hiver. Un tel service de diligence devint permanent en 1815, alors que Stanstead eut son bureau de poste portant, dès 1817, le numéro 45.

En 1831, Joseph Bouchette, dans son livre THE BRITISH DOMINION OF NORTH AMERICA donne le parcours des deux routes principales :

« The Eastern Townships, via Three Rivers, « with stops at : Halifax, Québec, Three Rivers, with note « every Tuesday, at 10 P.M. », Nicolet, La Baye, with notes, « To Yamaska 15 miles. To Wm Henry (Now Sorel) 27 miles. », Drummondville, Richmond, L.C., Sherbrooke, Compton, Hatley, Stanstead, to United States.

« No 3. To the Eastern Townships and United States, via Montreal. To and from Montreal once per week » : Quebec, Montreal, Chambly. A post to St. John and Ile aux Noix, St. Césaire, Abotsford (Late Yamaska Mountain), Granby, Shefford, Georgeville, Stanstead, to United States ».

Ces diligences, selon Mark Twain, étaient « cradles on wheels ». Elle pesaient jusqu'à 2 500 livres et pouvaient transporter, outre le courrier et les bagages, de 8 à 14 personnes, le cocher en plus. Elles étaient tirées par 4 ou 6 chevaux, suivant le chargement et l'état des chemins et parcouraient la route de 12 à 14 heures par jour, faisant à peu près 25 milles l'hiver et 40 l'été. Le tarif était d'environ cinq cents le mille. Les diligences cessèrent vers 1888.

1836

HOMMAGE À JOSEPH PELLERIN

Monument à Plessisville, au no 204

FILIAL HOMMAGE. JOSEPH PELLERIN 1811-1865. ÉTABLI ICI EN 1836.

SUCCESSEURS:

JOSEPH JR, 1834-1885
LUDGER, 1874-1939
LUCIEN, 1911-1919

I.P.

Joseph Pellerin était natif de Saint-Grégoire-de-Nicolet.

Alors qu'il résidait à Bécancour depuis quelques années, il se joignit aux colons du canton de Stanford, au 9e lot du 9e rang, là où se trouve maintenant la paroisse de Plessisville.

Il ne pouvait pas imaginer, alors, qu'un jour sa terre serait traversée par un chemin de fer conduisant à Princeville.

Le 5 juin 1833, il épousa, à Gentilly, Angélique Houle, fille de Charles et de Louise Deshayes, de Bulstrode.

Le 29 juillet 1834, à Bécancour, il fit baptiser Joseph, né le 20 avril 1834. Plusieurs autres enfants naquirent de cette union.

Il avait d'abord choisi le lot 8 du 9e rang, mais il constata que celui-ci appartenait déjà à un autre. Ne voulant pas devenir « squatter », (c'est-à-dire occupant d'une terre possédée généralement par une compagnie), il prit le lot ci-dessus qui appartenait à la Couronne.

Il y demeura jusqu'à son décès, le 4 juin 1865, à l'âge d'environ 52 ans.

1836-1883

PIONNIERS INHUMÉS DANS LE CIMETIÈRE BROCKHILL

À EATON, au cimetière Brockhill, à environ un mille à l'est de l'église-musée

THIS MEMORIAL IS ERECTED BY THE DESCENDANTS OF THESE PIONEERS AND OTHERS WHO ARE BURIED IN THIS CEMETERY.

1757 JOSEPH SAWYER, 1837
HIS WIFE
1757 SUSANNA, 1836
1788 JOHN SAWYER, 1869
HIS WIFE
1789 THEODOTIA LABEREE, 1851 THEIR CHILDREN
1810 THEODOTIA, 1815
1817 CREIG, 1818
1798 EMMA ALGER, 1837
1762 EDMUND ALGER, 1836
1775 NATHANIEL GURRIER, 1857 HIS WIFE
PATTY, 1792-1846
1805 SOPHRONIA BICKFORD, 1883
WIFE OF WILLIAM JONES
1790 DUDLY ALLAN, 1841
HIS WIFE
1792 BETSY BICKFORD, 1825
ALSO HIS WIFE
1779 SARAH BICKFORD, 1858

I. P.

1836-1837

PAUL-H. KNOWLTON CONSTRUISIT UN MOULIN À FARINE

Plaque au Lac-Brome (Knowlton), près du barrage rue Lakeside

PAUL H. KNOWLTON CONSTRUISIT, EN 1836-37, À L'ENDROIT DU DÉVERSOIR, UN MOULIN À FARINE, QU'EN MARS 1837 ON MENTIONNAIT DÉJÀ COMME L'UN DES MEILLEURS MOULINS DE LA PROVINCE.

A CRHISTMIL BUILT BY PAUL HOLLAND KNOWLTON IN 1836-37 STOOD HERE WHERE IS NOW THE SPILLWAY. IN MARCH 1837, THIS MILL WAS REPORTED IN OPERATION AND CONSIDERED ONE OF THE BEST MILLS IN THE PROVINCE *C.M.H.Q.*

Paul-Holland Knowlton fut homme d'État, pionnier, industriel, soldat, marchand et fondateur du village de Knowlton (qui fait maintenant partie de Lac-Brome).

Né à Newfane (Vt), le 17 septembre 1787, il était fils de Silas et de Sally Holbrock et petit-fils de Luke Knowlton, qui fut juge de la Cour suprême du Vermont et sympathique aux Anglais lors de la Révolution. Il se réfugia au Canada ; deux ans après, sa mère mourut. En 1800, il retourna à Newfane où il reçut son éducation. Revenu à Stukeley en 1807, il épousa l'année suivante Laura Moss, institutrice de Bridport (Vt). Sans postérité, il adopta Sarah et Thomas, enfants de son frère Luke.

En 1815, il alla résider sur les rives du lac Brome (emplacement actuel du club de golf), y cultiver une terre, ouvrit un magasin et fonda une distillerie. En 1827, il fut nommé agent des terres du township de Brome. Il en acquit bon nombre lui-même. De 1830 à 1834, il représenta le comté de Shefford à l'Assemblée législative du Bas-Canada. Il fut membre de la LIBRARY AND HISTORICAL SOCIETY, de Québec et l'un des fondateurs de la SHEFFORD COUNTY AGRICULTURAL SOCIETY. Il plaida pour une route entre Montréal et les Cantons de l'Est.

Établi à Knowlton en 1834, il y érigea un moulin à scie, une grande maison pour sa famille et ses bureaux, une autre pour un forgeron et sa boutique, une fabrique de potasse, une maison pour son surintendant. Il ajouta un moulin à farine, etc.

Il joua un rôle important dans la répression de la Révolte de 1837. En retour, Colborne le fit nommer représentant des Cantons de l'Est dans le Conseil spécial, qui gouverna le Bas-Canada jusqu'en 1841.

1837
L'ESCARMOUCHE DE MOORE'S CORNER

Plaque à Saint-Armand, sur une maison au centre du village, côté nord du pont

LE 7 DÉC. 1837, ICI, À MOORE'S CORNER, LA MILICE DE MISSISQUOI, COMMANDÉE PAR LE CAPITAINE O.J. KEMP, DÉFIT LES PATRIOTES DE PAPINEAU, CONDUITS PAR R.-S.-M. BOUCHETTE, CE QUI MIT FIN AUX TROUBLES DANS CETTE RÉGION.

HERE AT MOORE'S CORNER, AS THIS PLACE WAS THEN CALLED, ON DEC. 7, 1837, THE MISSISQUOI MILITIA, UNDER CAPT. O. J. KEMP, DEFEATED PAPINEAU'S «PATRIOTS» UNDER R.S.M. BOUCHETTE, THIS ENDING HOSTILITIES IN THIS REGION.

COMMISSION DES MONUMENTS HISROTIQUES DE QUÉBEC.

Environ 80 Patriotes, la plupart visés par les mandats du 16 novembre, partirent des États-Unis et traversèrent la frontière, à Highgate, dans la soirée du 6 décembre 1837. Ils amenaient 2 pièces de canon, 5 barils de poudre à canon, 6 boîtes de cartouches et 77 fusils, en grande partie dans des boîtes. Ils n'avaient pas d'escorte, espérant que les 75 hommes de Lucien Gagnon viendraient de Missisquoi pour les rejoindre.

À Moore's Corner (aujourd'hui Saint-Armand), environ 300 volontaires anglais bien armés les interceptèrent. L'escarmouche ne dura que dix ou quinze minutes.

Robert-Shore-Milnes Bouchette fut blessé au pied et fait prisonnier. Transporté à la maison de M. Moore, il fut ensuite transféré à l'Île-aux-Noix puis à la prison de Montréal. En 1838, il fut condamné et exilé aux Bermudes. Il mourut à Québec en 1879.

VERS 1837
LE PONT DE COOKSHIRE

À Cookshire, sur la route no 253, au nord de la ville, sur la rivière Eaton

Ce pont porte aussi le nom de Cook en souvenir de John Cook, pionnier de cette localité vers 1800. Fait intéressant, ses piliers furent construits par John-Craig Cook, fils du susnommé.

Dans « SHERBROOKE » de L.P. Demers, page 62, on lit : « CONSTRUCTION DE PONT (1199), COOKSHIRE : Le 31 mars 1837, par devant les notaires C.A. Richardson et F. Bureau, Benjamin Lebourveau, fermier du canton d'Eaton, d'une part, et Arthur Cruickshand (sic) Webster, de Sherbrooke, agent de la British American Land Co. de Sherbrooke. Le pont sera construit à Cookshire, sur la rivière Eaton... les travaux devront être terminés avant le 15 octobre prochain. L'entrepreneur pourvoit aux matériaux et à la main-d'œuvre. Le contrat est accordé pour la somme de £228,15 shillings — £75 sont payables immédiatement, £50 en juin ; la balance, une fois les travaux terminés, au plus tard le 1er octobre prochain. » Il semble bien qu'il s'agisse du pont précité.

Dans « PONTS COUVERTS » du Gouvernement du Québec, page 12, on lit que ce pont mesure 133 pieds.

Le premier pont couvert en Amérique date de 1805 ; il fut construit sur la rivière Schuykill, à Philadelphie, par Timothy Palmer, de Newburyport, Massachusetts ; c'est le juge Richard Peters qui aurait suggéré de le couvrir. Il en existe encore un millier aux États-Unis et le gouvernement les protège.

Le Québec en compte actuellement 133 alors qu'il en avait 246 en 1965. Les ministères des Travaux publics, des Transports et du Tourisme ont maintenant comme politique de conserver tous les vieux ponts dignes d'intérêt. C'est ce qui a été fait pour celui de Cookshire, même si un pont en béton le remplace.

Le pont de Cookshire, comme la presque totalité de ceux du Québec, est du type TOWN LATTICE. Conçu par Ithiel Town, originaire de Thompson, Connecticut, il est formé d'une série de madriers en diagonale, attachés l'un à l'autre à chaque intersection par une cheville ; il faut 2 590 chevilles par 100 pieds de structure.

Chaque localité qui possède un pont couvert devrait former un comité non seulement pour en assurer le maintien et l'entretien, mais aussi pour en faire un attrait touristique.

1839
LE MOULIN DE FRELIGHSBURG

À Frelighsburg, sur la route 237, près du pont du village

Le moulin actuel de Frelighsburg fut construit en 1839 par Richard Freligh, sur une partie des bases d'un autre moulin érigé par un M. Owen en 1794.

En 1801, le docteur Abraham Freligh, parti de Clinton Duchess Country (New York), vint s'établir à Frelighsburg avec sa femme et ses cinq enfants ; 22 voitures, tirées par des chevaux apportaient ce qu'il fallait pour l'établissement. Il avait payé $4 000 pour 200 acres de terre, y compris le moulin. Son fils Richard lui succéda.

Le moulin actuel, classé historique en 1973, a été possédé depuis 1880, par George K. Nesbitt (1880-1895), Joseph A. Dunn (1895-1911), Fred A. Ayer (1911-1920), Joseph Gagnon (1920-1967). Il appartient présentement à Jeanne et Jean-Marie Demers, qui ont obtenu le classement précité.

Ce moulin en pierre à deux étages et un grenier mesure 42′ × 36′. Au début il était mû par l'eau au moyen d'une turbine installée au XIXe siècle, laquelle avait remplacé une roue à aubes. Il a été partiellement restauré, mais les engrenages en bois, les poulies en bois et en fer, deux meules existent encore. La boulangerie, construite en 1912, sert d'habitation aux propriétaires, à qui l'auteur doit les notes qui précèdent.

La localité a porté le nom de « Conroy's Mills », un M. Conroy ayant possédé un moulin et une scierie de l'autre côté de la rivière, en 1796. On la aussi nommée « Slabs City », parce qu'on y trouvait une grande quantité de rognures de bois. Elle s'appelle aujourd'hui Frelighsburg en souvenir d'Abraham Freligh susnommé.

La paroisse Saint-François-d'Assise-de-Frelighsburg fut desservie par des missionnaires de 1836 à 1886, date à laquelle elle eut son premier curé. Ses registres s'ouvrirent en 1886. Érigée canoniquement et civilement en 1894, elle fut détachée des cantons de Dunham et de Stanbridge ainsi que d'une partie de la seigneurie de Saint-Armand. La municipalité de Frelighsburg (ou Saint-Armand-Est) fut érigée en 1845, et celle du village de Frelighsburg, en 1867. De riches vergers en font un paradis terrestre.

1840
LA VIEILLE ÉGLISE-MUSÉE

À Eaton Centre, au village

La Congregational Church fut construite en 1840 et consacrée l'année suivante. Elle servit au culte jusqu'en 1900.

De cette date jusqu'en 1920, elle appartient à des intérêts privés, puis servit de nouveau, comme église durant dix ans, après quoi elle fut à peu près abandonnée.

En 1956, la Société d'Histoire et du Musée du comté de Compton en devint propriétaire et en fit un musée de divers objets, meubles, etc. rappelant l'histoire de la région.

Ce musée est ouvert au public durant la belle saison.

L'architecture de cette église est semblable à celle des temples d'autrefois en Nouvelle-Angleterre : charpente, pente du toit, larges fenêtres, clocher, etc.

Ce bâtiment a été classé monument historique le 30 juin 1961.

1841

JAMES-DAVID EDGAR

Né à Hatley le 10 août 1841

James-David Edgar fut avocat, journaliste, écrivain,député du comté de Monck (Ontario) aux Communes, de 1872 à 1874. Il fut réélu en 1884 comme représentant des Réformistes de l'Ouest ontarien. En 1896, il fut président de la Chambre des communes.

En 1874, le gouvernement canadien le délégua auprès de la Colombie anglaise, pour faciliter la construction d'un chemin de fer qui deviendrait le Pacifique Canadien, reliant l'Est à cette province formée trois ans auparavant.

James-David Edgar a publié ces livres traitant de sujets légaux : INSOLVENT ACT OF 1864, WITH NOTES, FORMS, AN ACT TO AMEND THE INSOLVENT ACT OF 1864. Il a aussi composé des poèmes, entre autres : THIS CANADA OF OURS. Collaborateur au GLOBE, journal de Toronto, il écrivit à maintes reprises également dans d'autres périodiques, en particulier sur des sujets canadiens.

Il fut directeur de CONFEDERATION LIFE ASSOCIATION, GLOBE PRINTING CO., MIDLAND RAILWAY CO., etc.

Libéral en politique, il était membre de l'Église épiscopale. Il décéda en 1899. Ses ancêtres étaient Écossais, membres de la branche aînée des Edgars of Keithck qui jouèrent un rôle important dans leur pays.

Il avait épousé en 1865, Mathilda Ridout, écrivain de Toronto. Leur fils, Oscar-Pelham, professeur de lettres à l'Université de Toronto, fut président de la SOCIÉTÉ ROYALE DU CANADA, ayant publié : HENRY JAMES, THE ART OF THE NOVEL, etc.

Décoré par la reine d'Angleterre, il avait droit au titre de « Sir ».

1841

WILLIAM-BULLOCK IVES

Né à Compton, le 17 novembre 1841

William-Bullock Ives fut avocat, député conservateur aux Communes pour le comté de Richmond-Wolfe (1878-1891) et de Sherbrooke (1891 à 1899). Président du Conseil exécutif dans le cabinet John Thompson (1892-1894), il fut aussi ministre du Commerce (1894-1896) dans celui de Mackenzie Powell.

Né du mariage de Eli Ives et de Artémisa Bullock, il commença ses études à l'Académie de Compton. Admis au barreau de Québec en 1800, il exerça sa profession à Sherbrooke et fut maire de cette ville en 1878.

Il joua un rôle important dans l'expansion des chemins de fer des Cantons de l'Est. Président de la compagnie Hereford Railway, il en favorisa le progrès industriel.

En janvier 1896, lui et six autres ministres protestants du cabinet Mackenzie Powell démissionnèrent pour s'opposer au « Bill réparateur » qui voulait redonner aux catholiques manitobains les écoles séparées que leur refusait le cabinet provincial. Mais neuf jours après, ils réintégraient leurs postes. Aux élections générales de 1896, les Conservateurs étaient battus par les Libéraux alors dirigés par Wilfrid Laurier. Le député Ives fut quand même élu dans le comté de Sherbrooke.

Il mourut à Sherbrooke le 15 juillet 1899.

En 1869 il avait épousé Elizabeth, fille unique de John Henry Pope, député de Compton élu plusieurs fois ministre. Le Bishop's College lui décerna le titre de D.C.L.

1843

LA MORT DE GEORGE-FREDERICK HERIOT

Plaque à Drummondville, au cimetière, vis-à-vis le no 275 de la rue Heriot

MAJOR GENERAL FREDERICK HERIOT, 1786-1843, NÉ À L'ÎLE JERSEY, COMMANDANT EN SECOND DES VOLTIGEURS CANADIENS DURANT LA GUERRE DE 1812, SURINTENDANT DE LA COLONISATION POUR LE BAS-CANADA, FONDATEUR DE DRUMMONDVILLE EN 1815.

MAJOR GENERAL FREDERICK HERIOT, 1786-1843, BORN IN THE ISLAND OF JERSEY, WAS SECOND IN COMMAND OF THE CANADIAN VOLTIGEURS DURING THE WAR OF 1812, SUPERINTENDANT OF THE COLONIZATION FOR LOWER CANADA, FOUNDER OF DRUMMONDVILLE 1815.

COMMISSION DES MONUMENTS HISTORIQUES DU QUÉBEC.

La fonction de surintendant dans la région de Drummondville conféra à George Frederick Heriot une autorité considérable qu'il sut employer au profit de la collectivité.

Cette fonction lui valut aussi des honneurs et des avantages pécuniaires. En 1838 il fut élu membre du Conseil spécial qui dirigea le pays après la Révolte de 1837-1838. En 1822, il avait été créé chevalier du Bain par Londres ; en 1841, il devint major général.

Soit par concession de la Couronne, soit par achat ou par échange, il fut propriétaire, dans la région, d'environ 12 000 acres de terre. C'est dire qu'une grande partie du village lui appartenait. À son décès, les rues connues aujourd'hui sous les noms de Heriot, Saint-Georges, Brock, Loring, Cockburn, Lindsay et Wood existaient déjà.

Avec tous il se montra amical et diplomate. Sa générosité fut remarquable pour les églises, les écoles, etc., au profit desquelles il céda beaucoup de terrain. Il fit son testament en faveur de parents et d'amis, particulièrement de Robert Roberts Loring, Thomas Ancram Heriot et Robert Heriot. Sa fortune était considérable.

Heriot décéda le 30 décembre 1843 à la suite d'une longue maladie et fut inhumé le 1er janvier. Ses restes reposent dans le coin sud du cimetière de l'église anglicane Saint-Georges, sous un monument en forme de tombe.

1844

ÉDOUARD RICHARD

Né à Princeville le 14 mars 1844

Fils de Louis Richard (négociant qui fut conseiller législatif) et d'Hermine Prince, il fit ses études classiques au séminaire de Nicolet et ses études en droit à l'université McGill. Admis au barreau de Québec en 1868, il exerça sa profession à Arthabaska. Il faut associé de Wilfrid Laurier, député du comté de Mégantic aux Communes de 1872 à 1878, shérif aux Territoires du Nord-Ouest et archiviste du gouvernement canadien à Paris. Après avoir été shérif de 1878 à 1883, il vécut à Winnipeg. Il tenta de se faire élire député aux Communes pour le comté de Provencher au Manitoba, mais n'y réussit pas. Il publia le fruit de ses recherches d'archives à Paris, en 1889, 1904 et 1905.

Issu d'Acadiens, il eut toujours une grande admiration pour ses ancêtres et employa une grande partie de sa vie à accumuler de la documentation sur les déportés de 1755. Il publia *Acadia* en deux tomes pour permettre aux Anglais de connaître davantage leur histoire. Henri d'Arles en fit une réédition française en 1916-1921. Édouard Richard se vit conférer le titre de « Fellow » par la Société Royale du Canada, et l'université Laval lui a décerné un doctorat en littérature.

Il mourut à Battleford (T.N.O.) le 27 mars 1904.

1844
LA PREMIÈRE MESSE À LAMBTON

Croix en granit, à environ quatre arpents au sud de l'église de Lambton, sur la route no 108

IHS — Souvenir de la première messe célébrée le 15 février 1844 chez J.-B. Rousseau. 1848-1948.

I.P.

C'est l'abbé Louis-Édouard Bois qui célébra la première messe à Saint-Vital-de-Lambton, le 15 février 1844. Cette messe eut lieu dans la maison de Jean-Baptiste Rousseau, premier Canadien français à s'établir à Lambton, au lot situé au sud du village actuel et dont il fut le défricheur.

L'abbé Louis-Édouard, issu de Firmin Bois et de Marie-Anne Boissonneault, est né à Québec en 1813. Il étudia au collège de Sainte-Anne-de-la-Pocatière et fut ordonné prêtre à Québec en 1837. On le nomma vicaire à Louiseville, à Saint-Jean-Port-Joli, puis curé à Saint-François-de-Beauce ; c'est de cette paroisse qu'il partit pour aller célébrer la première messe à Lambton. Par la suite, il se dévoua comme curé à Maskinongé, c'est-à-dire de 1848 à 1889, année de son décès. Il était archéologue renommé et avait compilé des ouvrages sur l'histoire du Canada.

Saint-Vital-de-Lambton fut érigée civilement en 1861, et canoniquement en 1862. Son premier curé, l'abbé Nazaire Leclerc, arriva en 1848 et commença dès lors à faire les inscriptions d'usage aux registres civils. Cette paroisse occupe une partie des cantons de Lambton, Aylmer et Price. Son nom lui vient de John George Lambton, comte de Durham, gouverneur-général du Canada en 1838.

La municipalité fut érigée en 1913.

La croix que nous voyons ici fut élevée au cours d'imposantes célébrations qui durèrent trois jours. Il y eut messe solennelle, couronnement d'une reine, Mademoiselle Gilberte Proteau, et pageant. Parmi les personnalités qui participèrent à ces festivités, mentionnons Monseigneur Maurice Roy, archevêque de Québec, l'Honorable Patrice Tardif, ministre d'État représentant le Premier ministre Maurice Duplessis.

1845
CHARLES-ÉDOUARD BÉLANGER ET AMBROISE PÉPIN

Monument à Princeville, sur la route no 263,
à environ un mille et demi au nord-ouest de l'église

1845-1945. HOMMAGE DES CITOYENS DE PLESSISVILLE, PRINCEVILLE ET SAINT-LOUIS-DE-BLANDFORD À MESSIRE CHARLES-ÉDOUARD BÉLANGER, MISSIONNAIRE, ET À AMBROISE PÉPIN, DÉFRICHEUR. DURANT LA NUIT DU 23 NOVEMBRE 1845, TOUS DEUX PÉRIRENT DANS LA SAVANE DE STANFOLD. LEUR COMPAGNON, LE NOTAIRE OLIVIER CORMIER, SURVÉCUT À CETTE TRAGÉDIE. CE MONUMENT A ÉTÉ ÉRIGÉ À L'INSTIGATION DE LA SOCIÉTÉ SAINT-JEAN-BAPTISTE DE PLESSISVILLE.

I. P.

En 1845, l'abbé Charles-Édouard Bélanger était curé de Plessisville (Saint-Calixte-de-Somerset), avec desserte de Princeville (Saint-Eusèbe-de-Stanford) et de Saint-Louis (de Blandford).

Le dimanche 23 novembre de cette même année, les vêpres terminées, il fit un baptême puis alla célébrer à domicile le mariage d'Isaïe Boulé et de Marianne Marchand. Une tempête faisait rage, la neige succédant à la pluie glacé. Lui et le notaire Olivier Cormier arrivèrent à Princeville vers 3 h 30 de l'après-midi. Là, ils s'adjoignirent Ambroise Pépin, homme robuste habitué à parcourir les chemins.

Suivant le sentier boueux tracé par les piétons, ils espéraient atteindre avant la nuit la maison de Joseph Grondin, laquelle était située au milieu de cette savane. Mais ils furent bientôt épuisés. Ambroise Pépin fut le premier à se traîner au pied d'un arbre, ne pouvant plus avancer. Une quinzaine d'arpents plus loin, l'abbé Bélanger se laissa tomber sous un cèdre. Le notaire continua sa route, espérant trouver du secours, mais bientôt il perdit connaissance sous une petite élévation. C'est là qu'on le retrouva au petit jour. On retrouva aussi les deux autres, mais ils étaient déjà morts.

1845
C.E. BÉLANGER, MISSIONNAIRE

Statue à Plessisville, dans le parterre de l'église.

MESSIRE C.E. BÉLANGER. MISSIONNAIRE. 1844-45. ÉRIGÉ EN 1932. L'ABBÉ BÉLANGER. SECOND MISSIONNAIRE DE SOMERSET ET AUTRES LIEUX. MOURUT DE MISÈRE ET DE FROID DANS LA SAVANE DE STANFOLD. AVEC SON COMPAGNON AMBROISE PÉPIN. DANS LA NUIT DU 24 NOVEMBRE 1845. CE MONUMENT EN HOMMAGE À NOS MISSIONNAIRES ET CURÉS A ÉTÉ INAUGURÉ AU JOUR DU JUBILÉ D'OR SACERDOTAL DE MGR F. DUPUIS. P.D., V.E., JUIN 1932. CEMONUMENT. OEUVRE DU SCULPTEUR LA LIBERTÉ. UN FILS DE NOTRE SOL. RAPPELLE LE DÉPART DU MISSIONNAIRE PARTANT DE SOMERSET POUR SES RUDES COURSES APOSTOLIQUES DANS LES BOIS-FRANCS.

ALFRED LALIBERTÉ, sculpteur

I.P.

La nouvelle de la mort de l'abbé Charles-Édouard Bélanger et de son compagnon Ambroise Pépin, de même que l'état précaire où se trouvait le notaire Olivier Cormier, à la suite de la nuit tragique du 24 novembre 1845, se répandit comme une traînée de poudre, à la consternation de tous.

L'abbé fut exposé dans la maison de Pierre Prince, et Ambroise Pépin dans celle du notaire François-Xavier Pratte. Leurs corps furent transportés à Plessisville, puis déposés dans le cimetière paroissial, après un service funèbre auquel assistèrent de nombreux colons des environs. Le 15 octobre 1857, les restes de l'abbé Bélanger furent déposés dans les voûtes de la nouvelle église. Ce missionnaire était né à Beauport (près Québec) le 19 septembre 1813, de Pierre Bélanger, maçon, et de Marie-Angélique Maheux. Il avait fait ses études classiques et théologiques à Québec où il fut ordonné prêtre en 1841. Après seulement trois ans de vicariat à Rimouski, il avait été nommé curé en 1844.

1844 ET 1846
CHARLES GARIEPY

Plaque à Wendover et Simpson (paroisse voisine du village de Saint Cyrille) (Drummond), au no 51 du 3e rang

EN HOMMAGE AU PREMIER DÉFRICHEUR CHARLES GARIÉPY ARRIVÉ EN 1844. ÉTABLI ICI SUR LE LOT NO 2 EN 1846.

I.P.

Charles Gariépy naquit à Saint-François-du-Lac en 1815, du mariage de Charles et de Marguerite Michaud. En 1837, il vivait à Drummondville. Robuste et gai luron, il était meunier; porter cent livres de farine sur son dos dans des sentiers marécageux était pour lui chose facile. On lui demanda de construire dans le village un moulin à farine, mû par l'eau de la rivière Saint-François, là où se trouve la rue du Pont. Comme salaire, on lui offrit un autre moulin bâti peu d'années auparavant à Saint-Joachim, environ six milles plus bas. Il accepta. Trois mois plus tard, il avait terminé les travaux.

Entre-temps, il avait fait la connaissance d'une fille du village, Elizabeth McGuire, qu'il épousa. Le 29 novembre 1837, ils se rendirent en barque prendre possession de leur moulin. Les cultivateurs des environs ne tardèrent pas à aller y faire moudre leur grain.

Grand chasseur, il aimait à aller exercer ce sport avec des amis dans la région où se trouve maintenant Saint-Cyrille de Wendover. Le chevreuil, l'orignal, la loutre, l'ours, le caribou, le castor, le renard, etc. s'y trouvaient alors nombreux.

Ayant des ennuis avec son moulin, que les gens appelaient hanté, il l'abandonne en 1844 et alla s'installer à l'endroit qu'il avait remarqué. Il y fit une telle éclaircie que, l'automne suivant, il récolta un beau blé tandis que sa femme avait ce même avantage avec les légumes de son jardin.

En 1855, il connut une dure épreuve: la perte de son épouse qui lui avait donné douze enfants. Trois ans après, il dut hypothéquer sa terre; en 1866, le shérif vendit ce qui lui restait de ferme. Il alla alors aider son frère, Toussaint, qui sur le lot no 22 du 2ème rang de Wickham, fabriquait du « Ciment Hill ». C'est là qu'il vécut jusqu'à sa mort, gardant la nostalgie des jours heureux passés avec sa femme et ses enfants sur la terre qu'il avait défrichée.

1844-1846
L'ÉCOLE DE TIBBITS HILL

Au Lac Brome (Knowlton), à Tibbits Hill, à une intersection de routes après continuation de Bonneville Rd.

L'ÉCOLE DE TIBBITS HILL, CONVERTIE EN MUSÉE PAR LES SOINS DE L'ASSOCIATION CENTENAIRE DES INSTITUTEURS PROTESTANTS (1964), A ÉTÉ CONSTRUITE EN 1844-1846 SUR L'EMPLACEMENT DE L'ÉCOLE EN BOIS ÉQUARRI DE 1827.

OLD SOUTH SCHOOLHOUSE TIBBITS HILL BUILT 1844-1846 ON SITE OF SQARED LOG ONE ERECTED 1827. SET UP AS A SCHOOL MUSEUM WITH ASSOCIATION OF PROTESTANT TEACHERS ON THEIR CENTENIAL YEAR 1964.

COMMISSION DES MONUMENTS HISTORIQUES DU QUÉBEC.

Le 28 octobre 1844, Eratus et Russell Tibbits, fils de Joseph, cédèrent un terrain à la School Commissioners of Brome, pour la construction d'une école. Les travaux commencés dès 1844, furent terminés au printemps de 1846.

Parmi les premiers élèves à fréquenter cette école se trouvaient « Bede » (Obedience) et Lois Joyal qui vécurent à Knowlton. Les bancs n'étant pas encore installés, ils dûrent s'asseoir sur des bûches. L'institutrice était Irlandaise.

En 1827, il y avait à cet endroit même une école qui avait peut-être été construite vers 1812 et qu'on appelait « Tibbits' Hill Schoolhouse ». D'après R.B. Dimond, les parents suivants y envoyaient leurs enfants : Sam Eldridge, Joseph Tibbits, George Tibbits, Niel Tibbits, Arad Bullard, Eliza Tibbits, S.S. Searles, J. Sowles, H. Smith, Orvis Tibbits et Jonathan Tibbits. On voit à cette liste que l'école portait bien son nom. La construction actuelle, faite de pierres des champs voisins, est encore fort solide. Elle appartient à la Société historique du comté de Brome. Pour la réparer et en faire un musée, la Provincial Association of Protestant Teachers of Quebec a apporté sa collaboration. C'était une relique à conserver en hommage aux pionniers.

1846
FRANÇOIS-THÉODORE SAVOIE

Né à Plessisville le 14 février 1846

Son père Narcisse, comme tous les Savoie, était de descendance acadienne. L'ancêtre François, né en France vers 1620, s'établit à Port-Royal avec son épouse, Catherine Lejeune. Ils y vécurent jusqu'à leur décès.

Sa mère, Séraphine Cormier, était aussi d'origine acadienne. Thomas Cormier, né en France vers 1636, semble être l'unique souche de tous les Cormier du Canada. Arrivé au pays vers 1654, à l'âge d'environ 18 ans, il était charpentier et agriculteur. En 1669 il épousa Madeleine Girouard, fille de François et de Jeanne Aucoin, elle-même née à Port-Royal vers 1649.

François-Théodore Savoie fut un industriel important. En société avec M. Guay, il fonda, sous le nom de « Savoie-Guay » une usine d'appareils de gaz acétylène. Pendant de nombreuses années, il fut gérant de la Fonderie de Plessisville qui est devenue une industrie considérable.

Il fut président de la Société Saint-Jean-Baptiste locale, échevin, puis maire de sa ville et préfet du comté. Après avoir été député du comté de Mégantic aux Communes, de 1904 à 1911, il fut conseiller législatif, de 1915 jusqu'à son décès survenu à Plessisville le 9 septembre 1921.

Il se maria trois fois : d'abord à Eugénie Duplessis de Pointe-du-Lac, puis à Sara Vigneau de Saint-Célestin, et enfin à Alice de Guise de Québec.

Son fils, Alcide Savoie, fut député de Nicolet à l'Assemblée législative, de 1917 à 1933.

1848
PATRICK O'BREADY

Monument à Wotton, rang no 7, à environ 2 milles au nord de la route 216

PATRICK O'BREADY, PIONNIER DE WOTTON S'EST INSTALLÉ SUR CE LOT LE 28 OCT. 1848.

I.P.

Patrick O'Bready père, baptisé en Irlande en 1795, partit pour le Canada vers 1832, accompagné de sa femme, Elizabeth Fardy et des ses enfants : Annie, Mary et Patrick. La traversée de l'Atlantique sur des bateaux infects, était souvent terrible. Son épouse mourut en mer. Patrick s'établit à Saint-Esprit-de-L'Achigan.

Son fils Patrick, lorsqu'il approcha de la de la vingtaine, résolut d'aller s'établir dans les Cantons de l'Est, sur les bords de la rivière Nicolet. Le 27 octobre 1848 il était sur la rive de celle-ci, au lot 12 du rang 5 de Wotton ; il y coucha à la belle étoile. Le lendemain, il traversa la rivière remontant vers le nord et atteignit le 7e rang et choisit une terre portant le lot no 4. Il y abattit un arbre, un cerisier, puis retourna à Saint-Esprit. Sans retard il reprit le chemin de Wotton, accompagné cette fois d'Amédée Thouin ; celui-ci ne pouvant supporter une telle solitude et voyant l'hiver approcher, s'en retourna presque aussitôt.

Patrick, lui, ne flancha pas. Il se construisit un abri grossier et passa l'hiver à faire des éclaircies aux alentours, c'est-à-dire abattre les arbres, arracher les souches et préparer le terrain où il voulait bâtir maison. Au printemps de 1849, il érigea une cabane en bois rond, puis une grande étable.

Le 3 jullet 1849, à Saint-Esprit, Patrick prenait pour épouse Odile Pelletier. Ils furent à Wotton les pionniers catholique de langue française.

Mgr Maurice O'Bready, leur petit-fils, a écrit leur histoire dans NOTES SUR LA FAMILLE BREADY OU O'BREADY, que possède la Société d'Histoire des Cantons de l'Est.

1838 ET 1848
LE MANOIR TRENT

À Drummondville, sur la route 20, près du pont de la rivière Saint-François (Parc des Voltigeurs)

Michel Chapdelaine obtint en 1804 la concession de la terre où devait s'élever plus tard le manoir Trent. En 1835, cette terre appartint à Henri Menut, député.

Lorsque George-Norris Trent, lieutenant de la « Royal Navy » d'Angleterre, demanda au gouvernement de lui concéder une terre où il pût s'établir dans les Cantons de l'Est, on lui recommanda de s'adresser à Menut. En 1836, il prenait possession de la terre en question et s'y installait avec ses deux enfants : Dorothy et Henry. La partie sud de la maison a été construite en 1838, et la partie nord en 1848.

Quand sa fille épousa William Robins, il retourna en Angleterre avec son fils Henry ; huit ans après, il décédait. Henry, alors qu'il était au Canada, avait promis à Élisa Caya qu'il reviendrait l'épouser. Il tint promesse et tous deux habitèrent le manoir. De leur union naquirent sept filles : Annette-Dorothy, Henriette, Georgie, Francesca, Lillie, Minnie et Marguerite, ainsi que trois fils : Frederick, Norris et Robin. Ces deux derniers moururent à la guerre de 1914-18. Frederick, célibataire, vécut au manoir jusqu'au décès de sa mère en 1936. Lui-même mourut en 1962.

Le manoir Trent se trouve dans un parc qui, depuis 1961, porte le nom de Parc des Voltigeurs, en souvenir du corps d'élite organisé par de Salaberry. Frederic-George Heriot, qui en fut le commandant, s'était établi dans la région de Drummondville avec des officiers et des soldats de ce bataillon. Dans ce parc, non seulement on peut visiter le manoir, mais on peut en outre faire du camping, pique-niquer, et même se baigner dans une magnifique piscine.

1848
FELIX VACHON

Croix à Garthby, sur la route 161, à environ un mille au nord de la route 112

I.H.S. FELIX VACHON. 1848.

I.P.

Les abbés Calixte Cornac-Marquis, vicaire à Saint-Grégoire-de-Nicolet, et Narcisse Bélanger (il signait Bellanger), vicaire à Bécancour, entreprirent, à l'automne de 1848, de visiter les townships de Weedon et de Stratford.

Le 8 décembre, après avoir dit la messe dans la cabane d'un colon, sur le chemin menant à Stratford, à Saint-Romain, ils furent assaillis par une tempête aveuglante : la traditionnelle « tempête de Notre-Dame ». Épuisés, gelés, ils arrivèrent au lac Aymer de peine et de misère.

L'abbé Marquis put trouver refuge dans la cabane d'un colon, Félix Vachon. Il fallut, aussitôt, aller au secours de l'abbé Bélanger qui s'était affaissé en route. Rendu à son tour chez Félix Vachon, les deux voyageurs purent se réchauffer et reprendre vie.

Dès le lendemain, les rescapés s'empressèrent d'ériger, près de la maison, une modeste croix en bois. Celle-ci, plusieurs fois remplacée et qui se dresse maintenant en solide granit, incite à rendre grâce à Dieu en rappelant le souvenir d'un événement qui faillit devenir tragique.

Félix Vachon, sinistré lors de l'incendie de Québec, quitta cette ville pour devenir colon à Garthby.

L'abbé Marquis, né à Québec en 1821, fut ordonné en 1844. Il fut l'un des fondateurs de la congrégation des Soeurs de l'Assomption. Il décéda en 1904.

L'abbé Bellanger, né en 1818 à Saint-Roch-de-Québec, fur ordonné en 1844. Il mourut en 1897.

Ces deux prêtres étaient confrères d'ordination.

1848
LA CLOCHE DE LA CHAPELLE DE WICKHAM

Monument à L'Avenir sur la route 143, vis-à-vis le no 3045

WHICKHAM AND ST. PETER'S SHRINE. WICKHAM CHURCH-BELL WAS TAKEN TO L'AVENIR IN 1848 WHERE IT REMAINED UNTIL PURCHASED BY EDWARD GAYO MD IN 1948 AND RETURNED TO THIS SHRINE.

DEDICATED TO THREE GENERATIONS OF THE CAYA FAMILY WHO RECLAMED THIS SACRED SOIL AND BUILT THIS SHRINE: OLIVER CAYA, JOSEPH CAYA, ERNEST CAYO MD, EDWARD CAYO MD, URBAIN CAYA, JOSEPH CAYA, OMER CAYA, LAWRENCE CAYA.

WE PUT OUR SWEAT OUR MONEY AND OUR VACATION, ONE MONTH EVERY YEAR FOR TEN YEARS, BUILDING THIS SHRINE: EDOUARD CAYO MD, URBAN CAYA.

À LA MÉMOIRE DES ANCIENS MISSIONNAIRES: « VENI AD VOS AD ANNUNTIANDUM VERBUM DEI »: RÉV. J. RAIMBAULT 1815, RÉV. J. KELLY 1820, RÉV. J. HOLMES 1824, RÉV. M. POWER 1827, RÉV. H. PAISLEY 1831, RÉV. H. ROBSON 1832, RÉV. J. O'GRADY 1842, H. DORION 1846 ET DE RÉV. H. ALEXANDRE, CURÉ 1873-1889, ARTHUR BERGERON, CURÉ.

I.P.

Voici la notice biographique de la plupart des prêtres susnommés :

JEAN RAIMBAULT (1770-1841), né à Saint-Aigman d'Orléans (France). La Révolution l'obligea à fuir en Angleterre, d'où il se rendit au Canada. Il fut missionnaire à Drummondville et à L'Avenir, respectivement de 1815 à 1819 et de 1815 à 1820.

JEAN-BAPTISTE KELLY (1783-1854) desservit Drummondville de 1820 à 1823.

JEAN HOLMES (1799-1852) ; il fut curé de Drummondville de 1823 à 1827.

HUGUES PAISLEY (1795-1847) fut nommé curé de Drummondville (1831-1832).

HUBERT ROBSON (1808-1847) de 1832 à 1842, il fut aussi le curé de Drummondville.

JOSEPH-HERCULE DORION en outre d'être curé de Drummondville eut la desserte de L'Avenir et de Saint-Théodore d'Acton.

HENRI-ÉTIENNE ALEXANDRE eut la cure de L'Avenir (1873-1889) et de Drummondville (1889-1891).

ARTHUR BERGERON fut vicaire à Arthabaska. Il naquit à Saint-Grégoire-de-Nicolet en 1898.

1849
LA COLONISATION DES CANTONS DE L'EST INAUGURÉE À WOTTON

Plaque à Wattonville, devant le presbytère

WOTTON A INAUGURÉ LA COLONISATION DES CANTONS DE L'EST LANCÉE PAR SIR L.H. LAFONTAINE ET REÇUT EN SON HONNEUR LE NOM PATRONAL DE ST-HIPPOLYTE. LA PREMIÈRE MESSE Y FUT DITE PAR L'ABBÉ JACQUES BÉDARD LE 11 JUIN 1849.

COMMISSION DES MONUMENTS HISTORIQUES.

En 1844, « huit familles ou 35 habitants, tous d'origine anglaise » (S. Drapeau) se trouvaient en bordure du territoire qui devait devenir le canton de Wotton. Parmi eux figuraient, probablement, les familles Wright, John Weir Barlow, John Sullivan, John Leet et autres. Mais les vrais pionniers de Wotton furent ceux qui s'y établirent non seulement pour y abattre des arbres, mais pour y construire et y fonder un foyer.

Le 28 octobre 1848, Patrick Bready (ou 0'Bready) décida de s'établir sur le lot no 4 du rang 7, devenant son premier colon catholique.

Celui-ci était, alors, à environ trois milles de la famille la plus proche, celle des Enright, de Tingwick.

Alexis Godreau fut le deuxième colon à s'établir là, en 1849.

Louis-Hippolyte Lafontaine (1807-1864), Premier ministre et chef de l'administration avec Baldwin, fit adopter des lois qui eurent une importance considérable sur l'avenir du Pays. Entre autres, la responsabilité ministérielle et le droit pour les municipalités de taxer les propriétés foncières non exploitées, ce qui obligea les compagnies détentrices de grands territoires de vendre des terres aux colons. Ceux-ci en profitèrent grandement dans les Cantons de l'Est et les Bois-Francs.

1849

LA CÉLÉBRATION DE LA PREMIÈRE MESSE À WOTTON

Monument à Wotton au 2e rang, à environ 4 milles et demi à l'est de la route 249

ICI FUT CÉLÉBRÉE LA PREMIÈRE MESSE À WOTTON PAR L'ABBÉ J. BÉDARD LE 11 JUIN 1849.

L'abbé Pierre-Jacques Bédard, qui a célébré cette messe, naquit à Beauport (près Québec), le 17 novembre 1816, de Charles et de Madeleine Baillargeon. Ses études classiques et théologiques terminées au Séminaire de Québec, il fut ordonné prêtre le 29 janvier 1844 puis nommé vicaire à l'Islet (1844-1845) ainsi qu'à Saint-Joseph-de-Lévis (1845-1846).

Il devint alors curé de Kingsey (1846-1849) et s'occupa de la mission de Wotton. Il était, de nouveau, vicaire à Saint-Joseph-de-Lévis (1849-1850) avant de devenir curé de Saint-Raymond, durant quatorze ans.

Agé de 58 ans seulement il se retira à Rivière-Ouelle (1864-1866), sans doute pour refaire ses forces qui avaient été compromises par son dévouement dans un vaste territoire mais, aussi, pour se préparer aux années d'exil et aux travaux qui l'attendaient dans l'Illinois (États-Unis), comme missionnaire à l'Assomption puis à Yankton (Dakota). C'est là qu'il mourut le 26 décembre 1876 ; ses restes furent transportés à Saint-Raymond, là où se trouvaient ses amis fidèles.

Le nom de Wotton vient d'une ville dans le comté de Gloucester (Angleterre). Le canton fut érigé en 1849.

La paroisse de Saint-Hippolyte-de-Wotton fut érigée le 26 mars 1856 et civilement le 6 septembre suivant. Le premier curé residant fut nommé en 1852, date de l'ouverture des registres. La municipalité du canton de Wotton fut érigée en 1855 et celle du village de Wottonville en 1919.

1850
LE MOULIN DENISON

Á environ 6 milles de Richmond, à l'extrémité de Denison's Road. (Suivre d'abord la route 116)

Ce moulin à farine bâti en 1850 par Simeon-Minor Denison, a cinq étages soutenus par des poutres de quatorze pouces. Aujourd'hui encore il est en bon état de service.

Simeon-Minor Denison construisit le barrage situé tout près avec des roches accumulées au cours du défrichement. Ce barrage, mesurant 20 pieds au sommet et 30 pieds à la base, a 25 pieds de hauteur et 140 pieds de largeur. Les deux ruisseaux qui au début y amenaient l'eau formèrent, en amont, un lac de 88 acres.

Il alla chercher à Québec, soit à une centaine de milles, quatres meules importées d'Écosse. Des boeufs les traînèrent jusqu'à destination ; chacune pesait 1 000 livres. Ces meules sont encore en aussi bon état qu'alors. Le moulin fonctionna nuit et jour durant de nombreuses années.

Parmi les meuniers qui succédèrent au susnommé, mentionnons Alex Noble, Ramsay, Brown, Joseph Denison, John McCormick, W.S. Denison et William-John Denison, ce dernier arrière-petit-fils du constructeur.

En 1858, Simeon-Minor Denison avait en outre construit un moulin, environ 300 verges plus bas que le moulin à farine, lequel servit durant une cinquantaine d'années ; il fut démoli en 1938.

Son père, Avery, était né à Stonington, Connecticut ; il était venu au Canada en 1796 pour se faire concéder 5 000 acres de terre. L'année suivante, il y amena sa femme, Eunice Williams ; naquirent de cette union, outre Simeon Minor, John-Williams, Malvina et Eunice.

Simeon Minor épousa, en 1834, Mary Moore, dont furent issus trois fils : William, Isaac-William et Joseph Root. En 1939, Colborne le nomma capitaine du Bataillon du comté de Sherbrooke. Il décéda en 1864 et fut inhumé avec ses parents au cimetière de Denison's Mill.

1850
LOUIS PHILIPPE HÉBERT

**Plaque à Sainte-Sophie, rang no 2 Sainte-Sophie,
à environ un mille de la route no 265**

LOUIS PHILIPPE HÉBERT, C.M.G., CHEVALIER DE LA LÉGION D'HONNEUR ET DE SAINT-GRÉGOIRE-LE-GRAND, ARTISTE SCULPTEUR, R.C.A., NÉ À SAINTE-SOPHIE D'HALIFAX LE 27 JANVIER 1850. DÉCÉDÉ À MONTRÉAL LE 13 JUIN 1917.

COMMISSION DES SITES ET DES MONUMENTS HISTORIQUES DU CANADA.

Louis-Philippe Hébert fut le plus grand sculpteur du Canada. On lui doit un grand nombre d'œuvres admirables, particulièrement les statues suivantes : de Salaberry, G.E. Cartier, John-A. Macdonald, Frontenac, Elgin, Montcalm, Wolfe, Lévis, Monseigneur de Laval, Mgr Taché, Maisonneuve, Mgr Bourget, Crémazie, Jeanne Mance, Édouard VII, les abbés Mignault, Déziel et Crevier, le P.C. Lefebvre, Legardeur de Repentigny, Madeleine de Verchères, Laviolette, Hector Langevin, Louis-H. Lafontaine, Étienne Taché, A.N. Morin, Honoré Mercier. Ajoutons le Groupe amérindien, le Pêcheur à la pirogue, les figures à l'intérieur de la cathédrale d'Ottawa, les prophètes de la chaire de Notre-Dame-de-Montréal, etc.

Il est né à Saint-Sophie-de-Mégantic, le 28 janvier 1850, de Trefflé, cultivateur, d'origine acadienne, et de Julie Bourgeois, descendante d'une famille de France arrivée au Canada à la Révolution.

À sept ans, il commença à sculpter sur bois, particulièrement des soldats. Il lisait tout ce qui lui tombait sous la main, surtout les Relations des Jésuites et d'autres livres sur l'histoire du Canada, ce qui lui fut plus tard fort utile, car il y apprit à aimer son pays et ses héros.

Comme il n'avait pas d'attrait pour l'agriculture, il dut quitter son foyer peu fortuné. Il fut, d'abord, commis pour un oncle qui le mit tôt à la porte. De 15 à 18 ans, il travailla à l'approvisionnement en bois de chauffage pour le chemin de fer Grand Tronc.

Napoléon Bourassa, qui était juge du concours, lui accorda le premier prix à l'Exposition provinciale et l'invita à étudier dans son atelier.

Ayant épousé, en 1879, Marie Roy, il en eut deux fils : Henri, sculpteur, et Adrien, peintre. Il eut aussi deux filles et termina sa belle vie en 1917.

1852
PAUL TOURIGNY

Né à Arthabaska le 1er novembre 1852

Paul Tourigny fut cultivateur, marchand, industriel, maire, député et conseiller législatif.

Né dans la famille nombreuse de Landry Tourigny, cultivateur, l'un des premiers colons d'Arthabaska, et de Lucie Poirier, il dut, fort jeune, travailler dur, formant ainsi son courage et son énergie.

Il a gravi, à peu près seul, tous les degrés de l'échelle sociale. Il commença par ouvrir un modeste magasin à Victoriaville; ce fut un succès. Il devint, ensuite, fondateur d'industries aussi importantes que VICTORIAVILLE FURNITURE CO., VICTORIA CLOTHING CO., etc. Les Édifices Tourigny formaient un ensemble immobilier imposant comprenant la résidence de Paul Tourigny, un magasin de meubles en société avec son fils Louis-Alphonse et un magasin général en société avec son fils Arthur. Il fut parmi les principaux hommes d'affaires à diriger Victoriaville vers le succès.

Les citoyens tinrent à faire de lui leur maire durant une vingtaine d'années. Les électeurs du comté provincial d'Arthabaska l'apprécièrent tellement comme député qu'ils l'élirent presque toujours par acclamation de 1900 jusqu'à 1916, date à laquelle il démissionna. Mais en 1921, il fut élevé au Conseil législatif pour la division de Kennébec. Il occupa ce poste jusqu'à son décès, le 31 janvier 1926.

De son union avec Alice Lavigne naquirent plusieurs enfants. Devenu veuf, il se remaria à Joséphine Laberge.

L'UNION DES CANTONS DE L'EST le 4 février 1926, fit ainsi son éloge: « C'est le premier citoyen, celui qu'on appelle le fondateur de la ville de Victoriaville, le père de l'industrie dans cette partie des Cantons de l'Est »... « C'était un homme humble et profond, un travailleur infatigable, possédant un jugement sain, une intuition parfaite des affaires, une heureuse mémoire et un grand sang-froid ».

1853
LE PREMIER TRAIN RELIANT MONTRÉAL-RICHMOND-PORTLAND

Monument à Richmond, dans un parc à l'angle des rues Principale sud et Craig

1853-1953. PREMIER TRAIN FIRST RAILWAY TRAIN MONTREAL-RICHMOND-PORTLAND 18 JUILLET 1853 18th JULY.

I.P.

Vers 1840, le grand sujet des conversations au Bas-Canada, et particulièrement dans les Cantons de l'Est, était fourni par les chemins de fer. Ils permettaient de transporter les gens et les marchandises alors que les routes étaient souvent impraticables, et aussi de communiquer d'une région à une autre.

Des politiciens comme George-Étienne Cartier et Alexander Galt favorisaient leur expansion et des entreprises comme la British American Land y voyaient un des meilleurs moyens de renflouer leurs finances.

En 1843, un comité fut formé dans le district de Sherbrooke afin d'obtenir que des chemins de fer traversent les Cantons de l'Est, si possible la ville de Sherbrooke (dont la population n'était alors que de 800 habitants). Les membres en furent : B. Pomeroy, Edward Hale, Samuel Brooks, John Moore, J. McConnell et George Brown. Alexander Galt leur servit d'intermédiaire à Londres ainsi qu'aux États-Unis.

Les premiers projets misaient sur un trajet entre Montréal et New York, Boston ou Baltimore. C'est alors qu'un jeune avocat de Bangor (Maine), John A. Poor, multiplia ses démarches tant aux États-Unis qu'au Canada, pour que Montréal soit relié à Portland, situé à 292 milles d'Halifax, soit des centaines de milles plus près que les villes précitées.

En mars 1845 fut fondée, au Canada, la St. Lawrence and Atlantic dirigée par A.N. Morin, président, F. Hincks, Alexander Galt, Samuel Hale, Edward Hale, George Moffat, Peter McGill, J. Molson, D. Torrance, Stayner, John Young, Lyther Holton, D.L. McPherson, Benjamin Holmes et John Frothingham. En 1849, Alexander Galt en fut président.

La voie de Sherbrooke à Island Pont fut terminée en 1853. C'était le début d'une ère nouvelle pour les Cantons de l'Est.

1853
WILLIAM-FREDERICK VILAS

Né à Farnham-Est le 15 juillet 1853

William-Frederick Vilas fut maire de Cowansville durant une vingtaine d'années; membre, plusieurs années, de la School Board de cette ville; de 1906 à 1917, député libéral du comté de Brome à la Législature de Québec; conseiller législatif au siège de Wellington de 1917 à son décès, survenu le 15 août 1930.

Il était le fils d'Aaron Vilas et de Fanny C. Kent. Son père était à la fois ministre de l'Église baptiste, fermier et manufacturier. Parcourant à cheval la région et entrant fréquemment dans les maisons il avait remarqué l'originalité des meubles que les Loyalistes avaient apportés des États-Unis ou qu'ils avaient eux-mêmes fabriqués. Il avait possédé des intérêts dans la Perrington Foundry d'East Farnham. En 1870, il fonda East Farnham Foundry en cette localité. Il y fabriquait divers articles en métal, surtout des pièces de machinerie agricole. Il s'intéressait à la fabrication de meubles de maison. Son fils William-Frederick lui succéda.

L'usine fut déménagée à Cowansville en 1893, à cause des commodités de cette ville. Sous la direction de W.F. Vilas, puis du fils de celui-ci, Harry, furent ajoutés plusieurs départements: meubles scolaires que plusieurs générations d'écoliers ont connus, etc.

L'entreprise demeura entre les mains de la famille Vilas jusqu'en 1962, alors que fut fondée Vilas Industries Limited, formée de sept personnes. Molson Industries Limited (aujourd'hui The Molson Companies Limited) en est propriétaire depuis 1970.

William-Frederick Vilas épousa, en 1888, Emily Frances Foss. De cette union naquirent un fils et une fille.

1854-1954

LA PREMIÈRE MESSE ET LE CENTENAIRE DE LAURIERVILLE

Monument à Laurierville, près du no 138, rue Grenier, à l'angle de l'avenure Dufour

EN SOUVENIR DE LA PREMIÈRE MESSE. CENTENAIRE 10 JUILLET 1954

I. P.

La paroisse de Sainte-Julie-de-Somerset fut érigée canoniquement le 17 novembre 1858 et civilement le 3 avril 1859. Elle fait partie des township de Somerset-Nord et de Nelson.

La mission fut fondée en 1845 et desservie, par des prêtres des paroisses environnantes jusqu'en 1854, alors qu'arriva le premier curé desservant. Ses registres datent aussi de cette dernière année.

La patronne de cette paroisse est sainte Julie, en l'honneur de Madame Charles King, bienfaitrice, qui portait ce prénom.

Le village s'appelle Laurierville en hommage à Sir Wilfrid Laurier, Premier ministre du Canada, de 1896 à 1911.

La municipalité de Somerset-Nord fut érigée en 1858 et celle du village en 1902.

1854

MICHAEL-FELIX HACKETT

Né à Granby le 23 août 1854

Michael-Félix Hackett fut avocat, homme politique, maire, financier et juge.

Issu de Patrick et de Mary Griffin, d'origine irlandaise, il fréquenta l'académie de Granby, les séminaires de Sainte-Marie-de-Monnoir (Marieville) et de Saint-Hyacinthe ainsi que l'Université McGill.

Il n'avait que vingt-et-un ans lorsqu'il fut reçu avocat. On lui décerna une médaille pour services rendus lors du raid des Féniens en 1870.

Président du STANSTEAD COUNTY FARMERS' INSTITUTE et maire du village de Stanstead Plain, il fut président du BOARD OF SCHOOL TRUSTEES et préfet du comté de Stanstead.

Comme il était bon financier, on lui confia le directorat et la présidence de la SHERBROOKE MUTUAL FIRE INSURANCE CO., de la SOCIÉTÉ SAINT-JOSEPH et de la CATHOLIC MUTUAL BENEFIT ASSOCIATION OF CANADA de 1895 à 1916.

Il fut bâtonnier pour le district de Saint-François durant plusieurs termes. Adhérent du parti libéral-conservateur, il devint président de son association pour les Cantons de l'Est. Élu député du comté de Stanstead en 1892, à la Législature provinciale, il fut dès 1895 président du Conseil exécutif dans le cabinet Taillon puis secrétaire dans celui de Flynn. En 1914, on l'élit aux Communes pour le même comté, jusqu'en 1915, alors qu'il fut nommé juge de la Cour supérieure.

Décédé en 1926, il avait épousé, en 1883, Florence-Alberta, fille du député de Stanstead Albert Knight ; naquirent de cette union : John-Thomas, avocat, Florence-Julia et Mary.

1854
LA « OLD ACADEMY » DE KNOWLTON

À Lac Brome (Knowlton), au parc du musée, rue Lakeside à l'angle de la rue Saint-Paul

LA « OLD ACADEMY », BÂTIE EN 1854 (ST. PAUL'S CHURCH HIGH SCHOOL), AGRANDIE EN 1867, ET CÉDÉE À LA SOCIÉTÉ D'HISTOIRE DE BROME COMME MUSÉE, POUR HONORER LA MÉMOIRE DE PAUL-H. KNOWLTON, QUI AVAIT DONNÉ LE TERRAIN ET LE PREMIER CORPS DE LOGIS.

THE OLD ACADEMY BUILT 1854 AS ST. PAUL'S CHURCH HIGH SCHOOL, ENLARGED 1867, TRANSFERED 1903 TO BROME HISTORICAL SOCIETY FOR MUSEUM, AS A MEMORIAL TO PAUL HALLAND KNOWLTON, DONOR OF THE LAND AND ORIGINAL BUILDING.

COMMISSION DES MONUMENTS HISTORIQUES DU QUÉBEC

La Société historique du comté de Brome, fondée virtuellement en 1887, eut comme premier président le juge W.W. Lynch (1845-1916) et comme premier secrétaire le Rév. Ernest Taylor (1848-1941).

Ses assemblées eurent lieu d'abord à Potton et à Millington. À Knowlton, elles furent tenues, depuis le 9 mars 1898, au Pattes Memorial Hall ; et à compter du 31 août 1899, à l'académie.

Il fut tôt question que la société ait un musée de reliques des premiers temps du township de Brome. Le 28 janvier 1903, elle devint propriétaire de cette construction de l'académie, à la condition qu'elle y loge un musée et qu'elle porte le nom de « Paul Holland Knowlton Memorial », Monsieur Knowlton ayant donné le terrain et favorisé la construction de cette école. L'inauguration eut lieu le 3 octobre 1903, sous la présidence du juge Lynch. On y trouve maintenant plus de 2 000 exhibits.

L'annexe porte le nom de Z.E. Martin. Celui-ci, un ancien élève de la Knowlton Academy, ayant été invité à souscrire à sa construction, répondit : « Faite-la construire et vous m'en enverrez la facture ». Il était devenu un riche homme d'affaires de Chicago.

Cette annexe fut inaugurée le 26 août 1921 par Sir Robert Borden. Dédiée aux soldats du comté de Brome, elle contient, entre autres, une collection d'équipement et d'armement militaires, particulièrement l'un des meilleurs avions allemands de la Première Guerre, le TYPE-D-VII FOKKER.

1855
SAMUEL FORTIER

Né à Saint-Jacques-de-Leeds (Lemesurier), comté de Mégantic, le 24 avril 1855

Samuel Fortier fut ingénieur, professeur, hydrographe du gouvernement américain au Montana et ingénieur en chef du ministère de l'Agriculture, à Washington, D.C.

Né de Léandre Fortier et de Ann Reid, il fit ses études au St. Francis College, de Richmond, et à la McGill Normal School, de Montréal. Professeur et principal à la Danville Academy pendant deux ans, il poursuivit ensuite des études à l'Université McGill de Montréal, où il fut diplômé en génie civil en 1885.

Il devint aussitôt ingénieur de la Western Pacific Railroad qui construisait une voie ferrée au Colorado. De 1886 à 1890 il remplit les fonctions de premier assistant ingénieur en chef et surintendant de Ogden Water Works et Bear River Canada and Irrigation Co. Professeur de génie hydro-électrique à l'Agricultural College of Utah de 1890 à 1893, il dirigea des travaux d'irrigation dans divers endroits, particulièrement en Californie. En 1912, il fut aviseur dans l'application de la loi de l'irrigation et d'administration pour la Colombie Britannique.

Chef de la division de l'irrigation pour l'United State Bureau Public Roads de 1915 à 1922, il soumit une cinquantaine de rapports au Département de l'irrigation, ce qui facilita la publication en 1915 de son livre intitulé : USE OF WATER IN IRRIGATION. En 1896, la Canadian Society of Civil Engineers lui remit une médaille d'or. L'Université McGill lui accorda, en 1907, un certificat d'honneur.

En 1888 il avait épousé, à Danville, Suzanne-Barbara, fille de Roderick Macleay. Ils eurent trois enfants : Roy, Winifred-R. et Ernest-Cleveland. Établi à Berkeley (Californie), il décéda le 17 août 1933. Son père, né à l'île d'Orléans en 1821, mourut à Leeds en 1916. Sa mère, Anne Reid, était la fille de John Reid et de Janet Gould.

1856-1956
LE CENTENAIRE DE SAINT-EPHREM-D'UPTON

Monument à Upton dans un parc, au centre du village

« SOUVENIR ». UN SIÈCLE DE VIE, 1856-1956. HOMMAGE AUX PIONNIERS. DON DE LA FAMILLE THÉO. PHÉNIX.

I. P.

Le canton d'Upton (nom d'un comté de Chester, Angleterre) fut érigé en 1800. Il ne commença à être colonisé à Upton qu'en 1845, alors que le Grand Tronc construisit son chemin de fer entre Saint-Hyacinthe et Sherbrooke.

Parmi les premiers colons à cet endroit, mentionnons McEvilla, qui y érigea un moulin à farine et à scie, au confluent de la rivière Saint-Nazaire et de la rivière Blanche. Desservis de 1854 à 1856 par l'abbé Louis-Zéphirin Moreau, futur évêque de Saint-Hyacinthe, ces colons eurent comme premier curé l'abbé Jean-Baptiste Durocher, qui desservait aussi Sainte-Hélène.

Les curés J.-B. Courtemanche, François-Xavier Michon et Louis-Cléophas Blanchard se servirent de la chapelle sise au rang de la Carrière ; mais à partir de 1872, celle-ci ne pouvait plus contenir la population sans cesse croissante.

L'église actuelle fut terminée en 1875. La vieille chapelle fut transportée tout près, pour servir d'école l'année suivante. En 1878, à l'invitation du curé Joseph-Magloire Laflamme, les Sœurs de la Présentation-de-Marie prirent la direction du couvent. Et en 1887, les Frères Maristes vinrent enseigner aux garçons. En 1952, les Frères du Sacré-Cœur ouvrirent un collège moderne.

La paroisse Saint-Éphrem-d'Upton fut érigée canoniquement et civilement en 1854. La municipalité fut incorporée en 1855 et le village en 1878. Voilà quelques « souvenirs ».

1817-1821-1823-1836-1857
LA MUNICIPALITÉ DE STANSTEAD

Plaque à Stanstead, sur la rue Main (Dufferin Rd) à l'angle de la rue Hackett

STANSTEAD
PRINCIPAL RELAIS ENTRE BOSTON, MONTRÉAL ET QUÉBEC. LIEU INAUGURAL, DANS LES CANTONS DE L'EST, DES BUREAUX DE POSTE (1817) ET DE DOUANE (1821), DU JOURNAL (1823) ET DES BANQUES (1856). MUNICIPALITÉ DEPUIS 1857.

MAIN STAGE COACH STOP BETWEEN BOSTON, MONTREAL AND QUEBEC. FIRST IN THE EASTERN TOWNSHIPS: 1817 POST OFFICE, 1821 CUSTUMS HOUSE, 1823 NEWSPAPER 1856 COMMERCIAL BANK. INCORPORATED 1857.

COMMISSION DES MONUMENTS HISTORIQUES DU QUÉBEC.

En 1812, les Cantons de l'Est furent pourvus d'une route postale entre Stanstead et Wells River.

Ce n'est qu'en 1817 que ce service fut permanent. Il se rendit jusqu'à Québec.

Avant cette date, ce sont des courriers spéciaux qui portaient les documents officiels.

En 1824, Montréal se raccorda avec la route ci-dessus par West-Shefford et Farnham.

Et en 1825, une route fut ouverte entre Shefford et Chambly.

En 1850, John G. Cowie et son frère William, de Granby, inaugurèrent un service de diligences entre Chambly et Stanstead.

1857

RUFUS-HENRY POPE

Né à Cooaticook le 13 septembre 1857

Lors du décès de son père en 1889, Rufus-Henry Pope lui succéda comme député fédéral du comté de Compton. Il fut réélu en 1891 et 1900, mais fut défait en 1904 et en 1908. Il se vit élevé au Sénat le 14 novembre 1911, par Robert Borden, lorsque celui-ci fut nommé Premier ministre du Canada. Comme son père, il était conservateur en politique.

Sa mère s'appelait Persis Bailey.

Il avait fait ses études à la Cookshire Academy, au High School de Sherbrooke puis à la McGill Law School.

Cultivateur à Cookshire, il fut propriétaire d'une ferme modèle et d'un grand nombre d'animaux, dont une centaine de vaches, ce qui était considérable pour l'époque.

Il joua un rôle important dans le commerce et l'industrie. C'est ainsi qu'il fut copartenaire de la Cookshire Mill Col, directeur de Royal Paper Mill Co., Paton Woolen Mills, Dominion Line Co., Scotstown Lumber Co., Canada Provident Assurance Corporation, etc. L'association conservatrice des comtés de l'Est l'élut président en 1896.

Il avait épousé, en 1877, Lucy Noble.

Il décéda à Cookshire, le 16 mai 1944.

1857
LA MAISON NATALE DE HENRY MILES

À Lennoxville, au no 17, rue du Collège (angle de la rue Folks)

Henry Miles fut négociant, propriétaire-éditeur, consul général du Paraguay, député puis conseiller législatif.

Il vit le jour le 8 mai 1857 du mariage du docteur Henry-Hopper Miles, médecin, et de Mme Wilson, tous deux originaires d'Angleterre. Il étudia au Bishop's College local puis à l'Université Laval.

Il épousa en 1875 Emma McGregor, de Montréal, dont naquirent deux filles.

Il débuta à l'emploi des pharmaciens importateurs Hyman Sons Co., où il devint directeur-gérant puis l'associé en 1895. Il fut le président-fondateur de la maison Leeming-Miles Company et le président de plusieurs compagnies, particulièrement : National Hydro-Electric Co., Carillon Construction Co., Multigraphing and Adressing Co., Anglo-Canadien Pharmaceutical Co. Ltd, Nestle's Food Co. of Canada, Business Offices and Laboratories, Miles Buildings, etc.

Il joua un rôle important au sein du Montreal Board of Trade de Montréal, dont il fut le dignitaire à plusieurs postes, y compris la présidence. Il devint également le propriétaire-éditeur de MONTREAL PHARMACEUTICAL JOURNAL.

En 1918, lors d'une élection complémentaire, on l'élit député libéral du comté de Montréal-Saint-Laurent à la Législature de Québec. Il fut réélu aux élections de 1919. Le 23 mars 1923, il fut nommé conseiller législatif pour la division de Victoria.

Il décéda le 7 juin 1932. Son père, secrétaire du Département de l'Instruction publique du Québec, fut un écrivain reconnu par tout le Canada.

1858

J.-AUGUSTE RICHARD

Né à Princeville en 1858

J.-Auguste Richard naquit du mariage de Raphaël Richard, marchand, et d'Élodie Prince.

Ses études terminées à l'école locale, il se lança très tôt dans le commerce pour lequel il avait de belles aptitudes. Il réussit dans la grande industrie, devenant président de la Cie Fashion Craft Limitée, qui confectionnait des habits, etc. Il fut directeur de la Société d'Administration générale, etc. Il joua un rôle important comme commissaire des Écoles catholiques de Montréal.

Philanthrope, il aida de sa personne et de son argent diverses oeuvres en tant que directeur de l'hôpital Notre-Dame, gouverneur de l'université de Montréal, président de l'institut Bruchési, etc. On le vit au nombre de ceux qui oeuvrèrent pour que devienne indépendante l'université de Montréal à laquelle il fit un don de $25 000 et où il fonda la chaire de Phtisiothérapie.

Libéral en politique, il était membre du Club de Réforme.

Il avait épousé, en 1883, Albertine Rivard. De cette union sont nées trois filles. Il décéda en 1924.

1860
MGR ALPHONSE-OSIAS GAGNON

Plaque à Bonsecours (Stukely-Nord), rang Simonneau, à environ un demi-mille de la route 220, (au pied d'une croix)

À MGR A.O. GAGNON NÉ ICI LE 13 DÉCEMBRE 1860, 3ème ÉVÊQUE DE SHERBROOKE. 1923-1941. RIP

I.P.

Mgr Alphonse-Osias Gagnon naquit de Maxime, cultivateur, et d'Aloïse Vaillancourt; son père avait quitté Saint-Roch-de-l'Achigan en 1853 pour aller s'établir à Stukely-Nord. Mais en 1866 il partait avec sa famille pour aller gagner de l'argent à Woonsocket, R.I.. Durant les huit années que le jeune Gagnon demeura là, il fréquenta l'école locale et apprit l'anglais.

En 1874, ses parents revinrent au pays et demeurèrent à Sherbrooke. Leur fils y suivit des cours avec M. Eusèbe Boutin, une année, puis s'inscrivit au Séminaire Saint-Charles-Borromée. Il y eut comme premier professeur l'abbé Pierre Girard. Il fit dans cette maison d'institution, qui venait d'ouvrir ses portes, ses études commerciales et classiques ainsi que théologiques. Ordonné prêtre en 1883, il fut professeur à son alma mater, de 1883 à 1895, alors qu'il alla étudier à Paris jusqu'en 1897; il en revint avec le titre de maître ès-arts. De retour, il continua d'être professeur à son séminaire, dont il fut le supérieur à deux reprises. En 1919, il devint prélat domestique.

Élu évêque de Spiga et auxiliaire du diocèse de Sherbrooke, il fut sacré en 1923. Vicaire général puis vicaire capitulaire, il devenait, le 22 juin 1927, troisième évêque de Sherbrooke. À ce titre, il consolida l'oeuvre entreprise par ses prédécesseurs et en ajouta d'autres. La maladie l'empêchant de se dévouer autant qu'il le désirait, il dut demander un coadjuteur, qui fut Mgr Philippe Desranleau, puis prit sa retraite, méditant et priant. Il décéda en 1940. Le juge C.-D. White dit alors de lui: « Je crois que pendant des générations à venir, on sentira l'influence de sa vie et de ses oeuvres ».

(Sur la photo ci-jointe, prise au dévoilement de la croix et de son monument, apparaissent: MM. L.J. Gagnon, E. Dufresne, M. Gagnon et J. Sicotte).

1860-1960
HOMMAGE AUX PIONNIERS DE WARWICK

Monument à Warwick, au no 8, rue Hôtel-de-Ville

HOMMAGES À NOS VALEUREUX PIONNIERS

1860-1960

WARWICK

I.P.

La paroisse de Saint-Médard-de-Warwick fut érigée canoniquement le 1er mai 1860 et civilement le 24 octobre suivant. Elle comprend une partie des cantons de Warwick et de Tingwick. Desservie par des missionnaires de 1841 à 1857, elle eut alors son premier curé résident en la personne de l'abbé A. Télesphore Lacoursière. Ses registres datent de la même année.

Le canton de Warwick fut érigé le 3 janvier 1804 ; son nom vient d'un comté d'Angleterre, qui lui-même rappelait le souvenir du général Richard de Neveille, comte de Warwick, à qui on donnait le titre de «faiseur de rois».

La municipalité du village de Warwick fut incorporée le 1er juillet 1861. Celle du canton du même nom le fut en 1864 et la ville de Warwick en 1955.

En 1815, le canton n'était pas encore habité. Il fut en grande partie concédé à des Anglais ; il en fut ainsi jusqu'en 1840, alors que l'abbé Denis Marcoux, vicaire à Gentilly et missionnaire des Bois-Francs, y reçensa 53 personnes dont 41 communiants ; nous n'avons pas pu connaître leurs noms. Qu'il suffise de souligner que l'abbé Clovis Gagnon, vers 1841, aurait été le premier prêtre à célébrer la messe en la future paroisse de Saint-Médard, dans la cabane en bois rond de J.-B. Perreault, bâtie sur le 3e lot du 2e rang.

Le premier maire du township de Warwick fut William Farrett en 1856. L. Trefflé Dorais, qui avait été maire du canton jusqu'en 1856, le devint, alors pour le village de Warwick. Lorsque ce village devint ville en 1955, Roland Boulanger en fut élu maire.

1860

LA MAISON NATALE DE GEORGE-GREEN FOSTER

À Lac Brome (Knowlton) rue Victoria (no inconnu)

George-Green Foster, fils de Samuel-Willard Foster et d'Ellen S. Green, naquit le 21 janvier 1860. Il fut nommé sénateur en 1917.

Après ses études à l'académie de Knowlton puis au McGill College, il fut reçu avocat en 1881, et fut nommé conseiller du roi en 1896. Membre d'un des plus grands bureaux d'avocats de Montréal, il fut élu bâtonnier en 1919.

Conservateur en politique, il fut le président de ce parti pour les Cantons de l'Est. En 1896, il se présenta comme candidat au fédéral pour le comté de Brome, mais fut battu par Sydney Fisher, qui devint ministre de l'Agriculture dans le cabinet Laurier jusqu'en 1911.

Homme d'affaires d'envergure, il appartenait à plusieurs bureaux de direction de compagnies importantes comme la Banque de Montréal, Montreal Tramways, Canadian Light, Heat and Power, etc. Il fut le président de Stanstead, Shefford and Chambly Railway, d'Orford Mountain Railway.

Il faisait partie aussi de plusieurs clubs sélects.

Durant la guerre de 1914-1918, pour accroître les récoltes sur les terres des Cantons de l'Est, il accorda des bourses.

De son mariage en 1896 avec Mary-Maude Buchanan, fille du juge G.C.U. Buchanan, naquirent George-Buchanan et Ruth.

Il décéda subitement en 1931.

Il s'était fait construire à Knowlton une magnifique résidence appelée BLARNEY CASTLE.

1861
ALBERT-JOSEPH BROWN

Né à Windsor Mills le 8 juillet 1861

Albert-Joseph Brown fut avocat, administrateur, philanthrope, sénateur. Il était le fils de Shepard-Joseph et de Jennet Shanks. Son grand-père paternel, le capitaine Josiah Brown, était parti de Plymouth, New Hampshire (E.U.), pour aller s'établir en 1801 dans le township de Windsor dont il fut le pionnier. Sa mère était d'origine écossaise.

Après ses études au St. Francis College de Richmond, au Morrin College, à Québec, et à l'Université McGill (où il mérita la médaille d'or), il fut reçu avocat en 1886.

Il s'associa, durant un an, avec M. Benjamin puis se joignit à l'important bureau Chapleau (Adolphe), Hall, Nicolls, de Montréal. Cette société changea de partenaires, mais jusqu'à son décès en 1938, Albert-Joseph Brown fit partie de cette étude juridique qui était l'une des plus renommées du Canada. Il se spécialisa dans l'incorporation des compagnies.

Son jugement et ses connaissances légales lui permirent de jouer un rôle important dans le domaine des affaires et de la finance. Il fut vice-président de: Royal Bank, Montreal Trust, Canadien Trust, Dominion Engineering Works, Canada Steamship Lines, etc., et directeur de: Montreal City and District Bank, Dominion Bridge, Steel Co. or Canada, Northern Electric, Holt Renfrew and Co. etc.

Bien qu'il n'eût fait que peu de politique, il fut nommé sénateur en 1932; il était conservateur.

En 1888, il avait épousé Josephine Home de Québec. Il demeurait au no 3560 rue Mountain, Montréal. Il décéda en 1938.

« Mr. Brown was a prodigious worker and, although never a Court man, the promptness and despatch with which he got through his work, coupled with his exceptionally clear business judgment, quickly brought him to the fore in commercial circles... But what is not generally known were his coutless acts of benevolence and kindness to those in distress of any kind or whom he thought deserving of an opportunity for advancement and this most frequently without solicitation. » (Tiré du « Centenaire du Barreau de Montréal »).

1861-1961
HOMMAGES AUX PIONNIERS

Monument à Saint-Valère, dans le parterre de l'église

Partis de Saint-Grégoire-de-Nicolet en 1835, Raphaël Poirier-Doiron, Joseph Poirier-Doiron et Jean-Paul Landry furent les premiers colons de Saint-Valère. Ce sont encore des Landry qui occupent la ferme de ce dernier.

Le premier missionnaire, Clovis Gagnon y célébra la première messe en avril 1841. C'est le deuxième missionnaire, l'abbé Antoine Racine (futur évêque de Sherbrooke), qui à l'automne de 1848 fit construire la première chapelle sur le côté sud de la rivière, sous le patronage de Saint-Jules. L'abbé P.H. Suzor, curé d'Arthabaska, fut le troisième missionnaire en 1851 ; il fit construire une école sur le côté nord de la rivière.

La paroisse fut érigée canoniquement par Mgr Thomas Cooke, évêque des Trois-Rivières, sous le nom de Saint-Valère-de-Bulstrode, le 2 juillet 1860, et civilement, le 9 janvier 1861.

Le canton de Bulstrode fut créé le 28 mai 1803, en souvenir du chevalier Richard Bulstrode, militaire d'Angleterre. Les registres s'ouvrirent en 1860. Le nom de Valère était le prénom du commissaire Guillet, alors préposé à l'érection civile des paroisses.

En 1861 arriva le premier curé : l'abbé Louis-Elie Dauth. Sept ans après, Mgr Laflèche, évêque des Trois-Rivières, vint bénir l'église située au côté nord de la rivière. C'est l'abbé Joseph-Ludger Tourigny (1897-1908) qui fit bâtir d'abord le presbytère en 1904 puis l'église actuelle en 1907.

Le monument du centenaire fut élevé grâce à la Société Saint-Jean-Baptiste locale.

1861
LE CENTENAIRE DE VICTORIAVILLE

Monument en face de l'hôtel de ville

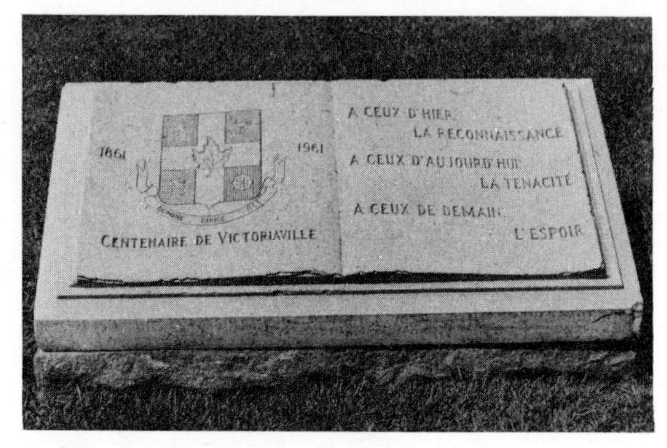

1861-1961. CENTENAIRE DE VICTORIAVILLE. À CEUX D'HIER LA RECONNAISSANCE. À CEUX D'AUJOURD'HUI LA TENACITÉ. À CEUX DE DEMAIN L'ESPOIR.

I.P.

En 1833, François Marchand et son épouse, Marguerite Beauchesne, originaire de Bécancour, furent les premiers à s'établir à l'emplacement de la future paroisse Sainte-Victoire, précisément aux Pointes Beaudet. Olivier Perreault et sa femme, Marie Levasseur, aussi de Bécancour, s'installèrent les premiers sur le territoire actuel de la ville de Victoriaville, en 1839.

L'abbé Olivier Larue, curé de Gentilly, y célébra la première messe, cette même année, au premier lot du 10e rang; il baptisa alors cinq enfants.

Détaché de Saint-Christophe d'Arthabaska, le village de Victoriaville fut incorporé le 18 mai 1861. Louis Foisy en fut le premier maire.

Le chemin de fer de Richmond-Lévis (1854) puis l'embranchement Victoriaville-Sainte-Angèle (1861) mirent la localité en contact avec Montréal, Trois-Rivières et Québec. Victoriaville étant sur le chemin du progrès.

Victoria rappelle le souvenir de la reine d'Angleterre (1837-1901).

Le premier curé résident fut, en 1867, l'abbé Joseph-Napoléon Héroux. Il y fit construire le presbytère et acheva l'église érigée en 1865.

Suivant un rapport daté de 1870, il y avait alors 211 élèves ; une école était aux Pointes, une autre au village, angle des rues Des Forges et de l'Académie, et une troisième à la maison Poitras, rue Notre-Dame Est.

La ville de Victoriaville fut incorporée en 1890, alors qu'elle avait environ mille habitants.

1861
GEORGE-WILLIAM HILL

Monument à Richmond, dans un parc à l'angle des rues Principale et Craig

EN MÉMOIRE DE GEORGE WILLIAM HILL. A.R.C., ÉMINENT SCULPTEUR CANADIEN NÉ DANS CHIPTON EN 1861, ANCIEN DU COLLÈGE ST-FRANÇOIS À RICHMOND, MORT À MONTRÉAL EN 1934. LE MONUMENT DES BRAVES À RICHMOND EST UNE DE SES OEUVRES.

IN COMMEMORATION OF GEORGE WILLIAM HILL, R.G.A., NOTED CANADIAN SCULPTOR BORN IN SHIPTON TOWNSHIP 1861. EDUCATED AT ST. COLLEGE, RICHMOND. DIED AT MONTREAL 1934. THE RICHMOND WAR MEMORIAL IS ONE OF HIS WORKS.

COMMISSION DES MONUMENTS HISTORIQUES DU QUÉBEC

Georges-William Hill fut l'un des plus grands sculpteurs du Canada. Fils de G.T. Hill, tailleur de pierre, il apprit, tout jeune, de son père à se servir de la pierre pour sculpter ce qu'il imaginait. Durant près de 5 ans, il alla à Paris étudier la sculpture à l'Académie Julien et à l'École Nationale des Beaux-Arts sous Falguière, Chapu, Jean-Paul Laurens et Injalbert.

Établi à Montréal, il se classa deuxième dans un concours pour l'exécution d'une statue de John A. Macdonald. On lui doit de nombreux monuments, statues, bustes, etc., dont : South African War Memorial à Montréal ; le poète Drummond au Carnegie Institute de New York ; George Brown et Thomas D'Arcy McGee sur la colline parlementaire d'Ottawa ; George-Étienne Cartier à Montréal ; The Canadian Nurses' Memorial à Ottawa ; la reine Victoria, Stracona Horse, Harold Fisher, etc. ainsi que plusieurs monuments aux Braves à Charlottetown, à Westmount, à Sherbrooke, à Magog, à Lachute, à Knowlton, à Morrisburg, etc. Une de ses dernières œuvres fut le buste de Edmond Dyonet.

Il exerça son art jusqu'à dix jours avant son décès survenu le 17 juillet 1934, à sa résidence au no 768, chemin Ste-Catherine, Outremont (Montréal). Il laissait dans le deuil son épouse, née Elsie Annette Kent, et trois enfants, dont un fils. Ses restes reposent au cimetière Mont-Royal.

1862
EDMOND-CHARLES TANGUAY

Né à Weedon, comté de Wolfe, le 5 septembre 1862

Mgr Edmond-Charles Tanguay passa environ cinquante ans de sa vie au Séminaire Saint-Charles Borromée de Sherbrooke. Il y fut d'abord collégien, de 1875 à 1884, séminariste jusqu'à son ordination en 1887, et ensuite assistant directeur, procureur et directeur jusqu'à sa retraite en 1928, alors qu'une paralysie le terrassa.

Fils de Charles, marchand, de Weedon, et de Zéphirine Parizeau, il vit le jour le 5 septembre 1862. C'est Mgr A. Racine, évêque du diocèse, qui l'ordonna dans sa paroisse natale. Il fut aussitôt désigné assistant-directeur à son Alma Mater à laquelle il consacra toutes ses énergies et son temps sauf trois ans passés aux études à Jérusalem.

C'est à lui que l'on doit, pour une bonne part, la construction des deux grandes ailes à la partie centrale du séminaire, l'une en 1911 et l'autre en 1928.

Pour donner une idée des moyens qu'il employa pour recueillir l'argent nécessaire au développement de cette institution, il organisa, en 1889, un tirage qui rapporta près de dix mille dollars, montant considérable pour l'époque. Il fut au nombre de ces prêtres qui, au Québec, ont élevé l'enseignement classique à un très haut niveau, alors que l'autorité civile ne faisait que bien peu dans ce domaine.

Il fut aussi un précurseur dans les oeuvres sociales. Non seulement il appuya ceux qui demandèrent l'incorporation du quotidien sherbrookois *LA TRIBUNE*, mais il en présida les premières assemblées et en fut l'un des directeurs durant de nombreuses années.

Dès l'âge de trente-cinq ans, on le pressentit pour l'accession à une prélature; il refusa. En 1901, Léon XIII le nomma son camérier secret avec droit au titre de Monseigneur; cependant, au concile plénier de Québec, en 1909, il s'abstint de porter les insignes de cette dignité. Benoît XV le créa prélat romain. En 1930, le consul général de France vint à son chevet lui remettre la rosette, avec palme d'or, d'Officier de l'instruction publique. Dans son diocèse, il fut conseiller, assesseur à l'Officialité, chanoine titulaire.

Mais sa plus grande récompense fut l'amitié et la gratitude des citoyens de tout le diocèse de Sherbrooke.

1864
LA FONDATION DE COLERAINE

Monument à Coleraine, dans un parc entre les rues Proulx, Saint-Patrick et Bernier

SAINT-PATRICE. SAINT PATRICK. CENTENAIRE DE COLERAINE 1864-1964. CENTENARY OF COLERAINE. MAIRE — MAYOR E.D. BOILARD. SECRÉTAIRE — SECRETARY JOS. DROUIN. ÉCHEVINS — ALDERMEN AUG. TURGEON, L. VAILLANCOURT, ARS. GOUIN, ALP. MARTIN, JUL. HOUDE, ARC. LAMOTHE.

ÉRIGÉ PAR LES CITOYENS DE CE CANTON EN LA MÉMOIRE DES IRLANDAIS DE COLERAINE COMTÉ DE LONDON-BERRY IRLANDE DU NORD QUI S'ÉTABLIRENT ICI EN 1864.

ERECTED BY THE CITIZENS OF THIS TOWNSHIP IN MEMORY OF THE IRISH FROM COLERAINE LONDONBERRY COUNTRY NORTHERN IRELAND WHO SETTLED HERE IN 1864.

I.P.

Le canton de Coleraine a été érigé le 20 décembre 1864. C'es l'exploitation des mines d'amiante qui favorisa le progrès de la ville de Coloraine. Ses premiers établissements datent de 1915.

La municipalité porta d'abord le nom de Saint-Désiré-du-Lac-Noir, à compter du 11 novembre 1891. Son nom fut changé en celui de Saint-Joseph-de-Coleraine le 28 octobre 1908. La paroisse religieuse reçut son premier curé en 1917; alors s'ouvrirent les registres de l'État civil.

Voici la liste des maires de la municipalité, depuis 1892:

Achille Fecteur 1892; Joseph Lemelin 1893-1894; Norbert Couture 1896; Abraham Blondeau 1897-1899; Joseph Lemelin 1900-1903; Joseph Ouellette 1903; Thomas Douville 1904-1906; Télesphore Fréchette 1907-1920; Pierre Grégoire 1921-1922; Moïse Cadorette 1923-1924; Trefflé Perron 1925; Joseph Gagné 1926; J. Ovila Gagné 1927-1932; Télesphore Roy 1933-1938; Ernest Rousseau 1939-1942; Joseph Croteau 1943-1946; Ludger Harton 1947; Jeffrey Morin 1948-1950; Louis-Philippe Roy 1951-1952; Joseph Proulx 1953-1961; Edmond Boislard 1961-1965; Lionel Vaillancourt 1965-1968; Jean-Denis Deschamps 1968-1974; Ernest Bégin fils 1974-.

1864
LA PREMIÈRE USINE DE PÂTE À PAPIER À BASE DE BOIS AU CANADA

Plaque à Windsor, sur la route no 143, au sud de Papiers Fins Domtar Ltée

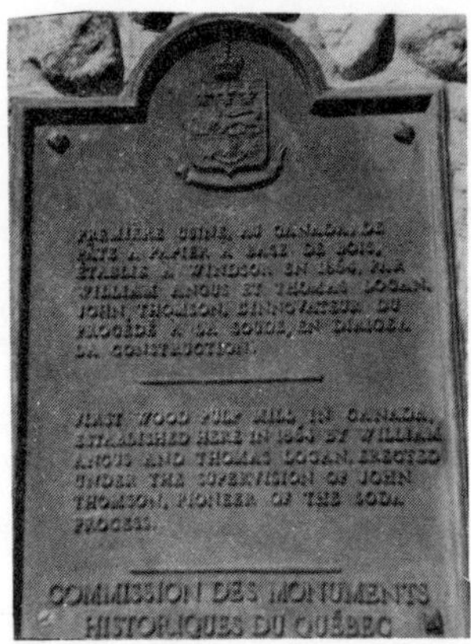

PREMIÈRE USINE AU CANADA, DE PÂTE À PAPIER À BASE DE BOIS ÉTABLIE À WINDSOR, EN 1864 PAR WILLIAM ANGUS ET THOMAS LOGAN. JOHN THOMSON, L'INNOVATEUR DU PROCÉDÉ À LA SOUDE, EN DIRIGEA LA CONSTRUCTION.

FIRST WOOD PULP MILL IN CANADA, ESTABLISHED HERE IN 1864 BY WILLIAM ANGUS AND THOMAS LOGAN, ERECTED UNDER THE SUPERVISION OF JOHN THOMSON, PIONEER OF THE SODA PROCESS.

COMMISSION DES MONUMENTS HISTORIQUES DU QUÉBEC.

Parmi ceux qui s'établirent dans les Cantons de l'Est, plusieurs s'empressèrent d'harnacher les cours d'eau pour y ériger des moulins à scie, à farine, à carde, etc., ce qui était nécessaire à toute la population.

William Angus et Thomas Logan commencèrent à jouer un rôle important dans cette région, mais dans un domaine nouveau, celui de la fabrication du papier. En 1859, ils s'associèrent comme agents dans l'exploitation d'un petit moulin, situé à Sherbrooke et propriété d'un fabricant de papier, le fils du député Charles Brooks. L'année suivante, ils en firent l'acquisition et allèrent s'établir à Sherbrooke.

En 1860, John Thompson se joignit à eux. Quatre ans plus tard, les susnommés décidèrent de s'établir à Windsor Mills où ils firent construire, en 1864, un moulin à papier, au confluent des rivières Watapeka et Saint-François.

Thomas Logan naquit en Irlande. Arrivé au Canada, il fut d'abord à l'emploi de Louis Perrault qui tenta, à Chambly, de fabriquer du papier avec de la paille. Il ouvrit, ensuite à Montréal un magasin de papier pour la vente en gros.

William Angus, originaire d'Écosse, construisit son usine à East-Angus en 1882, à environ mille pieds au-dessus du bâtiment actuel. Un incendie ayant tout détruit, il reconstruisit aussitôt.

John Thompson arriva d'Angleterre aux États-Unis avec son père, qui était fabricant de papier. Il apprit de Hugh Burgess, d'Angleterre, que le soda pouvait aider à transformer le bois de pulpe en papier. En 1860, il rencontra Angus et Logan qui le convainquirent de s'associer avec eux. En 1869, Thompson, en désacord avec Angust Logan au sujet de sa part dans les profits intenta un procès et obtint plusieurs milliers de dollars d'indemnité.

1865
EUSÈBE ROBERGE

Né à Sainte-Julie-de-Mégantic (Laurierville) en 1865

Eusèbe Roberge fut nommé conseiller législatif le 8 janvier 1912 pour succéder à Blaise Letellier comme représentant la circonscription de Lauzon.

Fils de Louis Roberge, marchand, et de Philomène Blouin, (celle-ci étant originaire de Berthier, Montmagny), il fit ses études au collège de Nicolet. Mais très tôt, il se lança dans le commerce et l'industrie, ce qu'il fit avec succès.

C'est ainsi qu'il devint le premier propriétaire d'une beurrerie dna la Beauce. Il mérita la médaille d'argent dans le concours du mérite agricole de 1897.

Il fut : directeur de la Cie hydraulique Saint-François pendant une vingtaine d'années ; président de la Cie des Engrais chimiques de Lambton ; directeur de la Cie d'assurance British Colonial ; membre du Conseil d'agriculture du Québec ; directeur de la Titanic Iron Co., etc.

Il épousa, en 1888, Clothilde Rousseau qui lui donna neuf enfants. Devenu veuf, il se remaria en 1916 à Blanche La Rue dont il eut une fille.

1865
LA FONDATION DE SAINT-ROMAIN

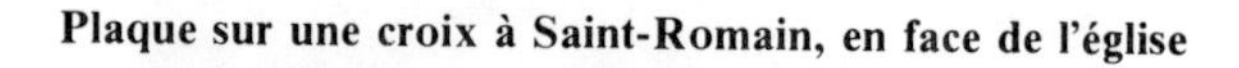

Plaque sur une croix à Saint-Romain, en face de l'église

CENTENAIRE DE SAINT-ROMAIN
1865-1965

I.P.

La paroisse de Saint-Romain-de-Winslow fut érigée le 12 février 1868 et civilement, le 23 juin. Ses registres ont été ouverts en 1854. C'est en 1865 qu'elle reçut son premier curé, en la personne de l'abbé François-Xavier Vanasse. Auparavant, elle avait été desservie par des missionnaires, curés de Wotton, Saint-Gabriel-de-Stratford et Saint-Vital-de-Lambton.

Le canton de Winslow avait été érigé en 1854. On n'est pas certain si c'est pour rappeler le souvenir d'une ville du comté de Buckingham (Angleterre) ou celui de Joshua Winslow, payeur des troupes anglaises du Canada.

Originaires de Saint-Anselme, comté de Dorchester, Joseph et Pierre Dion furent, en 1844, les premiers colons de Saint-Romain. Ils occupèrent le premier lot du 3e rang nord-ouest (Aylmer). Comme eux, les pionniers furent laborieux, dignes et honnêtes.

Cette paroisse fit partie d'abord du diocèse de Québec puis de celui des Trois-Rivières; elle dépend maintenant de celui de Sherbrooke.

En 1854, Mgr Cooke, évêque des Trois-Rivières, lui rendit visite par une tempête épouvantable.

Sa première chapelle, mesurant 60′ × 40′, fut érigée en 1857; la première messe y fut célébrée le 24 décembre de la même année. La première église fut construite en 1869.

Les curés qui succédèrent à l'abbé Vanasse furent: MM les abbés Carufel, Philémon Brassard, Laurin B. Dufresne, Frs X. Desrochers, Olivier Bernier, Louis-Joseph Pelletier, Joseph Michaud, Lucien Le Guerrier, Joseph Mathieu, Maurice Fortier, Lorenzo Ferland, Albert Charbonneau.

1866
RÉGINALD-AUBREY FESSENDEN

Né à Bolton-Est, dans le comté de Brome le 6 octobre 1866

Réginald-Aubrey Fessenden fut « the greatest wireless inventor of the age — greater then Marconi », de l'avis de Elihu Thompson, lui-même inventeur et ingénieur. Il fut un pionnier dans la télégraphie sans fil, la radio, etc. On lui doit plus de 300 inventions, dont plusieurs sont d'usage courant. Pour faire respecter ses droits d'auteur, il a dû intenter plus d'un procès, qu'il gagna pour la plupart.

Il était l'aîné des quatre fils de Elisha-Joseph, pasteur anglican, originaire de la Nouvelle-Angeterre. Il reçut le baptême des mains de son père dans l'église située à Peaseley's Corner ou East Bolton, (Austin), maintenant à l'usage de l'église catholique. Sa mère, Clémentina Threnholme fut écrivain, journaliste, conseillère de la *League of Empire* et fondatrice de l'*Empire Day*.

Ses parents allèrent demeurer à Niagara Falls (Ontario), alors qu'il avait neuf ans. Il fit ses études au De Veaux Military College (Niagara Falls, N.Y.), aux Trinity College School (Port Hope, Ont.) et au Bishop's College (Lennoxville) où il obtint son baccalauréat.

Vers l'âge de dix-neuf ans, il fut nommé principal au Whitney Institute, aux Bermudes. C'est là qu'il épousa, en 1890, Helen-May Trott dont il eut un fils, Reginald-Kenneley. Madame Fessenden a écrit la vie de son mari sous le titre : *FESSENDEN, BUILDER OF TOMORROW.*

L'attrait de ce jeune homme pour les sciences était si grand qu'en 1886-1887, il se rendit à New York pour remplir l'emploi d'inspecteur au service du grand inventeur Thomas Edison, son idole. Celui-ci le remarqua. Ayant obtenu son diplôme à Edison's New Jersey Laborator, il travailla, en 1890, à la Westinghouse Electric Manufacturing Co. Deux ans après, il était professeur en « Electrical Engineering » à Purdue University puis il enseigna à Western University durant plusieurs années. De 1900 à 1902, il fut agent spécial du United States Weather Bureau. Il fonda une compagnie pour l'exploitation de ses inventions.

La veille de Noël 1906, il organisa une émission où, pour la première fois, la voix et la musique furent transmises sans fil de Brant Rock (Mass) ; la même année, il communiqua ainsi, dans les deux sens, entre Brant Rock et Machrihanish (Écosse).

Il est inconcevable qu'il ne soit pas mieux connu au Canada, surtout dans les Cantons de l'Est.

1866
TIMOTHY O'HEA, HONORE DE LA CROIX VICTORIA

Plaque à Danville, face à l'hôtel de ville

FOR VALOUR VICTORIA CROSS NO. 324.

TO THE MEMORY OF PRIVATE TIMOTHY O'HEA 1st BATTALION RIFLE BRIGADE PRIVATE O'HEA SINGLE HANDEDLY ON JUNE 9th 1866, EXTINGUISHED A FIRE ON A RAILROAD CAR LOADED WITH GUN POWDER. HE WAS DECLARATED BY QUEEN VICTORIA FOR THIS BRAVE DEED. BEING THE ONLY V.C. AWARDED OTHER THAN IN ACTUAL WARFARE. THE CITIZENS OF DANVILLE.

CROIX VICTORIA NO 324.

À LA DOUCE MÉMOIRE DU SOLDAT TIMOTHY O'HEA MEMBRE DE LA BRIGADE DES FUSILLIERS DU 1er BATAILLON. LE SOLDAT O'HEA PARVINT SEUL LE 9 JUIN 1866 À MAÎTRISER UN INCENDIE QUI S'ÉTAIT DÉCLARÉ À UN WAGON CHARGÉ DE POUDRE DE FUSIL. IL FUT DÉCORÉ PAR LA REINE VICTORIA POUR CET ACTE DE BRAVOURE. C'EST LA SEULE CROIX VICTORIA MÉRITÉE EN DEHORS DU CHAMP DE BATAILLE. LES CITOYENS DE DANVILLE.

I.P.

En 1858, fut fondé en Irlande la confrérie (Brotherhood), dans le but d'établir le HOME RULE (République nationale) afin que, par tous les moyens, l'Irlande devienne indépendante de l'Angleterre.

En 1866, les FÉNIENS des États-Unis envahirent le Canada par Niagara, St-Albans, dans l'Ouest canadien, etc. Ils furent repoussés ; les Canadiens français du Québec firent leur part à cette fin.

Le 10 juin 1866, un train portant environ 800 immigrants allemands était en route pour l'Ouest. Un chargement de 95 livres de poudre était à bord, sous la garde de quatre soldats-commis. En arrivant à Danville, on découvrit que le feu était pris dans le wagon contenant cet explosif. Trois des gardes, perdant la tête, prirent leurs jambes à leur cou.

Mais le quatrième, Timothy O'Hea, ne perdit pas son sang-froid. Avec un seau, il alla puiser de l'eau tout près et une vingtaine de fois la jeta sur le foyer de l'incendie avec succès. Les immigrants n'eurent pas le temps de voir ce qui les avait menacés, le convoi continuant sa route.

Timothy O'Hea finit ses jours en Afrique du Sud, pauvre et inconnu. Son souvenir demeure cependant à Danville, grâce au monument que la gratitude de ses citoyens lui a érigé.

1866
JEAN-BAPTISTE-ÉRIC DORION
Plaque à L'Avenir, près de l'église catholique

L'AVENIR (DRUMMOND). JEAN-BAPTISTE-ÉRIC DORION SURNOMMÉ L'ENFANT TERRIBLE VÉCUT DANS CETTE PAROISSE. DÉCÉDÉ À L'AVENIR LE 1er NOVEMBRE 1866, IL REPOSE DANS LE CIMETIÈRE PAROISSIAL.

L'AVENIR (DRUMMOND). JEAN BAPTISTE ERIC DORION, NICKNAMED « L'ENFANT TERRIBLE », LIVED ON THIS PARISH. DIED AT L'AVENIR THE 1st OF NOVEMBER 1866, HE LIES IN THE PARISH CIMETERY. JE ME SOUVIENS.

C.M.H.Q.

Pierre tombale au cimetière catholique, côté nord-ouest

IN MEMORIUM J.B. ERIC DORION (L'ENFANT TERRIBLE) MORT LE 1er NOV. 1866 ÂGÉ DE 42 ANS.

Jean-Baptiste-Éric Dorion était le fils de Pierre-Antoine Dorion (négociant et longtemps deputé à Québec), et de Geneviève Bureau ; il naquit à Sainte-Anne-de-la-Pérade le 17 septembre 1826.

Son père, ayant subi des revers de fortune, ne put payer de longues études à son fils qui, dès l'âge de seize ans, devint commis dans un magasin des Trois-Rivières. Mais dès l'année suivante, il trouvait le moyen d'y publier un journal humoristique *GROS-JEAN L'ESCOGRIFFE*, et, peu après, un almanach qui fut bien accueilli. Installé à Montréal où il travailla dans un magasin, il ne tarda pas à devenir membre de l'Institut Canadien dont il fut, en 1850, le président. Son esprit vif et frondeur lui avait, depuis longtemps, valu le surnom d'« ENFANT TERRIBLE. »

À Montréal, en 1847, il fonda un journal, *L'AVENIR*, où il batailla contre l'intransigeance politique du clergé et lutta pour l'annexion du Canada aux États-Unis, etc.

Vers cette époque, il fonda une paroisse (Saint-Pierre-de-Durham) dans les Bois-Francs. En souvenir de son journal, cette paroisse porta le nom de L'Avenir. Non seulement il y amena des colons, mais il y demeura lui-même, y construisant de ses mains la première chapelle.

Battu comme candidat dans le comté de Champlain en 1851, il était élu dans celui de Drummond en 1854. Aux Communes, il se fit remarquer aussitôt par ses discours enflammés contre la tenure seigneuriale et sa propagande en faveur de la colonisation, particulièrement des Canadiens français, dans les Cantons de l'Est. En 1862, il fonda à L'Avenir, *Le Défricheur*, journal dans lequel il s'opposa à la Confédération. Sa vie trop active lui fut fatale. En effet il mourut d'une attaque cardiaque le 1er novembre 1866.

1866

MARGARET VINCENT

Petite pierre à Eccles'Hill, au bord de la route conduisant à Franklin

MARGARET VINCENT WAS UNSILLINCLY KILLED BY ROYAL WELSH FUSILLIERS JUNE 10, 1866.

I.P.

En 1866, les Féniens (Irlandais des États-Unis qui tentèrent, plusieurs fois, d'envahir le Canada) s'emparèrent du sud du comté de Missisquoi, précisément à Freligsburg.

Margaret Vincent, une célibataire âgée demeurait à Eccles'Hill avec sa sœur. Revenant chez elle, au crépuscule, elle apportait de l'eau puisée à une source.

Une sentinelle de Royal Welsh Fusilliers l'aperçut venant vers lui sur le chemin. Ne pouvant bien distinguer la voyageuse, il lui donna l'ordre d'arrêter. Margaret eut peur et se mit à courir.

À la troisième sommation, le garde et plusieurs soldats tirèrent sur elle.

C'est seulement arrivés auprès de leur victime qu'ils purent l'identifier comme femme.

Le lendemain, ces soldats éplorés érigèrent une petite pierre à l'endroit où elle avait été tuée.

1867
WILFRID LAURIER À ARTHABASKA

Monument à Arthabaska, dans le parterre de sa maison, au no 16, rue Laurier Ouest

LAURIER 1841-1919. HOMMAGE DU COMTE D'ARTHABASKA 1921.

INITIATIVE DE M.A. SUZOR-CÔTE, ARTISTE-PEINTRE. R.C.A.

ALFRED LALIBERTÉ, SCULPTEUR-ARCHITECTE.

I. P.

Wilfrid Laurier fut la plus célèbre des nombreuses personnalités qui vécurent à Arthabaska. Né à Saint-Lin, en 1841, il fit ses études primaires dans une école anglaise à New Glasgow, ses humanités au Collège L'Assomption et ses études en droit à l'Université McGill. Admis au barreau de Montréal en 1864, il y exerça sa profession, mais y végéta, employant son temps à causer de politique, fraternisant surtout avec les « Rouges » (Libéraux), alors fort mal vus de la grande majorité des Québécois.

Son ami, J.B. Éric Dorion étant décédé, il acheta son journal LE DÉFRICHEUR et alla prendre possession de son bureau d'avocat à L'Avenir, mi-novembre 1866. Le climat était bon pour sa santé chancelante. Dès décembre suivant, il alla s'établir à Arthabaska.

Dans son journal, il continua le combat commencé par son prédécesseur en faveur du parti libéral. Son nom fut vite connu dans la région. Il s'y fit des amis qui lui aidèrent à se faire une clientèle et, surtout, lui ouvrirent la voie vers la politique. En 1868, il avait épousé Zoé Lafontaine. Ensemble, ils vécurent heureux en chambre chez le Dr Modeste Poisson.

En 1871, il fut élu député libéral du comté Drummond-Arthabaska à la Législature de Québec. En 1874, il représenta le même comté aux Communes où il s'imposa graduellement. Ministre du Revenu en 1877, il dut, suivant la loi, se représenter dans son comté mais fut battu ; le comté de Québec-Est l'élut aussitôt et lui demeura fidèle jusqu'à sa mort en 1919. Chef du parti libéral en 1887, il fut Premier ministre du Canada de 1896 à 1911, alors qu'il devint chef de l'opposition jusqu'à son décès.

Il demeure à Arthabaska durant la plus grande partie de sa carrière parlementaire. À la fin de sa vie, Laurier écrivit : « J'ai touché le sommet, j'ai atteint les cimes, et pourtant mes pensées me ramènent de préférence à ces jours d'Arthabaska. »

1867

CHARLES-WILLIAM COLBY

Né à Stanstead le 25 mars 1867

Charles-William Colby fut professeur et écrivain. On lui doit CANADIAN TYPES OF THE OLD REGIME, THE FOUNDERS OF NEW FRANCE, SELECTION FROM THE SOURCES OF ENGLISH HISTORY, CHAMPLAIN et FRONTENAC.

Il était le fils de Charles-Conrad Colby, qui fut député de Stanstead en 1867, et petit-fils de Moses French Colby, médecin, qui fut député du même comté en 1837. Il naquit en 1867. Sa mère était née Harriet Child.

Il fit ses études au Stanstead Wesleyan College, à l'université McGill, à Harvard University. Il fut «Fellow» de la Royal Historical Society et de la Royal Society of Canada.

Longtemps il enseigna l'histoire à l'université McGill.

Le rôle qu'il joua dans la finance fut remarquable. Il devint président de la Noiseless Typewriter Co., vice-président de Goulds Mfg Co., directeur de Dominion Wire Rope Co., Asbestos Corporation of Canada, W.A. Rogers Co., J.H. Sherrard Co., Carter Crume Co., The McClure Publications, etc.

Président de la Graduates Society of McGill et membre de l'Historical Manuscrits Commission of Canada, il a écrit de nombreux articles dans NATION, THE ENGLISH HISTORIC REVIEW, THE AMERICAN HISTORICAL REVIEW, etc.

Il était conservateur en politique.

De son mariage, en 1897, avec Emma-Frances Cobb, fille de Walter B. Cobb, de Stanstead, naquirent deux enfants. Il décéda en 1955.

1868
LOUIS-PIETRO (PIERRE) GRAVEL

Né à Princeville (Arthabaska) le 8 août 1868

Joseph-Pietro (Pierre) Gravel, comme prêtre-missionnaire, a amené dans l'Ouest canadien, surtout à Gravelbourg, des milliers de Canadiens français. Il était le fils de Louis, médecin, et de Jessie Betez. Il commença ses études au collège d'Arthabaska et les continua au Séminaire des Trois-Rivières puis, en théologie, au Grand Séminaire de Montréal. Il fut ordonné prêtre à Arthabaska en 1892. Dès le lendemain, il était nommé vicaire à la paroisse Saint-Jean-Baptiste de New York, où il demeura environ huit ans. Il devint ensuite curé suppléant à la paroisse Saint-Joseph de New York où il se dévoua près de cinq ans.

À la demande expresse de Mgr Langevin, archevêque de Saint-Boniface (au Manitoba), il se fit missionnaire-colonisateur au profit du diocèse de celui-ci. Il fonda la paroisse de Gravelbourg, dont il fut le curé assisté de l'abbé Joseph-Arthur Magnan.

Dans le seul mois d'avril 1911, on a calculé qu'à la suite de la sollicitation de l'abbé Gravel surtout, environ trois mille Canadiens français passèrent par Saint-Boniface pour s'établir dans l'Ouest. Si le gouvernement fédéral avait favorisé autant ces derniers qu'il l'a fait pour les immigrants européens, le Manitoba, la Saskatchewan et l'Alberta seraient aujourd'hui de population française pour une bonne moitié. L'abbé Gravel constata lui-même que cette entrée française dans l'Ouest était entravée.

Lors de son décès, le 10 février 1926, il était encore missionnaire-colonisateur mais pour le diocèse de Régina, à la demande de Mgr O.E. Mathieu.

Il avait amené dans l'Ouest plusieurs membres de sa famille. Il demeura toujours fort attaché à sa paroisse natale et aux Bois-Francs.

1866
JOHN CHAMPOUX, FONDATEUR DE DISRAÉLI

Monument à Disraéli, à l'angle des rues Champlain et Laurier

ICI RÉSIDAIT JOHN CHAMPOUX NÉ À ST-GRÉGOIRE DE NICOLET LE 9 AOÛT 1852, FONDATEUR DE DISRAÉLI EN 1868, PREMIER INDUSTRIEL EN 1878, PREMIER MAIRE, 1883-1884 ET PLUS TARD, 1899 À 1900. DÉCÉDÉ À QUÉBEC LE 3 NOVEMBRE 1933, INHUMÉ À DISRAÉLI AVEC SON ÉPOUSE MARY-ANN O'MALLEY.

I.P.

John Champoux, fils d'Octave, naquit à Saint-Grégoire-de-Nicolet le 9 août 1852; il avait dix frères et soeurs. Alors qu'il n'était âgé que de six ans, ses parents allèrent s'établir à Stratford. L'abbé Harper, de passage dans la paroisse, remarqua l'intelligence du garçonnet et l'invita à se faire instruire pour devenir prêtre.

À l'âge de quatorze ans, il partit pour les États-Unis afin de gagner sa vie; il travailla pour la compagnie Brown, à Berlin, New Hampshire. Mais deux ans après, il revenait d'exil avec ses économies. Parti de Sherbrooke en canot, il s'arrêta au pied de la chûte qui porte maintenant son nom, décidé à s'y établir. Il construisit une maison à l'emplacement actuel de l'abattoir Houle.

En 1870, il obtint du gouvernement le privilège de construire un barrage pour exploiter un moulin à farine. Il réalisa cette entreprise avec l'aide de son frère Euclide. En 1872, il ajouta un moulin à scie. Cette fois, ce furent ses frères Alexandre, Davis, Calixte et Petrus qui lui prêtèrent main-forte. Bel exemple de l'entraide qui régnait dans les familles nombreuses et qui fut la force conquérante des Canadiens français dans les Cantons de l'Est et les Bois-Francs.

L'abbé H. Hamelin, curé de Wotton, célébra la première messe à Disraéli en 1875. Dix ans après, l'abbé A.D. Jobin fut le premier curé et il bénit aussitôt la première église. Les registres s'ouvrirent en 1884.

1868

JEAN-BAPTISTE CHARTIER, CURÉ FONDATEUR DE COATICOOK

Monument à Coaticook, dans le parc, rue Chila, à l'angle de la rue Adams

1832-1917. À LA MÉMOIRE DE L'ABBÉ JEAN-BAPTISTE CHARTIER, CURÉ FONDATEUR, « 1868-77 ». L'UN DES PRINCIPAUX AGENTS DE LA COLONISATION DES CANTONS DE L'EST. CITOYEN REMARQUABLE PAR SON ESPRIT D'ENTREPRISE AUTANT QUE PRÊTRE DISTINGUÉ PAR SON ZÈLE APOSTOLIQUE ET PAR SA PAROLE CONVAINQUANTE, À QUI LA VILLE DE COATICOOK DOIT LE POINT DE DÉPART DE SON DÉVELOPPEMENT MATÉRIEL ET RELIGIEUX. MONUMENT ÉRIGÉ EN 1934. DON DES CHEVALIERS DE COLOMB DE COATICOOK.

PARC CHARTIER PARK.

L'abbé Jean-Baptiste Chartier fut le missionnaire par excellence des Cantons de l'Est, surtout de 1868 à 1877, alors qu'il devint curé de Coaticook.

Né à la Présentation (près de Saint-Hyacinthe) le 14 mai 1832, du mariage de Joseph, cultivateur, et de Marguerite Chenette, il fut baptisé à Notre-Dame-de-Saint-Hyacinthe. Il fit ses études classiques et théologiques au séminaire de Saint-Hyacinthe. Monseigneur Blanchet l'ordonna en 1856, dans son église paroissiale.

À Coaticook, il construisit le presbytère, agrandit la chapelle et établit le couvent des Sœurs de la Présentation de Marie.

En collaboration avec J. Adolphe Chicoyne, un autre colonisateur dévoué, il publia une brochure de propagande en faveur de la colonisation, surtout au profit des Cantons de l'Est. Son appel visait d'abord les Canadiens français des vieilles seigneuries débordées de population.

Devenu ensuite curé de Saint-Ignace-de-Stanbridge puis de Sainte-Madeleine, il retourna enfin au séminaire où il fut procureur et professeur.

Il se retira en 1895 et mourut le 22 avril 1917, après avoir pleinement accompli son devoir de prêtre et de patriote.

1869
LA MAISON NATALE DE MARC-AURÈLE-SUZOR CÔTÉ

À Arthabaska, au no 846, boulevard Bois-Francs sud

JE ME SOUVIENS. DANS CETTE MAISON EST NÉ, LE 6 AVRIL 1859, MARC-AURÈLE-SUZOR CÔTÉ, R.C.A., PEINTRE ET SCULPTEUR DÉCÉDÉ À DAYTONA BEACH, FLORIDE, LE 29 JANVIER 1937 ET INHUMÉ DANS LE CIMETIÈRE D'ARTHABASKA.

C.M.H.Q.

Parmi les fils d'Arthabaska qui lui firent honneur, Marc-Aurèle-Suzor Côté brille au premier rang comme peintre, sculpteur et graveur. Fils du notaire Théophile Côté et de Cécile-Adéline Suzor, originaire de Québec, il vit le jour dans l'une des premières maisons de brique des Bois-Francs, construite en 1851.

Après des études dans son village, chez les Frères du Sacré-Coeur, il commença son cours au séminaire de Nicolet. Il n'avait que seize ans lorsque son talent le conduisit à Montréal suivre des cours de peinture. Deux ans après, il quittait le collège pour suivre le peintre bien connu Maxime Rousseau, qui exerçait alors son art dans diverses églises, dont celles d'Arthabaska et de Sainte-Anne-de-Sorel.

En 1891, il partait pour Paris; il fut admis à l'Académie des Beaux-Arts. L'année suivante, il se classait huitième sur 236 au Grand Concours de peinture. En 1894, il exposait pour la première fois, au Grand Palais, à Paris. Six ans plus tard, à l'Exposition universelle de Paris, deux de ses peintures furent exposées, dont *Entre Voisin*; il gagna une médaille d'or.

La Royal Canadian Academy l'admettait au nombre de ses membres en 1914 et, en 1916, il gagnait le premier prix du Gouvernement du Québec pour sa *Scène de Neige*.

Ses oeuvres exposées en 1927, au Musée du Jeu de Paume, à Paris, lui gagnèrent le Jessie Dow Price et $33 100.

Il a mérité, ainsi, bien d'autres honneurs, comme trois prix de composition et un prix de peinture à l'Académie Julian; deux médailles d'argent pour dessin à l'Académie Colarossi; une Mention honorable à l'Exposition de Lyon et à celle de Marseille. Officier d'Académie, il était membre de plusieurs sociétés d'artistes.

1870
« THE SOCIETY OF FRIENDS » DES QUAKERS

Monument à Farnham-Est, sur la route no 139, à environ un mille au nord de ce village

THIS STONE MARKS THE SITE WHERE STOOD THE LAST MEETING HOUSE OF THE SOCIETY OF FRIENDS IN EAST FARNHAM BUILT 1870. ALSO TWO FORMER ONES WHICH STOOD NEAR THIS PLACE BUILT IN 1823 AND 1834. THIS MEMORIAL IS ERECTED BY THE FRIENDS CIMETERY COMPANY, 1926.

I. P.

La secte religieuse « FRIENDS » que les autres religions chrétiennes appellent « QUAKERS », fut fondée au XVII siècle. Elle se répandit surtout en Angleterre puis aux États-Unis. Farnham-Est est la seule localité du Québec où ait existé une « SOCIETY OF FRIENDS ».

En 1801, Gideon Bull s'établit dans cette région. Quoique non quaker lui-même, il devint membre de la Société ainsi que sa femme et ses enfants. D'autres familles quakers les rejoignirent : les Felch, Purington, Stevens, Knowles, Jewell, Bedee, Hoskins, Taber, Goddard, Meader, Barton, Bassett, Burnum, Hall et plusieurs autres.

En 1814, Aaron Bull épousa Philadelphia Knowles. Lui-même et les Knowles, ainsi que les Meaders, décidèrent, vers 1820, de tenir des assemblées régulières, ce qu'ils firent d'abord dans la maison des Knowles. Ils adressèrent une requête à Ferrisburg afin d'être autorisés à tenir des « Meetings » de culte chaque dimanche, et cela leur fut accordé.

Les quatorze fondateurs, à Farnham-Est, furent en plus d'Asron Bull : David Knowles, Anne Knowles ; David Knowles fils, Asa Knowles ; Jemina Knowles ; John Knowles ; Hannah Knowles ; Phils Knowles ; Abijah Meader ; Nicea Bull ; Margaret Bull ; James Meader, Ribuer Meader.

La troisième « Meeting House » (photo ci-dessus), fut construite sur l'emplacement du monument. Mais à compter de 1902, les assemblées cessèrent et, en 1907, la bâtisse fut vendue et démolie. Il s'y assemblaient jusqu'à 149 membres.

Dans le cimetière de la secte, à l'arrière du monument, on voit plusieurs pierres tombales. On y lit les noms des familles Purinton, Knowles, Stevens, Barton, Stevens, Taber, Goddard, Ruiter, Koskin et autres.

1870

LA MAISON NATALE D'HENRI BEAUDET DIT HENRI D'ARLES

À Arthabaska, au no 19, rue Laurier ouest

1870-1930. DANS CETTE MAISON EST NÉ, LE 9 JUILLET 1870, HENRI BEAUDET. ÉLÈVE CHEZ LES FRÈRES DU SACRÉ-COEUR DE CETTE VILLE, IL ENTRE DANS L'ORDRE DES DOMINICAINS À SAINT-HYACINTHE OÙ IL EST ORDONNÉ PRÊTRE EN 1894. AVEC LA PERMISSION DE SES SUPÉRIEURS, IL QUITTE LA COMMUNAUTÉ EN 1912 POUR ÊTRE ADMIS DANS LE DIOCÈSE DE MANCHESTER, NEW HAMPSHIRE, E.U. CONFÉRENCIER DISERT, HISTORIEN, LAURÉAT DE L'ACADÉMIE FRANÇAISE, IL PUBLIE SOUS LE PSEUDONYME « HENRI D'ARLES » PLUSIEURS OUVRAGES QUI LUI VALENT UN HAUT PRESTIGE DANS LES LETTRES. DÉCÉDÉ ET INHUMÉ À ROME LE 10 JUILLET 1930. CE TABLEAU, HOMMAGE DE FRANCO-AMÉRICAINS, A ÉTÉ ÉRIGÉ PAR L'ASSOCIATION CANADO-AMÉRICAINE, GÉRARD ROBERT PRÉSIDENT ET PAR LA COMMISSION DES ARCHIVES, MGR FLORIAN VERRETTE PRÉSIDENT, GÉRALD ROBERT EX-OFFICIO, DR CONRAD GODIN SECRÉTAIRE, JUGE ÉDOUARD-J. LAMPRON, DR PAUL-J. FORTIER, DR ÉDOUARD A. BEAUDOIN. 2 JUIN 1974. ARTHABASKA, QUÉBEC. *I.P.*

Henri Beaudet (prononcé Beaudé) fut issu du mariage d'Henri, employé civil, et d'Esther Prince. Celle-ci, descendante d'une famille acadienne déportée établie à Saint-Grégoire-de-Nicolet, lui inculqua la distinction qui se manifesta toujours dans sa vie et dans ses écrits.

Après son départ pour Québec avec ses parents, vers 1878, il alla chez les Frères des Écoles chrétiennes. À douze ans, il commença ses études classiques au petit séminaire de Québec. Au décès de son père, en 1888, il fréquenta le séminaire de Saint-Hyacinthe où son oncle maternel, le chanoine Zoël Prince, était supérieur. Sa rhétorique terminée, il entra dans l'ordre de Saint-Dominique où il fit sa philosophie et sa théologie. En 1890, il prononça ses voeux sous le nom de Frère Athanase. Jusqu'en 1912, il fut affecté surtout aux couvents de Saint-Hyacinthe, New-York et Fall River.

Esprit cultivé, il a publié plusieurs oeuvres soignées en un style bien français.

À la fin de sa vie, il se retira quelque temps à Arthabaska. Il se trouvait à Rome, attaché à la personne du cardinal Vanutelli et poursuivant des études théologiques au couvent des Franciscains, quand il succomba à une syncope et fut inhumé à ce couvent franciscain. Il fut un maître écrivain.

1871
LE CENTENAIRE DE LENNOXVILLE

Plaque à Lennoxville, sur le côté sud de la Bibliothèque

CENTENAIRE LENNOXVILLE
CENTENNIAL 1871-1971

I.P.

Le canton d'Ascot fut érigé le 5 mars 1803. Les premières concessions s'y firent sans retard. Le site actuel de Lennoxville s'appelait auparavant « Les Petites Fourches » ou « Les Fourches d'en Haut » parce que c'était la rencontre des rivières Saint-François et Massawippi.

Parmi les premiers colons de Lennoxville, mentionnons les Lennox, Moulton, Cushing, Wilson, Taylor, Mellony, ainsi que Charles Brook (marchand et premier maire), Gabriel Caron et E. Abbott, suivis, un peu plus tard, des familles Veilleux, Jeremie, Merrier, de même que Louis Baron et Ambroise Charette ; les rejoignirent les familles irlandaise Dundin, Barrie, Green, Sheridan, etc.

La municipalité du canton d'Ascot fut érigée en 1845, et celle du village de Lennoxville, en 1871. Le chemin de fer favorisa son développement dès 1852, surtout à cause du Canadien Pacifique qui, en 1885, reliait Sherbrooke et Cookshire par Lennoxville.

Lennoxville fut, dès ses débuts, le château fort de l'Église anglicane. C'est elle qui réalisa, en 1845, la fondation de la faculté des Arts à Bishop ; en 1853, Bishop devint une université avec une faculté de Théologie.

La paroisse catholique Saint-Antoine-de-Lennoxville fut érigée canoniquement en 1890, et civilement, en 1891. Un curé y résidait déjà en 1878, date de l'ouverture des registres. Saint Antoine fut donné comme patron à la paroisse en souvenir de Monseigneur Antoine Racine, premier évêque de Sherbrooke. En 1843, il y avait à Lennoxville environ 2 100 âmes ; 878 d'entre elles étaient catholiques, dont 20% d'origine irlandaise ; les autres étaient de religions protestantes. Plus de 2 000 sont maintenant d'origine française.

1871

CHRISTOPHER DUNKIN

Plaque à Lac Brome (Knowlton), sur une jardinière dans le parc entre les rues Lakeside et Saint-Paul

IN MEMORIAM OF HON. MR. JUSTICE DUNKIN BY HIS FRIENDS AND ADMIRERS. A.D. 1896. HENRI F. JENKS, PAWTUCKET R. IS. ERECTED 1896.

I. P.

Christopher Dunkin fut député du comté de Drummond-Arthabaska (1858-1861) puis du comté de Brome (1862-1867). Il devint trésorier de la Province de Québec dans le ministère Chauveau. Il fut ensuite ministre de l'Agriculture en 1869. On lui doit une loi de tempérance (qui porta son nom), adoptée en 1864. Il fut nommé juge de la Cour supérieure en 1871. Il fut d'abord opposé à la Confédération.

Il exploita une ferme près du lac Brome, où il eut un troupeau de grande valeur. Il mit en pratique de nouvelles méthodes de culture et, en 1875, il fonda l'Agricultural and Horticultural Association of the District of Bedford.

Fils de Summerhays Dunkin et de Martha Hemming, il naquit le 25 septembre 1812 à Charlotte Row, dans le comté de Surrey (Angleterre). Il y demeura, bien que âgé de neuf ans, quand ses parents émigrèrent aux États-Unis, dans la ville de Cambridge (Massachusetts). Il fréquenta l'école de Kimberton puis les universités de Londres et de Glasgow. À 19 ans, il se rendit en Amérique et devint bachelie ès arts de Harvard et maître ès arts de Yale.

C'est en 1837 qu'il vint au Canada où il fut d'abord directeur du MONTREAL COURRIER pendant un an. Il étudia le droit vers 1840 et fut reçu avocat en 1846. Il fut lieutenant-colonel dans le Montreal Light Infantry Bataillon. Il épousa, en 1835, Mary Barber, fille du second mari de sa mère. Il vécut à Knowlton ; sa résidence portait le nom de « Lakeside ». Il décéda en 1881.

1872
LA FONDATION DE LA FANFARE DE PLESSIVILLE

Plaque à Plessisville, rue Saint-Calixte à l'angle de la rue Saint-Édouard

1872-1947. 75 ième ANNIVERSAIRE DE LA FONDATION DE LA FANFARE DE PLESSISVILLE.

HOMMAGE À SON FONDATEUR, J.-B. VALLÉE ET À SES DÉVOUÉS COLLABORATEURS. L'UNION MUSICALE DE PLESSISVILLE 3 AOÛT 1947.

G. MARTINEAU A. GENEST

JACQUES HÉBERT, sculpteur de la lyre

Le premier corps musical de Plessisville (cette localité s'appelait autrefois Canton Somerset) fut fondé par le notaire Olivier Cormier. Celui-ci, admis dans sa profession le 24 mars 1841, vint s'établir à Plessisville qui n'était alors qu'un petit village ne contenant qu'une cinquantaine de maisons. La paroisse n'avait pas de curé. Il se fit quand même une bonne clientèle et des amis qu'il aimait à recevoir chez lui. Il résolut de fonder un groupement dans le domaine musical. En 1850, il fonda un orchestre comprenant une clarinette, quelques violons, une flûte et un tambour ; le groupe avait, auparavant, participé à des fêtes religieuses et civiques.

Arrivant comme curé en 1866, l'abbé Damase Matte devint immédiatement membre du groupe, qui comprenait alors : Me Cormier, clarinette ; Jean-Baptiste Vallée, Jean Prince, Arsène Blondin et Alphonse Blondin, violonistes ; Onésime Painchaud, flûtiste ; Joseph Painchaud, piccolo ; Joseph Béland, gros tambour ainsi que Léon Skelling, petite caisse.

En 1868, les musiciens se groupèrent sous le nom de LA SOCIÉTÉ DES AMATEURS. en 1885, ils formèrent L'UNION MUSICALE DE PLESSISVILLE.

Après 60 ans comme musicien et directeur, Jean-Baptiste Vallée, en 1922, fut remplacé par son fils Jean. Celui-ci demeura a son poste jusqu'en 1936. Le fils de ce dernier, Jean-Louis, lui succéda et fut le dernier directeur musical de la famille. Il garda cette fonction jusqu'en 1976 et remit alors le titre à Henri-A. Provencher.

C'est unique au Québec qu'un monument soit érigé en hommage d'une fanfare.

1872
ALEXANDER-TILLOCH GALT

Plaque à Sherbrooke, sur la façade de l'hôtel de ville, au no 145 de la rue Wellington

SIR ALEXANDER-TILLOCH GALT, G.C.M.G., D.C.L., STATESMAN, A FATHER OF CONFEDERATION AND FEDERAL MEMBER FOR SHERBROOKE 1849-1872.

HOMME D'ÉTAT, UN PÈRE DE LA CONFÉDÉRATION ET DÉPUTÉ DE SHERBROOKE 1849-1872.

JULY 1st/er JUILLET 1927

I.P.

Alexander-Tilloch Galt fut député du comté de Sherbrooke, ministre des Finances et Haut Commissaire du Canada à Londres. Né en Angleterre en 1817, il était le fils de John, qui fonda Guelph et Galt en Ontario. Le père et le fils arrivèrent ensemble au Canada en 1835. Alexander entra, aussitôt, à l'emploi de American Land Company, qui possédait de vastes étendues de terrain dans les Cantons de l'Est ; il devint secrétaire de la compagnie à Sherbrooke et prit rapidement de l'influence dans ce territoire.

En 1849, il fut élu député du comté à la Législature mais démissionna l'année suivante ; en 1853, il fut réélu jusqu'en 1867. Il fut Solliciteur général dans le cabinet Cartier-Macdonald, ministre des finances dans celui de Taché-Macdonald puis dans celui de Belleau-Macdonald.

Il se déclara, au début de sa carrière politique, favorable à l'annexion du Canada aux États, comme un bon nombre de Canadiens anglais d'alors. Il favorisa l'expansion des chemins de fer et se fit l'avocat de l'union fédérale des colonies britanniques en Amérique du Nord. En 1858, il présenta une résolution afin de fédérer ces colonies et accompagna George-Étienne Cartier à Londres à cette fin. Il assista aux conférences de Charlottetown et de Québec préparatoires à la Confédération ainsi qu'à celle de Londres, décisive, en 1865.

Il fut créé chevalier puis commandeur de Saint-Michel et Saint-Georges. On lui doit plusieurs ouvrages. Il décéda en 1893. Il a publié CANADA FROM 1849 to 1859 et UNION OF THE BRITISH NORTH AMERICAN PROVINCES.

1873
LA MAISON NATALE DE BOURBEAU RAINVILLE

À Arthabaska, au no 19 de la rue Laurier ouest

Bourbeau Rainville fut avocat, journaliste, écrivain et magistrat. Il fonda les journaux « LA VOIX DE L'OUTAOUAIS » et « LE PIONNIER CANADIEN ». Dans ce dernier il publia « CAMILLE MIRECOURT »,roman de mœurs canadiennes. Il écrivit, vers 1911, « DOLLARD DES ORMEAUX », drame en vers qui attira l'attention des critiques. Le THÉÂTRE NATIONAL de Montréal fit connaître son talent.

Fils de Louis Rainville et de Victoria Bourbeau, il naquit le 12 mai 1873. Son père était notaire et bénéficiait d'une bonne clientèle. Il laissa le champ libre au Notaire Louis Lavergne, qui devint député puis sénateur, en acceptant la fonction de protonotaire du district d'Arthabaska ; il décéda peu après sa nomination. Doué d'une voix de stentor, il faisait partie de la chorale paroissiale.

Sa mère était la sœur d'Octave Bourbeau, marchand de Victoriaville, qui battit Wilfrid Laurier en 1878, lorsque ce dernier, nommé ministre des Affaires intérieures à Ottawa, dut, suivant la loi, se présenter de nouveau devant les électeurs du comté de Drummond-Arthabaska.

Bourbeau Rainville, admis au barreau en 1896, exerça sa profession à Sweetsburg, à Dryson et à Hull. Il avait épousé l'une des douze filles de L.O. David. Comme son frère Paul épousa aussi la plus jeunes des filles de ce dernier, il devint son beau-frère. Paul naquit aussi dans la maison précitée.

Bourbeau Rainville, qui fut magistrat en 1908 pour les districts d'Ottawa, de Terrebonne et de Pontiac, décéda subitement comme son père, à Sainte-Agathe-des-Monts, le 23 septembre 1916.

1875

SAMUEL GOBEIL

Né à La Patrie, le 17 août 1875

Samuel Gobeil fut pendant quinze ans maire de La Patrie, préfet durant deux termes du comté de Compton, élu député conservateur de celui-ci en 1930 et ministre des postes en 1935, dans le cabinet R.B. Bennett.

Son premier ancêtre établi à La Patrie fut Étienne Gobeil, en 1870. Sa ferme, dans le rang West Ditton (route 212), est toujours demeurée dans la famille ; elle appartient maintenant à M. Bernard Gobeil qui est de la quatrième génération. Malheureusement, sa maison, celle où naquit Samuel Gobeil susnommé, a été démolie en 1976 lorsqu'il fallut élargir le chemin. Plusieurs descendants vivent encore dans la paroisse, dont M. Lionel Gobeil, maire actuel de La Patrie.

Samuel Gobeil, issu du mariage de Samuel, cultivateur, et d'Azélie Labonne, reçut son éducation dans sa paroisse. Il fut directeur de la Société Industrielle Laitière dès 1912 et membre du comité d'organisation du congrès conservateur de Winnipeg, en 1927.

Il avait épousé, en 1899, Célima, fille de J.B. Brousseau, de la Patrie, dont furent issus : Évangéline, mariée à Omer Lussier ; Hortense, épouse de Georges Bienvenu, notaire ; Martial, René, Émile, Lucile et Jules.

Il décéda à Québec le 1er janvier 1960, après s'être dévoué, de toutes manières, au bénéfice de ses concitoyens.

1876

JACOB NICOL

Né à Roxton-Pond (Sainte-Pudentienne) le 14 mars 1876

Fils de Philippe-Noël Nicol et de Sophie Cloutier, il fit ses études classiques à l'institut Feller de l'université McMaster à Toronto, et son droit à l'université Laval à Québec. Il fut avocat, homme d'affaires avisé, fondateur de *LA TRIBUNE* à Sherbrooke, directeur du « *SOLEIL* » et de *L'ÉVÉNEMENT* à Québec, député de Richmond puis de Compton à l'Assemblée législative, trésorier du Québec, conseiller législatif et sénateur (1944).

Il était considéré comme Canadien français tout en étant en relation d'affaires avec les Anglo-Canadiens. À la suite d'un conflit entre ses parents à la suite de contestations au sujet d'un emplacement d'église, il fut élevé dans la religion protestante. Il était ami de tous, influent en politique comme libéral et bien reçu à l'évêché de Sherbrooke. Il fut membre du bureau de direction de plusieurs compagnies importantes de l'époque au Québec.

En 1921, Walter Mitchell, trésorier dans le cabinet Taschereau, démissionna pour aller sur la scène fédérale. Il suggéra d'être remplacé par Jacob Nicol. Celui-ci, à cette fin, fut élu député du comté de Richmond. En 1923, il exerça cette fonction pour le comté de Compton. En 1926, il fut nommé au Conseil législatif dont il fut le président.

Comme trésorier du Québec, il boucla son budget avec un excédent de cinq millions de dollars, ce qui fut considéré comme un exploit dans les circonstances. Il accepta d'être directeur de la Banque Nationale pour aider à résoudre ses problèmes financiers. Le gouvernement du Québec la fusionna avec la Banque d'Hochelaga pour former la Banque Canadienne Nationale, en prêtant à celle-ci. Il n'était pas grand partisan du crédit agricole.

Il avait épousé, en 1909, Émilie, fille de Louis Couture de Sherbrooke. Il décéda en 1958. Il fut conseiller du roi, docteur honoris causa, des universités Bishop et McMaster. Un parc de Sherbrooke rappelle son souvenir.

1876
ÉMILE CHARTIER

Né à Sherbrooke le 18 juin 1876

Émile Chartier fut prêtre, professeur, écrivain, secrétaire et vice-recteur de l'université de Montréal, dont il fut doyen de la faculté des Lettres. Fils de l'avocat Étienne Chartier et de Henriette Blondin, il fit ses études en sa ville natale puis au Séminaire de Saint-Hyacinthe.

Ordonné prêtre en 1899, il fut professeur de rhétorique à son alma mater de 1899 à 1903, et alla étudier ensuite au Collège canadien de Rome, à l'université d'Athènes, à l'Institut catholique de Paris, à l'École pratique des hautes études, au Collège de France et au Collège libre des sciences sociales. Il en revint avec plusieurs diplômes : docteur en philosophie, licencié en littérature, etc. Il fut licencié des universités McGill et Queen.

De 1907 à 1914, il fut, de nouveau, professeur à son séminaire puis attaché à l'université de Montréal. Il fut maintes fois un conférencier apprécié, particulièrement à l'Institut catholique de Paris et à la Sorbonne. Il fut délégué au congrès des universités de l'Empire à Londres, directeur, durant 15 ans, de la *REVUE CANADIENNE* et collaborateur à la plupart des revues canadiennes-françaises, surtout de *L'ENSEIGNEMENT SECONDAIRE AU CANADA.*

Il a publié : *PAGES DE COMBAT, ART DE L'EXPRESSION LITTÉRAIRE, LITTÉRATURE CANADIENNE-FRANÇAISE* (dans l'*HISTOIRE DE LA LITTÉRATURE FRANÇAISE* de l'abbé Calvet), *VIE DE L'ESPRIT AU CANADA FRANÇAIS, PROSE GRECQUE, INSTITUTIONS GRECQUES,* sept chapitres sur le *CANADA FRANÇAIS* dans *L'ENCYCLOPÉDIE DE LA JEUNESSE.*

Il fut membre de plusieurs sociétés culturelles et apporta son aide à la fondation de l'université de Sherbrooke. Il décéda le 27 février 1963 à Sherbrooke où il s'était retiré. Il fut inhumé dans la crypte de son séminaire.

1877
LA MAISON DE WILFRID LAURIER

À ARTHABASKA, au no 16 de la rue Laurier Ouest

Wilfrid Laurier, ayant été élu député libéral de Drummond-Arthabaska, aux Communes, décida, en 1877, malgré ses faibles revenus, de se faire construire une maison en briques d'environ 32′ × 36′ sur un terrain de sept acres. Louis Caron en fut l'entrepreneur. Laurier la meubla en s'inspirant du style victorien.

Les Laurier en prirent possession en juillet. À la mi-décembre, après la victoire du comté de Québec-Est et l'élévation de Laurier comme ministre fédéral du Revenu national, il demeura chez lui en repos forcé. À Noël il était assez bien pour recevoir ses parents et amis.

Les années suivantes, son épouse eut son jardin et un beau parterre s'avançant vers le mont Christo; des pommiers devaient y faire la convoitise des garçonnets.

Même lorsque Laurier fut Premier ministre, de 1877 à 1911, puis chef de l'opposition jusqu'à son décès en 1919, il retournait, le plus souvent possible à sa maison. Lady Laurier, devenue veuve, légua celle-ci par testament à sa nièce Pauline, fille de Henri Laurier, demi-frère de son mari. Cette dernière la vendit à MM. Cameron et Timmins, qui la donnèrent au Gouvernement du Québec, à la condition qu'elle serve de musée à la mémoire de Laurier, ce qui se fit au printemps de 1929. En 1934, la cuisine fut démolie pour y construire deux grandes salles à l'épreuve du feu pour y contenir les archives et objets divers précieux du musée. En 1971 et 1972, la SOCIÉTÉ D'HISTOIRE D'ARTHABASKA restaura et mit en valeur le musée. Depuis 1975, celui-ci est sous la responsabilité de LA SOCIÉTÉ MUSÉE LAURIER INC.

Quelques mois avant sa mort, Laurier écrivit : « Ces jours d'Arthabaska, si flous, si lointains qu'ils semblent presque un rêve. Nous étions jeunes alors, et la jeunesse voit tout EN ROSE. Ces jours d'Arthabaska ! Avec quelle joie de les revivrais. »

1877

WALTER-GEORGE MITCHELL

Né à Danby le 30 mai 1877

Walter-George Mitchell fut député libéral à Québec puis à Ottawa. Il fut Trésorier provincial et ministre des Affaires municipales. Fils du sénateur William Mitchell et de Dora Goddard, il fit ses études au Montréal High School ainsi qu'au Bishop's College qui lui accorda un doctorat en Loi civile et, enfin à l'Université McGill. Il fut reçu avocat en 1901 et nommé conseil du roi en 1912.

C'est en 1914 qu'il fut choisi Trésorier du Québec, ayant été élu par acclamation député du comté de Richmond ; il en fut de même pour les deux élections suivantes. En 1918, il fut ministre des Affaires municipales.

Il était devenu un avocat renommé. Comme homme politique il était très populaire et apprécié surtout dans les Cantons de l'Est. Il avait appuyé la politique de la marine soutenue par Laurier. En 1921, cependant, il avait renoncé à ces ministères pour se présenter comme candidat dans le comté de Saint-Antoine (Montréal) et fut élu député libéral à Ottawa ; mais, trois ans plus tard, il démisionnait pour ne s'occuper que de sa profession. En 1930, il se laissait tenter à nouveau et se présentait dans le comté de Richmond-Wolfe ; cette fois il fut défait.

Comme ministre il modifia la Loi sur les permis, afin de rendre plus difficile l'achat des boissons alcooliques. Il modifia aussi celle des assurances. Il fit voter un million de dollars pour le Fonds patriotique canadien, car on était alors en pleine guerre mondiale.

Il avait épousé, en 1907, Antonia Pelletier ; ils eurent deux fils et trois filles. Il mourut en 1935.

Comme Trésorier, il sut maintenir la dette du Québec à un niveau convenable, bien que des sommes considérables furent dépensées pour l'entretien des routes, l'éducation, l'agriculture et les travaux publics.

1877
ARTHUR CANNON

Né à Arthabaska, le 28 avril 1877

Arthur Connon fut avocat, conseiller municipal, homme d'affaires, député, juge de la Cour du Banc du Roi et juge de la Cour Suprême. Fils du juge Lawrence-John Cannon et d'Aurélie Dumoulin, il étudia au collège commercial d'Arthabaska et au Séminaire de Québec, où il gagna le prix du Prince de Galles dans un concours groupant tous les séminaires du Québec.

Il fit ses études légales à l'Université Laval; il mérita la médaille du Gouverneur Général. Admis au barreau en 1899, il fit partie de sociétés légales groupant des sommités tels Sir Charles Fitzpatrick, l'Honorable S.-N. Parent, l'Honorable L.A. Taschereau, l'Honorable Ferdinand Roy, futur magistrat en chef et le sénateur Georges Parents. Il fut bâtonnier de Québec en 1924.

Il commença sa vie politique en devenant conseiller municipal de Québec en 1908, fonction qu'il exerça pendant huit ans. Il fut président des finances, leader du conseil et président de la Commission de l'Exposition de Québec. Il fut élu député libéral de Québec-Centre à la Législature de Québec, de 1916 à 1923, alors qu'il fut l'un des commissaires de revision des lois de la province de Québec.

Ses qualités d'homme d'affaires furent reconnues par plusieurs compagnies qui le nommèrent directeur et particulièrement Industrial Life Insurance Co., la Cie Maritime et Industrielle de Lévis. Il fut nommé juge du Banc du Roi en 1927 puis juge de la Cour Suprême en 1930.

En 1904, il avait épousé Corinne, fille de Sir Charles Fitzpatrick, dont furent issus quatre fils et une fille. À Québec, il demeura à 2, rue Ferland.

L.O. David, en 1883, en faisait son éloge : « Il est certains villages où il fait bon de passer quelques jours, où l'on voit réuni tout ce qu'on peut désirer : talent, esprit, générosité, patriotisme, hospitalité, gaieté, bonnes manières, etc. Arthabaska est un de ces endroits privilégiés ».

1877

STANISLAS LEMAY (PÈRE HUGOLIN)

Né à Knowlton (Ville Lac Brome), le 20 septembre 1877

Stanilas Lemay, franciscain sous le nom du Père Hugolin, fut journaliste, écrivain, prédicateur, bibliographe et archiviste. Il fut membre de la Société Royale du Canada. Il décéda en 1938.

Il était tout jeune quand ses parents, Bernard Lemay et Elizabeth Turcotte, quittèrent Knowlton pour aller demeurer à Coaticook. Il y fréquenta l'école paroissiale puis alla faire ses études classiques au Séminaire de Saint-Hyacinthe. Il manifesta un grand intérêt pour la littérature dès son temps collégial. Il collabora alors au bulletin de Roxton Falls, *LES VACANCES*, publié par Joseph Tarte. On retrouve aussi de ses écrits dans *LA VÉRITÉ*, de Québec, dans *LE MONDE CANADIEN*, de Montréal, et dans *LE TEMPS*, d'Ottawa.

À vingt-et-un ans, il fit son entrée chez les Franciscains de Montréal. En 1903, devenu prêtre, il prit le nom de Père Hugolin. Il devint, dès lors, l'historien de sa congrégation et l'avocat de la tempérance. En 1911, ses supérieurs lui confièrent la direction de la revue *LA TEMPÉRANCE*, fonction qu'il exerça durant plusieurs années. Ce fut pour lui le début d'une croisade qui lui tint à coeur. Il se fit le défenseur du Père Hennepin, Récollet, amassant à son sujet une documentation considérable. Même malade, il continua à œuvrer.

Georges Robitaille a écrit de lui : « il me paraît que son oeuvre écrite lui a coûté de tels labeurs qu'on ne peut guère l'expliquer que par un esprit surnaturel, par des intentions désintéressées ».

1878

ALFRED LALIBERTÉ

Né à Sainte-Elisabeth-de-Warwick le 19 mai 1878

Alfred Laliberté est l'un des plus grands sculpteurs du Canada. On lui doit plusieurs statues et monuments ainsi que des centaines de figurines, représentant les légendes, les mœurs et les coutumes canadiennes-françaises. En 1932, il fit don de celles-ci au musée du Québec.

Il passa son adolescence avec ses parents sur la ferme à Sainte-Elisabeth. On remarquait sa facilité à tailler dans le bois des figures et des bustes de personnes connues ; tous constataient la ressemblance. Dans les Bois-Francs, on remarqua surtout la statue en bois qu'il fit de Wilfrid Laurier, en 1896. Celui-ci appréciant son talent, le protégea et favorisa son admission au Conseil des Arts et Métiers, de Montréal.

Le journal LA PRESSE, ayant organisé une souscription à son profit, Laliberté partit pour Paris où, de 1903 à 1907, il étudia la sculpture à l'École des Beaux-Arts. Il bénéficia des cours de Thomas et d'Ingalbert. À son retour, il devint professeur au Conseil des Arts. Jusqu'en 1909 il vivota, mais, à partir de cette année, il commença à obtenir des contrats, surtout du Gouvernement du Québec, qui le menèrent au succès. Il retourna à Paris. Tout en se perfectionnant, il y sculpta les statues du Père Brébeuf et du Père Marquette, qui ornent maintenant la façade du Palais législatif de Québec. Ses oeuvres, en 1912, manifestèrent son talent à tous à la galerie Johnson et Copping puis, en 1916, à l'Exposition des Artistes canadiens.

C'est durant cette période qu'il sculpta les monuments de Louis Hébert, Dollard des Ormeaux, la Paysanne canadienne, Pierre Boucher, La Vérendrye, les Patriotes et autres.

De son mariage avec Jeanne Lavallée, naquirent deux fils. Il décéda à Montréal en 1953, son talent apprécié de tous.

1878

NOTRE-DAME-DE-BONSECOURS-DE-STUKELY

Plaque à Bonsecours, sur la façade de l'église

N.D. BONSECOURS 1878

I.P.

La paroisse Notre-Dame-de-Bon-Secours-de-Stukely est la plus vieille du diocèse de Sherbrooke.

Elle fut desservie par des missionnaires de 1837 à 1858, alors qu'elle reçut son premier curé.

Ses registres s'ouvrent en 1846.

Son érection canonique date du 1er août 1859 et civile du 18 mai 1861.

Elle comprend les quatorze derniers lots de chacun des rangs du canton de Stukily. Celui-ci, crée le 3 novembre 1800, porte le nom d'une ville d'Angleterre, William Willard en fut le chef de file.

Mgr Lartigue, premier évêque de Montréal, sollicité pour envoyer des missionnaires dans les Cantons de l'Est, le fit dès qu'il le put, malgré l'éloignement et le peu de prêtres dont il pouvait disposer. À partir de 1841, des Pères Oblats y exercèrent leur ministère.

La municipalité de Stukely-Nord a été érigée le 3 juin 1847.

C'est en cette paroisse que naquit, le 13 décembre 1860, Mgr A.O. Gagnon, le troisième évêque de Sherbrooke dans le rang Simonneau (appelé aussi Carrière). Une croix rappelle son souvenir à l'endroit où se trouvait sa maison natale.

1879
LA MAISON NATALE D'ERNEST GENDREAU

À Coaticook, aux nos 69-71 rue Wellington

Le docteur J.-Ernest Gendreau fut une autorité en radiologie. Il fut le directeur fondateur de l'Institut de Radium de Montréal, partici-cipant à la lutte entreprise contre le cancer.

Coaticook a l'honneur d'être sa ville natale ; il est né le 24 octobre 1879 de Jean-Baptiste, notaire, et de Marie-Rose Durocher.

Il fit ses études classiques chez les Pères Jésuites à Montréal. Il fut licencié ès-sciences, docteur en philosophie et en théologie morale et dogmatique. Il poursuivit aussi des études de chimie, de physique et de mathématiques à l'Université d'Angers, ainsi qu'au Collège de France et à la Sorbonne.

Après un stage à l'Institut Pasteur, il fit un séjour à l'University College, au King's College et à l'Imperial College of Sciences de Londres.

En 1917, il fut, à Paris, chargé du laboratoire de cette ville et assistant radiologue de l'Hôpital Saint-Antoine. L'année suivante, il devenait chef de laboratoire du gouvernement militaire de Paris.

L'université de Montréal, en 1922, eut le privilège de l'avoir comme directeur des études et de sa faculté de Médecine. Il devint membre de son sénat académique et de son conseil universitaire.

La même année, il fondait l'Institut du Radium de Montréal, organe distinct de l'université mais associé par sa Commission de radium. Dans cette même université il fut professeur titulaire de physique médicale et professeur de sa faculté des sciences.

On le nomma président de l'Association des radiologistes du Canada et dignitaire de plusieurs autres groupements scientifiques.

Célibataire, il décéda en 1949.

Chef de file dans la lutte pour le cancer, il fit partie du bureau de direction de l'Organisme pan-américain groupant une vingtaine de pays des trois Amériques ainsi que du Conseil central de l'Union internationale.

VERS 1869
LE MOULIN BLANCHETTE DE ULVERTON

À Ulverton, dans le rang Porter, près du pont en ciment.
On s'y rend de la route no 143, par le chemin Moodey situé au nord du village.

Ce moulin a été classé monument historique, le 14 avril 1977 (no 111-061).

Il fut bâtit vers 1869, par John Porter, pour William Dunkerley, constructeur de moulins et originaire d'Angleterre. Celui-ci, en 1870, vendit ce moulin à Goddard Woollen Mills de Ulverton. Cette entreprise, ainsi que l'indique son nom, transformait la laine des troupeaux possédés par les fermiers des alentours. La chute voisine de la rivière Noire procurait la force motrice requise.

En 1896, A.H. Hepworth acqujt ce même moulin et continua son exploitation durant une dizaine d'années. En 1908, Joseph Blanchette en devint le propriétaire. Il fit de cette entreprise un succès, employant plusieurs familles demeurant dans les environs. Les cultivateurs, qui l'appelèrent le moulin Blanchette, y apportaient la laine en paquets attachés à l'arrière de leur « Buggy ».

En 1939, c'est Girard Raymond qui fit l'acquisition du moulin puis en 1944, ce fut M. Westlake. Ce dernier se servit de la bâtisse durant quelques années pour faire l'élevage de la loutre. Hilaire Blanchette en devint le propriétaire en 1953.

Ce moulin est le dernier parmi plusieurs autres construits en amont de la rivière. Un pont en ciment fut érigé tout près en 1958. Il remplaçait un pont couvert construit en 1885 à la demande de Goddard Woollen Mills. Cette compagnie édifia le pont aux frais de la municipalité dont John Wadleigh était alors le maire.

William Cross et sa femme Painela Latting, tous deux originaires de Frelighsburg (New York), furent les premiers colons de Ulverton, en 1802. Leur fille Celia fut la première blanche à y naître. Parmi les autres pionniers mentionnons : les Reed, Stevens, Husk, Commings, Bogie, Harriman, Dunkerley, Alexander, Johnston, Millar, Mooney, McMannis, Smith et plusieurs autres.

1880

OSCAR MASSE

Né à Granby le 15 avril 1880

Oscar Masse fut un journaliste et un écrivain. Il a publié MENS'SEN (1922) MÉMOIRE DE NUXETTE (1930), MASSÉ-DOINE (1930), A VAU-LE-NORDET (1935) et LA CONSCIENCE DE PIERRE LAURIER (1943). Protonotaire adjoint du district de Bedford, à Sweetsburg, il obtint son transfert au Palais de Justice de Montréal, se spécialisant dans la rédaction des jugements de la Cour supérieure.

Né de Joseph Masse, industriel, et d'Elise Benoit, il fit ses études primaires chez les Frères Maristes de sa localité puis ses études classiques au Collège Saint Marie-de-Monnoir (Marieville) et au Séminaire Saint-Charles-Borromée (Sherbrooke). Il termina ses études en droit mais ne se présenta pas à la pratique.

Il fit du journalisme, surtout dans la région des Cantons de l'Est, quoiqu'il collabora au SOLEIL de Québec et au NOUVELLISTE des Trois-Rivières. Son nom est moins connu dans ce domaine, parce qu'il s'est servi de plusieurs pseudonymes : Jos. Ames dans le SHERBROOKE DAILY RECORD et le WATERLOO ADVERTISER ; Marc Cassin dans LE JOURNAL DE WATERLOO ; Malcolm Hodd dans MON MAGAZINE, LE SAMEDI, LA REVUE MODERNE et L'ALMANACH DU PEUPLE ; Ralph Malo dans LA PETITE PRESSE et LA REVUE LITTÉRAIRE (tous deux de Sherbrooke), LE MONDE ILLUSTRE, LE JOURNAL DE WATERLOO et LE PROGRÈS (Granby).

En 1912, le juge en chef Sir François Lemieux le prit comme secrétaire particulier.

Il épousa, en 1913, Ella Légaré, dont furent issus : Fernande (Mme P.A. Duhamel), Cossette (Mme J.P. Bareteau) Robert et Denis. Il décéda le 28 mars 1949.

1880

MICHAEL SINNOTT (MACK SENNETT)

Né à Richmond, le 17 janvier 1880

Michael Sinnott, connu sous le nom de Marc Sennett, fut le grand producteur de cinéma. Ayant réalisé un millier de films, il fut l'inventeur du film comique américain.

Issu de parents irlandais et catholiques, John Sinnott, journalier, et Catherine Foy, il fut baptisé par l'abbé D. Quinn, le 24 janvier 1880. Sur son certificat, il est écrit: «Parrain: Michael Foy, marraine: Élisa Ann Sinnott, qui ainsi que le père, n'ont pu signer».

Il fit de bien modestes études à Lac Mégantic. Alors qu'il n'avait qu'environ 17 ans, il partit avec ses parents s'établir aux États-Unis, à East Berlin (Conn.) Il y travailla d'abord à l'American Iron Works. Doué d'une voix de basse chantante, il prit des leçons de chant. En 1902, il s'engagea au BOWERY THEATER sous le nom de Marc Sennett; il y joua des rôles de clowns et autres personnages comiques dans FRANK SHERIDAN'S BURLESQUE CO. Il fut chanteur et danseur dans les comédies KING DODO A CHINESE HONNYMOON, etc. Après environ cinq ans de vie de chanteur sans percer, il fut engagé au Studio Biograph, producteur de films. Lawrence Griffith fut un professeur pour lui. Il lui soumit des idées pour des films comiques. À partir de 1911, il commença à réaliser des scénarios dont il était l'auteur, ne reçevant comme salaire que quelques centaines de dollars par mois. Ses films ayant de plus en plus de succès, il décida de produire son propre cinéma. Il fonda la KEYSTONE COMPANY, tourna une dizaine de films à Coney Island puis ouvrit son studio à Hollywood, Californie. Ce fut un grand succès. C'est lui qui a découvert des vedettes comme Charlie Chaplin, qui joua pour lui dans plus d'une trentaine de films. Harold Lloyd, Buster Keaton, Gloria Swanson, Marie Provost et autres. En 1916-17, il associa à ses productions les BATHING BEAUTIES, dont plusieurs devinrent célèbres. En 1917, il s'engagea pour la PARAMOUNT—FIRST NATIONAL jusqu'en 1922, puis s'allia à PATHE, dirigeant de nombreux films pour eux. Le krach de la bourse en 1929, l'adaptation difficile au parlant, dont il était pourtant servi en 1922 lui firent perdre une quinzaine de millions de dollars.

Il se retira au Canada. Il mourut à Woodland Hill, Californie, le 5 novembre 1960. L'ACADEMY OF MOTION PICTURE ARTS AND SCIENCES lui rendit hommage «For his lasting contribution to comedy technic and the screen.

1880
LA MAISON NATALE D'ARMAND LAVERGNE

À Arthabaska au no 954, rue Bois-Francs sud

Armand Lavergne fut avocat, journaliste, conférencier, député, vice-président de la Chambre des commune et auteur.

En politique, il fut successivement: libéral (1904-1908), nationaliste (1908-1916), indépendant (1917) et conservateur (1928-1935).

Fils de Joseph, avocat, député et juge, et de Marie-Louise-Émélie Barthe, il naquit le 21 février 1880. Il fit ses études primaires au Collège du Sacré-Cœur, à Arthabaska, et ses études classiques au Séminaire de Québec. Licencié en droit de l'Université Laval, il fut admis au barreau de Québec en 1903.

Il n'avait que 24 ans quand il fut élu député libéral aux Communes du comté de Montmagny, à une élection complémentaire. Il fut réélu aux élections générales de la même année ainsi qu'à celles de 1912. À Ottawa il fut d'abord un admirateur de Wilfrid Laurier. Mais, champion des droits du français partout au Canada, il commença à s'en séparer dès 1905, lorsque l'Alberta et la Saskatchewan entrèrent dans la Confédération et que ces droits ne furent pas garantis. Il apporta, graduellement, sa collaboration à Henri Bourassa.

En 1903, il avait fondé avec Oliver Asselin la Ligne nationaliste, dont il fut l'animateur pour la région de Québec. En 1907, il protesta contre l'administration provinciale du domaine public. Il démissionna comme député fédéral et se fit élire dans son comté député à Québec en 1908.

Il fit la lutte contre la contribution du Canada aux dépenses de l'Empire britannique et à ses guerres. Il contribua à la défaite de Laurier en 1911. Il fut battu aux élections suivantes, sauf en 1930 alors que son comté de Montmagny l'élit comme conservateur. Il fut aussitôt nommé vice-président des Communes.

Il avait épousé à Montréal en 1904 Georgette Roy, qui, à sa grande peine, ne lui laissa pas d'enfant. Il mourut le 5 mars 1935 en grand chrétien. Toute sa vie fut une lutte pour ses compatriotes et le français. Cela ne lui apporta pas la richesse mais il eut la vénération de la jeunesse, aux différentes étapes de sa vie.

1882
GEORGES-HENRI BOIVIN

Né à Granby le 26 décembre 1882

Georges-Henri Boivin fut avocat, député et ministre des Douanes et de l'Accise aux Communes.

Fils de Henri et de Sarah Bray, il commença ses études dans sa localité, d'abord au High School puis au collège des Frères Maristes. Il fit ses humanités au collège Sainte-Marie-de-Monnoir (Marieville). Il fut licencié en droit de l'Université Laval de Montréal.

Reçu avocat en 1907, il exerça à Sweetsburg, avec bureau à Granby, où il s'établit en 1912. Il fut conseil du roi en 1918.

Il commença tôt à s'occuper de politique. Dès 1905, il fut président de l'Association libérale des étudiants en droit de son université. Il fut procureur de la Couronne de 1917 à 1919 puis de 1923 à 1925. Ses confrères l'élurent membre du conseil général du Barreau.

Il joua un rôle important, comme membre et comme dignitaire, dans l'Ordre des Chevaliers de Colomb.

Élu député libéral de Shefford, aux Communes, en 1911, il le demeura jusqu'en 1926; il le fut avec de bonnes majorités, sauf à sa première élection; mais, à la suivante il le fut par acclamation.

Fait unique ou presque, il fut choisi président de la Chambre des Communes, alors que son parti n'était pas au pouvoir. Le premier ministre Mackenzie King le nomma ministre en 1925.

Époux de Hélène Comeau depuis 1908, il fut père de trois enfants: Sarah-Marguerite, Joseph-Henri et Marcel-Wilfrid; ce dernier représenta, à partir de 1945, comme son père, le comté de Shefford, pour le parti libéral.

Alors qu'il était en voyage d'affaires à Philadelphie, il décéda le 7 août 1926.

Fort estimé comme député, il reçut plusieurs titres honorifiques, dont, particulièrement, celui de Chevalier-Commandeur de l'Ordre de Saint-Grégoire-le-Grand.

1882
LA MAISON NATALE DE LOUIS-S. ST-LAURENT

À Compton sur la rue Principale, à environ 2 arpents au sud de l'église

LOUIS-S. ST-LAURENT 1882-1973. JEANNE RENAULT 1886-1966. (Inscription sur la pierre tombale au cimetière catholique de Compton).

Louis-Stephen St-Laurent fut un éminent avocat, ministre dans le cabinet King, Premier ministre du Canada en 1948 et chef de l'opposition après sa défaite, comme l'avait été Wilfrid Laurier.

Il naquit le 1er février 1882. Son père, Jean-Baptiste, était marchand. Sa mère, Mary-Ann Broderick, était institutrice et fille d'un immigrant irlandais arrivé au Canada en 1847. Jusqu'à l'âge de huit ans, il reçut son instruction de sa mère. Il fit son cours classique au Séminaire de Sherbrooke où il fut un premier de classe. En 1905, il fut avec grande distinction licencié en droit de l'Université Laval. Trois ans après, il épousait Jeanne, fille de Pierre Renaud, négociant de Beauceville. Il fut l'avocat de plusieurs entreprises considérables. Il fut président de l'Association du Barreau canadien, à la fondation de laquelle il avait participé.

En 1941, le Premier ministre Mackenzie King le fit entrer dans son cabinet remplaçant Ernest Lapointe décédé. Il fut élu député de Québec-Est qui le réélut durant toute sa carrière politique. Le 15 novembre 1948, il était assermenté Premier ministre. Il fit adopter la loi des allocations familiales, facilita l'entrée de Terreneuve dans la Confédération, choisit un Canadien comme gouverneur général, obtint que Elisabeth II soit la « Reine du Canada », prépara les voies à la canalisation du Saint-Laurent, abolit l'appel au Conseil privé. En 1957, les élections mirent son parti en minorité. Il fut remplacé par John Diefenbaker. Il fut directeur dans plusieurs compagnies.

Il décéda à Québec en 1973. Lui survécurent deux fils et deux filles. Il reçut de grands honneurs. Pierre-E. Trudeau l'appela « le Grand Canadien dont le nom et l'œuvre évoqueront toujours les qualités que tous les citoyens du pays admirent et respectent ».

1884

ÉLIE BEAUREGARD

Né à La Patrie (Compton) le 8 juillet 1884

Élie Beauregard, avocat de grande réputation et homme d'affaires, fut membre du Conseil privé au Canada et sénateur.

Il était fils d'Henri Beauregard, cultivateur, et d'Hélène Ducharme, qui tous deux déménagèrent à Granby. Henri, son épouse y étant décédée, plaça ses trois fils, dont Élie, chez leur grand-père, François-Xavier Beauregard, à La Patrie.

Élie Beauregard fit ses études classiques au Séminaire de Saint-Hyacinthe puis au Collège de Montréal. Ses études en droit terminées à l'Université Laval, il fut admis au barreau de Québec en 1909. Il exerça sa profession à Montréal.

En 1919, il était nommé conseil du roi. En 1941, il était élu bâtonnier de Montréal. Ses clients, dont plusieurs entreprises d'envergure, et des gouvernements, appréciaient la solidité de ses connaissances légales et la justesse de son jugement.

Il présida la commission d'enquête sur le tramway de Montréal. Il fut le président de Canadian Industrial Alchol Ltd., vice-président de la Banque Provinciale du Canada et de General Security Insurance Co., directeur de G.T. Bright Co. Ltd., National Life Insurance Co., etc.

Il fut échevin de la ville d'Outremont et membre de plusieurs associations ; il se vit admis au Sénat le 9 février 1940 et en fut le président du 31 août 1949 au 1er juin 1953. Il était libéral en politique.

Il avait épousé Thérèse Trudeau.

Il décéda à Montréal le 27 août 1954.

1884
LA MAISON NATALE D'ARTHUR MAHEUX

À Sainte-Julie (Mégantic), au « Côteaux Maheux », au 5e rang, à environ 6 arpents du centre du village

Mgr Arthur Maheux fut prêtre, professeur au séminaire et à l'université de Québec, auteur de plusieurs ouvrages, conférencier et propagandiste de la bonne entente entre les Canadiens d'expression française et anglaise.

Né le 22 juin 1884, de Joseph, cultivateur, et Céline Gagné, il fit ses études élémentaires dans sa paroisse et à Plessisville puis ses humanités au Séminaire de Québec. Bachelier ès-arts et docteur en théologie de l'Université Laval, licencié ès-lettres de la Sorbonne (Paris), diplômé en philosophie, maître ès-arts de l'Université Laval, il fut ordonné prêtre en 1908.

Il enseigna dans son séminaire et son université ainsi qu'à l'École normale de Québec. Il donna de nombreux cours dans sa province et aux universités McGill et de Toronto. Il a collaboré à un grand nombre de revues ainsi qu'aux principaux quotidiens du Québec. Il fut correspondant de plusieurs périodiques étrangers, tant français qu'anglais et a publié, de ce fait, des centaines d'articles.

On compte parmi ses œuvres une dizaine de brochures ainsi que les livres suivants : TON HISTOIRE EST UNE ÉPOPÉE, FRENCH CANADA AND BRITAIN, POURQUOI SOMMES-NOUS DIVISÉS ?, WHAT KEEPS US APART ?, PROBLEMS OF CANADIAN UNITY et, en collaboration, ÉDUCATION FAMILIALE et DEUXIÈME CONGRÈS DE LA LANGUE FRANÇAISE. Il a laissé plusieurs ouvrages à l'état de manuscrits. Il faisait partie de plusieurs associations religieuses, savantes, scientifiques, militaires et autres, où il a joué un rôle important. Il reçut maintes décorations.

Il décéda à Québec en 1967, laissant la marque d'un intellectuel qui a consacré toute sa vie au progrès culturel des siens.

1884

JOHN-THOMAS HACKETT

Né à Stanstead le 12 juin 1884

John-Thomas Hackett fut avocat, député et sénateur.

Issu du mariage de M. F. Hackett, (qui fut député conservateur de Stanstead durant trois termes, puis juge, et de Florence Knight, (le père de celle-ci était aussi représentant de Stanstead avant la Confédération), il fit ses études au séminaire Saint-Charles-Borromée (Sherbrooke) puis à l'université Laval et à l'université McGill. Il fut président du Students' Council de cette dernière université, et des années plus tard, de la Graduates' Society.

Reçu avocat, il devint conseil de la reine. Il fut le président de plusieurs associations professionnelles, en particulier de l'Association du Jeune Barreau, bâtonnier du district de Montréal, de la Canadian Bar Association et de la Survey of the Legal Profession.

Il exerça la fonction de secrétaire et d'assistant de Charles-J. Doherty. ministre de la Justice, de 1911 à 1914. Il fut élu député conservateur aux communes de 1930 à 1935 et réélu en 1945 et 1949. Il devint sénateur en 1955. En 1952, il avait présidé le Comité de Revision des Statuts de la Province de Québec.

Membre très actif de plusieurs associations, il présida la Fédération des Œuvres de Charité catholiques de Montréal, de l'Institut national des Aveugles du Canada. Il fut le président de l'Orchestre Symphonique de Montréal, ainsi que de la Stanstead Historical Society.

De son mariage en 1912, avec Linda, fille de David Baker Harding et d'Annie Kidder, de Boston (Mass.), naquirent plusieurs enfants, dont David qui fut avocat. Il était de religion catholique. Il résida à 1305 Redpath Crescent, Montréal, et à Stanstead. C'est en 1956 qu'il décéda.

1885
RALPH-FREDERICK STOCKWELL

Né à Danville le 21 novembre 1885

Ralph-Frederick Stockwell fut avocat, militaire, député et trésorier du Québec.

Fils de Fred Stockwell et de Joséphine Roy, il comptait, parmi ses ancêtres paternels, Israël Putnam, un général de la guerre de l'Indépendance américaine. Il étudia à l'école supérieure locale puis à la faculté des Lettres et à la faculté de Droit de l'Université McGill.

Reçu avocat en 1912, il exerça sa profession à Montréal, quelque temps avec Edson-Grenfell Place (1877-1931), lui aussi originaire des Cantons de l'Est.

Il passa une grande partie de sa vie dans l'armée. Il était major au Montreal Regiment quand la guerre de 1914-18 se déclara. Parti tôt pour l'Europe avec le Crops expéditionnaire canadien, il commanda une compagnie aux combats des Flandres et fut officier d'état major au camp d'entraînement canadien à Bramshott (Angleterre).

Le conflit mondial terminé, il reprit l'exercice de sa profession en société avec Georges-Henri Boivin, à Granby. Nommé substitut du procureur général dans le district de Bedford, il continua son service dans la milice comme colonel en titre avec le commandant de la 4e brigade de cavalerie. Il reçut une décoration pour ses services. Ses confrères l'élurent le bâtonnier de Bedford.

Candidat libéral dans le comté de Brome, il fut élu, en 1931, député à la Législature québécoise. Dès l'année suivante, il devint trésorier dans le cabinet Taschereau et ce jusqu'en 1936 alors qu'aux élections il fut battu par Jonathan Robinson. L'ère de Duplessis commençait.

Il avait épousé en 1916 Jane-Elizabeth, fille du Dr William-Stuart Cotton, de Cowansville. À son décès, en 1962 en cette ville, il laissait, outre son épouse, son fils William-Stuart et sa fille Elizabeth-Mary.

1885
LA MAISON NATALE DU FRÈRE MARIE-VICTORIN (CONRAD KIROUAC)

À Kingsey Falls au no 19, rue Marie-Victorin

Conrad Kirouac, connu sous le nom de Frère Marie-Victorin, fut un éducateur, un écrivain, le plus grand botaniste canadien et l'un des fondateurs de l'Institut et du Jardin botanique de Montréal.

Né le 3 avril 1885 du mariage de Cyrille, marchand et de Philomène Luneau, il ne vécut que quelques années à Kingsey Falls. En effet, son père acquit un important commerce à Québec, où il devint un citoyen fort bien coté.

Il fréquenta l'école primaire de Saint-Sauveur, étant toujours le premier de sa classe. Il pensa tôt à faire partie de la communauté des Frères des Écoles Chrétiennes, ses professeurs. Il entra au noviciat de cette congrégation en 1901 à Montréal. Il commença deux ans après son œuvre éducatrice à Saint-Jérôme.

En 1904 il se sentit faible. Son médecin lui ayant ordonné un repos complet pour combattre la tuberculose, le Frère Marie-Victorin trouva la santé et une nouvelle mission au contact avec la nature.

Il a aussi manifesté son talent d'écrivain, d'abord à l'occasion de deux concours de la Société Saint-Jean-Baptiste de Montréal, alors qu'il se classa premier avec LA CROIX DU CHEMIN et LA CORVÉE DE L'ÉRABLE (édité sous le titre JACQUES MAILLE). Il publia aussi RÉCITS LAURENTIENS et CROQUIS LAURENTIENS. Il écrivit de nombreux articles dans les journeaux et revues. En 1935 il donna son œuvre maîtresse FLORE LAURENTIENNE, date mémorable dans l'histoire scientifique canadienne.

Comme professeur au collège de Longueuil, il forma vingt générations d'élèves. Il ne quitta cette institution que pour accepter l'invitation de Mgr Gauthier, en 1920 pour aller enseigner la botanique à l'Université de Montréal, où il a formé des disciples.

Malheureusement, le 15 juillet 1944, il perdit la vie dans un accident de la route. Ses mérites ont été reconnus de tous qui, au jardin botanique, lui expriment leur gratitude d'une manière qui est digne de lui.

1885
MGR LOUIS-PROSPER DURAND

Né à Coaticook le 13 novembre 1885

Mgr Louis Prosper Durand, évêque de Chefoo (Chine), naquit du mariage de Marie-Joseph-Prosper, marchand, et d'Alice-Edith Cutting, d'origine irlandaise. Il était l'aîné de sept enfants. Il parla d'abord l'anglais, suivant même des cours en cette langue chez les Frères du Sacré-Cœur de sa localité ; celle-ci était alors en grande majorité anglaise, comme les Cantons de l'Est d'ailleurs.

Louis n'avait que onze ans quand sa mère mourut. Il continua ses études au Séminaire de Joliette mais, l'année suivante, il entreprit ses études classiques au Séminaire de Saint-Hyacinthe où il fut parmi les premiers de sa classe.

Un Franciscain vint un jour y adresser la parole. L'étudiant fut si impressionné qu'il décida son entrée dans l'Ordre de saint François, en 1907. Ordonné prêtre en 1912 et envoyé aussitôt au Shantong oriental (Chine), sa première mission fut Poshing. En deux ans, il apprit la langue indigène. Il réalisa de si belles œuvres qu'on le nomma recteur de Wie-Hai-Wei qui avait été cédé par la Chine à l'Angleterre en 1897 ; à son arrivée on comptait à peine 1 000 catholiques ; à son départ, ce nombre dépassait 4 000. Après avoir été préfet apostolique de Chefoo, il en devint en 1938 le vicaire apostolique. Sacré évêque à Pékin en 1939 il multiplia ses œuvres, malgré une santé précaire qui lui imposait des repos forcés.

La guerre entre le Japon et la Chine entrava ses projets car il fut interné. En butte aux attaques du communisme et constatant qu'il ne pouvait que difficilement continuer sa tâche avec une santé aussi chancelante, il crut de l'intérêt de l'église de donner sa démission. Revenu au Canada, le désir de se dévouer aux missions le conduisit au Japon, où il se fit prédicateur et aumônier. Il remit sa belle âme à Dieu, à Tokyo, le 7 août 1972. Une école rappelle son souvenir à Coaticook.

1885
LA MAISON NATALE D'HECTOR LAFERTÉ

À Saint-Germain-de-Grantham, au no 306 rue NoDame,
(à l'angle de la rue Laferté)

Hector Laferté fut avocat, député, président de la Chambre d'Assemblée, ministre intérimaire des Travaux Publics, ministre de la Colonisation, de la Chasse et de la Pêche, président du conseil législatif.

Né le 8 novembre 1885 de Joseph (qui fut député du comté de Drummond (1901-1910)), et de Georgiana-Jeanne Tessier, il fit ses études classiques au Séminaire de Nicolet; il étudia le droit à l'Université Laval. Admis au barreau du Québec, il fut président du Club Mercier et secrétaire particulier de Jules Allard, J.L. Décarie et J.E. Caron, successivement ministres de l'Agriculture. Il fut fondateur et président de la Jeunesse Libérale.

Il exerça sa profession en société avec des personnalités aussi grandes que Louis-S. St-Laurent et Ernest Lapointe. Il fut l'avocat du ministère du Revenu et conseiller légal de plusieurs corporations d'envergure et d'unions ouvrières.

Il fut élu député du comté de Drummond à Québec en 1916 et toujours réélu, ensuite. Dès 1912, sa réputation d'orateur était établie. Il fut l'un de ceux qui adressèrent la parole au dévoilement du monument Mercier, à Québec. Il représenta souvent le Québec aux grandes manifestations, même chez les Franco-Américains. Il fut le président de l'Association du Jeune Barreau, trésorier du Barreau du Québec. Il fut le leader de l'Opposition de 1945 à 1960 et président de la Chambre de 1960 à 1966.

Il reçut plusieurs décorations: Commandeur de l'Ordre du Mérite agricole, docteur en Droit (honoris causa) de l'Université Laval, etc.

En 1911, il avait épousé Irène Senécal, de Saint-Césaire. À Québec, il demeura au no 14, rue Saint-Pierre.

1886
JOSEPH DESILETS

Né à Victoriaville le 15 mai 1886

Joseph Desilets, notaire de 1914 à 1957, fut aussi l'auteur de plusieurs pièces de théâtre. Fils de Théode, constructeur de meubles d'église, et de Virginie Hamelin, il fit ses études classiques au Séminaire de Nicolet puis exerça sa profession avec compétence, toute sa vie.

Célibataire, il prit soin de ses parents et de sa soeur malade, Cécile, jusqu'à leur décès. Cette dernière laissa des peintures de réelle valeur.

Sous le pseudonyme de Jean Noël, il collabora à L'ÉCHO DES BOIS-FRANCS et à la VOIX DES BOIS-FRANCS. On lui doit les pièces de théâtre suivantes, d'un acte chacun : UN GENDRE ENRAGÉ, 60 MINUTES EMBASSADEUR AU JAPON, UN ESPION DANS LE BANC D'OEUVRE, NOS SINCÈRES SYMPATHIES, L'HÉRITAGE NUMÉRO 999, LES P'TITS LIVRES, LE FRANÇAIS ET UNE RONDE, tous du genre humoristique, ainsi qu'un drame CHAPEAU DE CASTOR en 2 actes. Ces pièces furent publiées à ses propres frais à l'Imprimerie de Victoriaville et jouées en plusieurs endroits du Québec, de son vivant.

Vivant retiré, il aimait réunir chez lui les artistes et littérateurs des environs. Il était toujours prêt à aider aux mouvements sociaux, éducatifs et religieux.

Le matin et le soir, il se rendait à l'église pour assister à la messe et passer souvent des heures à méditer. C'est au pied de l'autel que, le 23 octobre 1957, il fut frappé d'une congestion cérébrale. Il décéda le lendemain à l'hôpital Saint-Joseph d'Arthabaska.

Frère du poète Alphonse Desilets et de Sœur Saint-Émile (Maria), religieuse de la Congrégation de Notre-Dame, il resta toujours très attaché à sa famille et à sa maison natale.

Martha Lemaire-Duguay fit son éloge dans la VOIX DES BOIS FRANCS du 7 novembre 1957 : « Le nom du notaire Joseph Desilets laissera dans les mémoires le sceau d'un personnage légendaire, doublé d'un philosophe profondément chrétien ».

1887

LUCIEN CANNON

Né à Arthabaska le 16 janvier 1887

Lucien Cannon fut avocat, substitut du procureur général, député de Dorchester à l'Assemblée législative et du même comté, aux Communes, puis du comté de Portneuf, solliciteur général dans le cabinet King, juge de la Cour supérieure puis de l'Amirauté.

Il était le fils du juge Lawrence-John Cannon, d'origine irlandaise, et d'Aurélie Dumoulin, Canadienne française. Ses études classiques terminées au Séminaire de Québec, il reçut sa formation légale à l'Université Laval. Avocat à Québec à partir de 1910, il y exerça sa profession 25 ans, d'abord en société avec C.-G. Power, député et ministre, puis avec son frère Arthur.

En 1911, âgé d'à peine 24 ans, il se présentait comme candidat libéral dans le comté de Charlevoix, contre Rodolphe Forget, mais fut battu. Deux ans après, il était élu à l'Assemblée législative dans le comté de Dorchester et réélu en 1916. En 1935, il se fit élire dans le comté de Portneuf. En 1936, il devenait juge de la Cour supérieure puis, en 1938, de la Cour d'Amirauté. Promu docteur en droit de l'Université Laval, il fut membre de la Société littéraire et historique de Québec.

En 1912 il avait épousé Edith Pacaud. Trois fils furent issus de cette union : Lawrence, du Royal 22e, mort au champ d'honneur dans la campagne d'Italie de 1944 ; Lewis, avocat ; Lucien, chef d'escadrille durant la dernière guerre et premier secrétaire au consulat général du Canada, à New York.

Il décéda à Québec en 1950. Ses restes reposent au cimetière Belmont.

1887
PAUL RAINVILLE

Né à Arthabaska le 15 septembre 1887

Paul Rainville fut homme de lettres, critique d'art, grand sportif, conservateur du musée du Québec et fondateur de la bibliothèque de celui-ci.

Né du mariage du notaire Louis Rainville et de Victoria Bourbeau, d'Arthabaska, il fit ses études primaires au Collège du Sacré-Cœur de sa localité, puis ses études classiques au Collège de Nicolet.

Président fondateur du Cyclo-Sécurité de Québec, il parcourut en bycyclette les 170 milles entre Québec et Montréal en 11 heures de roulement ; il enregistrait, alors, ainsi environ 4 000 milles par an. Capitaine des équipes du Vesper Boat Club de Philadelphie, il fut champion au jeu de paume de cette même ville de 1909 à 1911, puis à Montréal durant dix ans.

De 1906 à 1911, il servit dans l'armée des États-Unis, où il obtint le grade de sergent.

Il participa à la naissance du musée de la province de Québec en 1931, à titre de conservateur adjoint, Pierre-Georges Roy en étant le premier directeur. Il remplaça celui-ci en 1941, fonction qu'il exerça avec grand succès, jusqu'à son décès en 1952.

Sa grande compétence dans la muséographie lui apporta maints honneurs. Ainsi, il fut président de l'Association des Musées canadiens, président du Comité canadien du Conseil international des Musées, vice-président de la North Eastern Conference of the American Museum Association, directeur de l'Institut Canadien de Québec, l'un des fondateurs de la Société Zoologique de Québec. La France lui décerna un diplôme d'Officier d'Académie. Il mérita, entre autres, la médaille du Jubilé. Alors qu'il faisait une cure au sanatorium du Lac Édouard, il écrivit son journal sous le titre TIBI.

En 1911, il avait épousé Emma, fille du sénateur L.O. David, dont furent issus : Guy, Louis, Pierre et Fernande.

1888
ALPHONSE DÉSILETS

Né à Victoriaville le 5 avril 1888

Alphonse Désilets fut agronome, directeur de l'enseignement agricole, de l'Économie domestique, de cours agricoles et ménagers et des Cercles des Fermières. Poète, il a publié plusieurs recueils et édité en 1919 LA BONNE FERMIÈRE, sous la direction de son épouse Rolande Simard.

Né de Théode, manufacturier de meubles d'église, et de Virginie Hamelin, il fit ses études au Collège du Sacré-Cœur de sa ville, au Séminaire de Nicolet, à l'Institut d'Oka et au collège agricole de Guelph. Gradué de l'Université de Montréal en 1914, il devint ingénieur-agronome.

Sous les pseudonymes conjoints de Pierre et Paul avec Ernest Nadeau, il fut chroniqueur de théâtre à L'ÉVÉNEMENT de 1920 à 1930. Il a publié : sous le pseudonyme de Jacquelin : HEURES POÉTIQUES et sous son nom : MON PAYS, MES AMOURS, DANS LA BRISE DU TERROIR, en poèmes, et en prose : AU PAYS DES ÉRABLES, POUR LA TERRE ET LE FOYER, MANUEL-GUIDE DES CERCLES DES FERMIÈRES, SUR LE CHEMIN DE DAMASE, HISTOIRE DE MÈRE SAINT-RAPHAËL, LE MIRACLE DE SAINT-DAMIEN, LES CENT ANS DE L'INSTITUT CANADIEN, SOUS LE SIGNE DE LA CHARITÉ, LA SOCIÉTÉ SAINT-JEAN-BAPTISTE DE QUÉBEC (dont il fut le président) et NOTRE HÉRITAGE CULTUREL.

En 1923, le gouvernement du Québec le nomma, pour cinq mois, délégué de la Mission canadienne en France et en Belgique. Officier d'académie, diplômé de l'Ordre royal du Mérite agricole belge, il fut aussi président de la Société des Poètes canadiens-français et membre du Conseil international d'Éducation familiale.

Il décéda en 1956, laissant une fille dans le deuil.

Apôtre du nationalisme intellectuel canadien-français par ses écrits et son action, on le considère de plus comme un écrivain du terroir par ses poèmes et sa prose imprégnés d'un souffle patriotique.

1889
LA MAISON NATALE DE MGR ROSARIO BRODEUR

À Acton Vale au 4è rang est, à environ 3 milles de la ville (près d'une croix en métal)

Mgr Rosario Brodeur d'abord évêque de Midéo et coadjuteur d'Alexandria, fut consacré à Saint-Hyacinthe, le 24 mai 1941 ; il fut intronisé évêque en titre d'Alexandria, le 27 juillet suivant.

Il naquit le 30 octobre 1889 d'Hubert, cultivateur, et d'Élisa Dion. Alors qu'il n'avait que quatre ans, ses parents émigrèrent à Waterbury (Connecticut). Il fit ses études classiques au Séminaire de Saint-Hyacinthe et sa philosophie au Grand Séminaire de Boston puis de Baltimore. Il étudia sa théologie deux ans à ce dernier endroit puis au Séminaire de Saint-Hyacinthe. Après avoir été professeur au Collège de Saint-Boniface et vicaire à la cathédrale, il devint curé de Sioux-Lockout (Ontario) durant six ans puis de la paroisse de Holy Cross (Saint-Boniface) de 1927 à 1941, année de son élévation à l'épiscopat.

Les premiers fidèles du diocèse d'Alexandrie étaient surtout des Écossais ; leurs trois premiers évêques étaient de langue anglaise. Les Canadiens français ayant augmenté en nombre jusqu'à devenir en majorité, Mgr Brodeur avait été choisi parce qu'il pouvait s'exprimer en anglais comme en français. À son arrivée, il trouva vingt paroisses anglaises. Il en fonda onze autres, dont une anglophone, huit bilingues et deux françaises.

Il prit un contact personnel avec ses diocésains plutôt que de leur écrire des lettres pastorales. Il fit servir la Villa Fatima de maison de retraites et de centre de ralliement diocésains. Il organisa une campagne pour recueillir l'argent nécessaire à la construction d'un nouvel Hôtel-Dieu et favorisa l'ouverture d'écoles séparées, du collège classique de Cornwall, d'académies confiées à des religieux et religieuses, etc.

Il prit sa retraite en 1966 et fut nommé évêque titulaire de Maronana. Il vit présentement à l'évêché d'Alexandria.

1889
MGR JOSEPH BONHOMME

Né à Saint-Camille (Wolfe) le 29 janvier 1889

Mgr Joseph Bonhomme fut évêque titulaire de Tulana et vicaire apostolique du Basutoland (Lesotho) (Sud-Afrique). Issu de Delphis, cultivateur et de Léocadie Vigneux, il décéda à Sainte-Agathe-des-Monts le 6 août 1973. Sa maison natale a été démolie.

Ayant terminé ses études classiques au juvénat des Pères Oblats d'Ottawa, il prit l'habit au juvénat de Lachine et prononça ses voeux perpétuels en 1916. Mgr Ovide Charlebois, o.m.i., vicaire apostolique du Keewatin, l'ordonna en 1918.

D'abord vicaire à Notre-Dame de Hull pendant huit ans, il fut nommé curé de Mont-Joli puis de Notre-Dame de Hull. Dans cette dernière paroisse il joua un rôle important dans l'organisation de l'A.C.J.C., des écoles, de l'œuvre du journal LE DROIT, de l'aide aux ouvriers, etc.

Sacré évêque à Hull le 28 juin 1933, il se mit aussitôt à l'œuvre dans son diocèse et ce jusqu'en 1939, se faisant promoteur des retraites fermées, de l'action catholique et sociale. Il favorisa également l'éducation, la formation d'un clergé, de religieux et de religieuses indigènes.

La guerre le surprit, en 1939, au Canada, où il fut obligé de demeurer jusqu'à la fin des hostilités. En 1945, il retourna dans son diocèse mais démissionna, deux ans après. Il fut alors nommé comte romain et assistant au trône pontifical. De retour au Canada, il continua, durant trois ans, à se dévouer pour son ancien diocèse puis trouva le moyen d'être utile à Le Bret (Sask.), à McIntosh (Ont.) et à Saint-Norbert (Man.), avant de se retirer en 1955 à Sainte-Agathe-des-Monts.

Il trouva le temps d'écrire : ACTE DU PREMIER CONGRÈS NATIONAL DE L'UNION MISSIONNAIRE DU CLERGÉ AU CANADA, AVEC LUI, CRUCIFIÉ ET APÔTRE, CHOSES ET AUTRES, ÉTUDES ANALYSÉES, EN HAUTE MARÉE SUR LA BAIE JAMES, EUCHARISTIE (lettre pastorale). LES MERVEILLES DU VIEUX CONTINENT. NOIR OR: LE BASUTOLAND, MISSION NOIRE, MOISSON D'OR, NOTRE-DAME DE HULL, ODYSSÉE MISSIONNAIRE, LE RÉV. PÈRE ARTHUR BILODEAU, MISSIONNAIRES À LA BAIE JAMES.

1889
LA MAISON NATALE D'ADOLPHE BRASSARD

À Danville, sur le chemin Saint-Félix-de-Kingsey

Adolphe (Joseph-Guillaume) Brassard fut écrivain et auteur de contes et de romans.

Il naquit le 24 septembre 1889, (mais fut baptisé à Kengsey-Falls), de Georges, cultivateur, et d'Oliva Crépeault. Son père y cultiva ses fermes avec succès; il planta érables, noyers ainsi que vergers. Sa mère, bonne musicienne, fut longtemps organiste de l'église paroissiale. Il eut un frère, Georges, cultivateur, et une soeur, (Mme J.-A. Courchesne), qui fut institutrice.

Son instruction se limita à l'enseignement reçu de sa soeur et de quelques mois passés au Collège de Nicolet. Une maladie pulmonaire mit fin à ses études et l'obligea à prendre un long repos. Il ne perdit pas cependant de temps; il lut tous les livres de la bibliothèque paroissiale. Revenu à la santé, il apprit le violon et le piano. Il composa des pièces de théâtre pour les cercles paroissiaux des environs et dirigea des pièces.

À 50 ans passés, il voulut devenir écrivain. Il débuta par des contes revus par son ami, Mgr Maurice O'Bready, qui y fit de nombreuses corrections. L'élève s'appliqua si bien que ses contes furent acceptés par le poste de radio C.K.A.C. (Montréal), qui en redemanda d'autres pour son programme L'ONCLE JOS.

S'inspirant de ses souvenirs de jeunesse, du charme gardé de sa vie campagnarde et de la philosophie qu'il s'était faite dans son esprit et dans son cœur durant ce demi-siècle, il se lança avec enthousiasme dans le domaine littéraire. I écrivit pour plusieurs périodiques, publiés même en France. Son programme radiophonique LA MÉTAIRIE RANCOURT captiva les auditeurs durant des années. Il publia PÉCHÉ D'ORGUEIL, CONFIDENCES DE LA NATURE, MÉMOIRES D'UN SOLDAT INCONNU ainsi que les pièces de théâtres suivantes: L'HORRIBLE HÉRITAGE et FÊTE AU VILLAGE.

Marié à Annette Chagnon, les époux éprouvèrent la tristesse de ne pas avoir d'enfants. Il décéda le 2 mars 1962. Il avait été décoré de l'ordre du Mérite diocésain de Sherbrooke et mérita le prix JUGE LEMAY de la S.S.J.B. de Sherbrooke.

1891

NATHANIEL JENKS

Monument à Barnston, dans le cimetière protestant, près de la route

JENKS. NATHANIEL JENKS M.D. BORN IN BURKE VT. OCT 14, 1818. DIED IN COATICOOK P.Q. MAY 4. 1891.

LUCY THORNTON HIS WIFE BORN IN DERBY VT. APRIL 2, 1826. DIED SEPT. 16, 1905.

Un monument aujourd'hui démoli, s'élevait autrefois à l'intersection de l'ancien chemin conduisant à Costicook. Il portait l'inscription suivante :

ERECTED IN HONOR OF NATHANIEL JENKS, M.D. TO WHOM THIS VALLEY ROAD OWES ITS EXISTENCE. BY HIS GRANDSONS A.-N. AND A.-C. JENKS AUG. 1914.

«AN INSTITUTION IS THE LENGHTENING SHADOW OF ONE PERSONALITY».

L'érection du township de Barnston eut lieu le 10 avril 1801 ; son nom rappelle un comté d'Essex, en Angleterre.

La municipalité du canton de Barnston fut incorporée le 1er juillet 1845, et celle du village d'Ayer's Cliff le 4 février 1909. Thomas Ayer, l'un des pionniers, lui donna son nom.

La paroisse Saint-Wilfrid-de-Barnston obtint son érection canonique en 1903 et civile en 1904. La formation de son territoire se fit à même les cantons de Barnston, Hatley, Stanstead et Compton. Elle reçut saint Wilfrid comme patron en souvenir de l'abbé Wilfrid Lussier, dernier missionnaire et curé de Coaticook.

Le premier bureau de poste de cette localité portait le nom de Kingscroft, en mémoire d'un autre pionnier local appelé King. (Croft signifie clos ou enclos).

Les registres de l'état civil s'ouvrirent en 1904.

1891
MGR JOSEPH-ALDÉE DESMARAIS

Né à Saint-Éphrem (Johnson) le 31 octobre 1891

Mgr Joseph-Aldée Desmarais, évêque coadjuteur du diocèse de Saint-Hyacinthe puis premier évêque de celui d'Amos, est le fils de François, agriculteur, et de Rosanna Tellier dit Lafortune. Il fit ses études classiques au Séminaire de Saint-Hyacinthe et théologiques au Grand Séminaire de Montréal.

Ordonné prêtre en 1914, il fut d'abord six ans professeur de lettres à son alma mater avant d'aller étudier en Europe. À Rome, le Collège Pontifical canadien lui remit son doctorat en philosophie et en théologie . Il mérita aussi des certificat en lettres latines et grecques de la Sorbonne. Il continua à enseigner à son séminaire, dont il fut le directeur de 1928 à 1930.

En 1931, Rome l'élut évêque titulaire et auxiliaire de Mgr Fabien-Zoël Decelles, évêque de Saint-Hyacinthe ; il fut sacré le 22 avril de cette même année. Vicaire général, il se fit apôtre de l'action catholique, spécialement par la fondation de la Maison des œuvres, à Saint-Hyacinthe, au profit surtout des jeunes de la J.O.C.

En 1939, élu premier évêque d'Amos, il fut intronisé le 20 septembre de cette année. Son diocèse ne comptait alors qu'une cinquantaine de prêtres, quelques communautés religieuses et trente-cinq églises construites ou en construction. Tout restait à faire dans le domaine religieux avec une population foncièrement chrétienne, dont les travailleurs miniers étaient de diverses nationalités.

Il y réalisa une tâche considérable longue à énumérer. Il dut demander un collaborateur. En 1939, Mgr Albert Sanschagrin, o.m.i., devint administrateur apostolique puis fut remplacé par Mgr Gaston Hains, en 1967.

Mgr Desmarais garda toujours son titre d'évêque jusqu'au 31 octobre 1968, alors qu'il prit une retraite bien méritée.

1891
LE GRAND VICAIRE ALFRED-ÉLIE DUFRESNE

Plaque à Sherbrooke au nos 102-114 rue de la Cathédrale, sur l'édifice du Mont Notre-Dame

À LA PERPÉTUELLE MÉMOIRE DU GRAND VICAIRE ALFRED-ÉLIE DUFRESNE, APÔTRE DE LA PAIX ET DE LA CHARITÉ. IL FONDA, PUIS DESSERVIT SEUL, POUR UN TEMPS, LES MISSIONS DE MAGOG, HATLEY, COOKSHIRE, STOKE, BROMPTON, LENNOXVILLE, ORFORD, ET, DURANT TOUTE SA VIE CURIALE À SHERBROOKE (1853-1891), FIT PROSPÉRER LE CATHOLICISME AU MILIEU DE RACES ET DE CROYANCES DIVERSES.

ON ADMIRE ICI L'UN DES MONUMENTS À SON AMOUR INTELLIGENT POUR LA SCIENCE ET LA RELIGION.

ÉRIGÉE PAR LE COMITÉ DU CENTENAIRE DE SHERBROOKE, AOÛT 1937.

IN COMMEMORATION OF REV. ALFRED ELIE DUFRESNE, VICAR GENERAL, APOSTLE OF PEACE AND CHARITY. HE OPENED, AND SERVED ALONE FOR A WHILE, THE MISSIONS OF MAGOG, HATLEY, COOKSHIRE, STOKE, BROMPTON, LENNOXVILLE, ORFORD, AND, DURING ALL HIS LIFE AS A PASTOR IN SHERBROOKE (1853-1891), EXTENDED CATHOLICISM AMID DIFFERENT CREEDS AND NATIONALITIES.

HERE MAY BE ADMIRED ONE OF THE MONUMENTS DUE TO HIS READY LOVE FOR SCIENCE AND RELIGION.

ERECTED BY THE SHERBROOKE CENTENARY COMMITTEE, AUGUST 1937.

I.P.

Mgr Alfred-Élie Dufresne, vicaire puis curé de Sherbrooke, missionnaire fondateur de plusieurs paroisses environnantes, vicaire général du premier évêque de Sherbrooke, fut un instrument de choix dans la préparation du diocèse de Sherbrooke.

Né à La Présentation le 19 mars 1826 et issu de Joseph et de M.-Dorothée Michon, il fit ses études classiques au Séminaire de Saint-Hyacinthe et théologiques au Grand Séminaire de Montréal. Il fut ordonné prêtre en 1852.

Jouissant d'une bonne santé et armé d'un courage à toute épreuve, il se mit à visiter régulièrement ses missions. En 1858, il fonda, à Sherbrooke, le couvent des Sœurs de la Congrégation devenu le Mont Notre-Dame. Il reconstruisit l'église et bâtit le presbytère qui devint l'évêché. Il lança un collège commercial et industriel d'où naîtra le séminaire. À la fondation du diocèse en 1874, il en devint le vicaire général puis l'administrateur apostolique.

Il décéda en 1891. Ses restes reposent au cimetière de Sherbrooke parmi ceux qu'il a tant aimés et si bien servis.

1892

LA MAISON NATALE DE ROBERT LAURIER

Né à Arthabaska le 31 mars 1892

Robert Laurier fut avocat, député à l'Assemblée législative de Toronto et ministre des Mines dans le cabinet Hepburn.

Il naquit du mariage de Henri Laurier, avocat, et de Marie-Louise Pépin, fille de Louis-Ovide Pépin.

Henri Laurier était le demi-frère de Wilfrid Laurier premier ministre du Canada, qui l'éleva et l'aima. Nommé protonotaire du district d'Arthabaska, Henri demeura dans le village de ce nom ; il y organisait des soirées musicales et théâtrales : celles de la bénédiction du nouveau collège furent mémorables. Il mourut, subitement en 1906.

Marie-Louise Pépin était fort belle et instruite, bien que ses parents aient été parmi les moins privilégiés de la localité. Son mariage lui ouvrit les salons d'Arthabaska, surtout celui fort convoité de Sir et Lady Laurier.

Robert Laurier fit ses études classiques au collège Loyola des Pères Jésuites, son droit à l'université McGill et complété à Osgoode Hall, à Toronto. Admis au Barreau en 1918 il se fixa à Ottawa.

En 1940, il est élu député libéral à une élection complémentaire et nommé aussitôt ministre.

Intellectuel, il devint membre de l'Alliance française et de l'Institut canadien-français d'Ottawa. Amateur de sport, il fit partie du Rideau Lawn Tennis Club et du Minto Skating Club.

En 1921, il épousa Gabrielle, fille de S.N. Parent qui fut premier ministre du Québec (1900-1905). Un fils, Henri, naquit de cette union.

Robert Laurier décéda en 1967.

1894
MGR GEORGES CABANA

Né à Granby le 23 octobre 1894

Mgr Georges Cabana, archevêque titulaire d'Anchiolo et coadjuteur de Saint-Boniface (1941-1952), devint, cette année-ci, archevêque coadjuteur de Sherbrooke avec droit de succession. Il fut archévêque de Sherbrooke du 28 mai 1952 jusqu'à sa démission, en 1968.

Il vit le jour à Notre-Dame de Granby (rue Victoria, près de l'église Sainte-Famille) ; sa maison natale est malheureusement détruite. Quatrième d'une famille de 18 enfants issus de de Joseph et d'Angélina Desgrés, il est le frère de Mgr Louis-Joseph Cabana d'abord vicaire apostolique puis archevêque du Rubaga (Kampala).

Ses études secondaires commencées au Séminaire Saint-Charles de Sherbrooke et terminées à celui de Saint-Hyacinthe, il fit sa théologie au Grand Séminaire de Montréal et fut ordonné prêtre à Granby en 1918. Il fut professeur au Séminaire de Saint-Hyacinthe et au Grand Séminaire de Toronto, vicaire à Sorel et directeur spirituel au Grand Séminaire de Saint-Hyacinthe.

Archevêque coadjuteur de Saint-Boniface durant 11 ans, il se fit l'apôtre des vocations sacerdotales, organisa une souscription pour son petit et son grand séminaire ainsi que pour l'Action catholique, les œuvres paroissiales, etc., ce qui rapporta environ $500 000. Il collabora également à la souscription en faveur du poste C.K.S.B. de Saint-Boniface.

Archevêque de Sherbrooke il y multiplia les œuvres de toutes sortes : Fondation de l'université, dont il fut le premier chancelier ; parachèvement de la cathédrale et agrandissement du séminaire ; retraites sacerdotales ; culte eucharistique ; œuvre des missionnaires ; fondation de la mission diocésaine au Brésil. Il admit une vingtaine de communautés et trois instituts séculiers. Il organisa le premier congrès diocésain.

Après 16 ans de dévouement, il se retira d'abord à Montréal puis, depuis 1976, au Pavillon Mgr Racine, qui est une de ses œuvres. « Vous resterez, Excellence, dans l'histoire de l'archidiocèse de Sherbrooke, un évêque de transition qui a tenu compte des valeurs solides du passé pour poser les bases d'œuvres et d'organismes qui serviront aux générations futures. » (René Dupont).

1896
LA MAISON NATALE DE MGR LOUIS-JOSEPH CABANA

À Granby au no 110, rue Court

Mgr Louis-Joseph Cabana, de la Société des Pères Blancs d'Afrique, devint vicaire apostolique de l'Ouganda et évêque titulaire de Sufetulensis en 1947, puis, en 1953, premier archevêque de Rubaga (Kampala).

Fils de Joseph et d'Angelina Desgrés, il fut le premier à naître, le 16 septembre 1896, dans la maison que s'était bâtie son père. Ses études classiques terminées au Séminaire Saint-Hyacinthe, il entra chez les Pères Blancs. Après un an de postulat à Québec, il fit son noviciat à la Marie-Carrée d'Alger, puis trois ans de théologie à Carthage. Il fut ordonné prêtre le 24 juin 1924, en même temps que son frère Jean-Baptiste, Oblat, celui-ci devant être missionnaire dans l'Ouest canadien.

Il partit aussitôt pour les missions d'Afrique. À Hasenyi, il fut vicaire, économe, chapelain de l'université gouvernementale, directeur de l'école secondaire de Rubaga puis économe général de sa communauté à Alger. Il fut supérieur-curé de Busubizi puis de la cathédrale de Bubaga. En 1946, de passage au Canada, il fut élevé à l'épiscopat. Le 19 mars 1947 il eut la joie d'être sacré, à la cathédrale de Saint-Hyacinthe, par son frère Mgr Georges Cabana, alors archevêque de Saint-Boniface.

Parmi les œuvres qu'il a réalisées, mentionnons : la fondation du petit séminaire de Kisubi et d'une communauté de Sœurs africaines dévouées à l'enseignement et aux soins des malades; les démarches pour la canonisation des 22 martyrs ougandais, laquelle fut proclamée durant le concile Vatican II.

Un peu avant l'Indépendance de l'Ouganda, il résigna ses lourdes fonctions et alla rejoindre son frère alors archevêque de Sherbrooke, l'assistant dans ses œuvres. Deux ans plus tard, il retournait à Kisubi, devenant chapelain de la communauté des Sœurs africaines; c'est là qu'il demeure présentement. Devenu presque aveugle, il doit maintenant célébrer la messe avec l'aumônier.

1896
JOSEPH GINGRAS

Né à Roxton-Pont le 20 novembre 1896

Joseph Gingras fut avocat, poète, président de la Régie de l'électricité du Québec et présidant de la commission d'enquête sur le logement, qui siégea même à Paris.

Son père Joseph était notaire à Acton Vale. Sa mère Éveline était la fille de Charles Thibault, avocat, qui eut ses heures de gloire au Québec comme orateur, conférencier, homme politique et écrivain.

Il fit ses études classiques au Collège de Montréal et légales à l'Université Laval de Montréal. On le créa conseil du roi en 1938.

Candidat de l'Union Nationale dans le comté de Shefford, il ne fut pas élu, malgré la renommée de son éloquence. Le gouvernement Duplessis le nomma en 1937 président de la Régie de l'électricité. Mais, une année plus tard, il démissionnait pour reprendre l'exercice de sa profession en société avec Édouard Asselin, John Crankshaw, Gérard Trudel et Normand Saylor.

Il visita les Antilles, le Mexique, l'Italie, la France et la Belgique, ne manquant aucune chance d'enrichir sa culture. Dès l'âge de 16 ans, il écrivit son premier poème. Il fit de la poésie toute sa vie, son meilleur divertissement. Il a publié, dans ce domaine, FIDÉLITÉ. Sous les pseudonymes Yves des Grèves, Y. Rondelle, Yves le Seul, J.G., il a écrit dans plusieurs revues et périodiques dont LE DEVOIR.

Il mourut en 1954 célibataire, laissant dans le deuil sa mère, ses frères Egide, Paul et Jean, ainsi que ses soeurs Éveline, Annette, Marie, Antoinette et Claire.

« Trapu, l'oeil bleu, amène, mais un peu communicatif, fervent de lecture et de lettres, Joseph Gingras était resté fidèle à la poésie » (la Revue du Barreau).

1897
LOUIS-PHILIPPE ROBIDOUX

Né à Stanbridge Station le 27 avril 1897

LA TRIBUNE, quotidien de Sherbrooke depuis 1910, a bénéficié des talents de Louis-Philippe Robidoux, journaliste, durant une quarantaine d'années.

Cet homme obligeant et collaborateur naquit au temps où Stanbridge Station était un petit centre commercial ; il vit le jour dans le rang du Bord de l'eau aboutissant à l'église actuelle de Pike River. Son père H.X. Robidoux était cultivateur mais surtout homme d'affaires ; sa mère Marie était la fille de Damase Bouchard, de Saint-Sébastien. Ceux-ci étant allés s'établir à Granby, Louis-Philippe y fit ses études commerciales chez les Frères Maristes, puis ses études classiques au Séminaire Saint-Charles-Borromée, de Sherbrooke.

À l'automne 1920, il débuta réellement dans le journalisme comme attaché à la rédaction du quotidien de Montréal LA PATRIE. Il avait auparavant collaboré à quelques journaux et revues sous le pseudonyme Tristan et Jean. Devenu rédacteur en chef de LA TRIBUNE en 1921, il écrivit d'innombrables éditoriaux et des milliers de notes et d'articles, un grand nombre sous la rubrique FEUILLES VOLANTES. Il publia aussi des poèmes qui n'ont pas encore été mis en volumes, sauf TOUTE LA GAMME et LUEURS. Un certain nombre de ses autres écrits furent mis en livre sous le titre FEUILLES VOLANTES.

Il avait épousé Eva Dubuc dont naquit un fils. Il décéda en 1957.

Par sa plume il se mettait à la disposition de toutes les œuvres de bienfaisance, sociales, philantropiques, artistiques, etc. Il fut président des Amis de Maria Chapdelaine, de la Société d'Histoire des Cantons de l'Est et de l'Alliance française de Sherbrooke ; secrétaire de l'Amicale des Anciens du collège, membre de plusieurs sociétés littéraires et autres. Il fut officier de l'Ordre de l'Union Latine d'Amérique et reçut la médaille d'argent de l'Alliance française.

1899
JACQUES-GÉRARD POISSON (JACQUES GÉRARD)

Plaque à Arthabaska en face de l'hôtel de ville

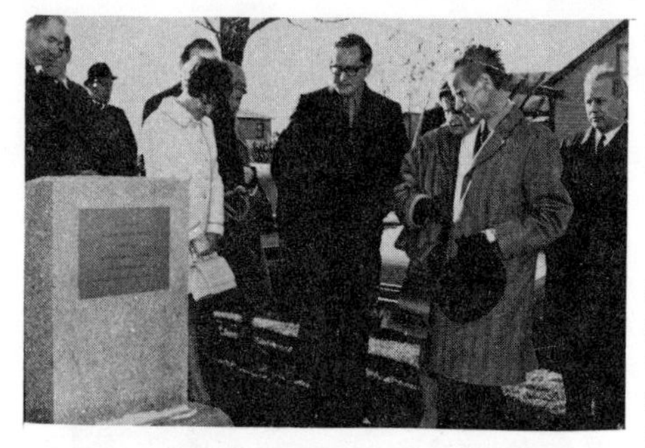

EN SOUVENIR DE JACQUES GÉRARD (1899-1957) ARTISTE LYRIQUE NÉ GÉRARD POISSON, À ARTHABASKA ET DE SA BRILLANTE CARRIÈRE AU CANADA, EN EUROPE ET AUX ÉTATS-UNIS.

I.P.

Jacques-Gérard Poisson, né à Arthabaska le 26 juillet 1899, fut, sous le nom de Jacques Gérard, un artiste lyrique de réputation internationale. Son père, Roméo Poisson, qui toucha l'orgue de l'église paroissiale durant 32 ans, était aussi pianiste et compositeur. Sa mère, Alice Côté, douée d'une fort belle voix, était la sœur de Suzor Côté, sculpteur.

Il commença à chanter très jeune, surtout à l'église. À l'âge de 19 ans, il alla étudier, durant 4 ans, à Montréal avec Salvator Issaurel. Il donna alors plusieurs récitals ; tous reconnaissaient son talent et la beauté de sa voix. Edmond Clément, ténor canadien, l'exhorta à aller étudier le chant en Europe. Accompagné de sa mère (son père étant décédé en 1914), il se rendit à Bruxelles où il s'inscrivit au Conservatoire. Après 3 ans, il mérita le premier prix de chant avec grande distinction. Il avait chanté plusieurs fois en public, particulièrement devant le roi Albert de Belgique. C'est en 1925 qu'il débuta à Ostende et à Spa (Belgique). La critique lui fut unanimement favorable. Il fut engagé par la maison d'Opéra de Liège où il fit ses débuts en 1927.

En 1928, il chanta pour la première fois en France ; il avait comme partenaire Lily Pons. Il fut deux ans premier ténor au Trianon lyrique de Paris. Il donna des récitals toujours avec grand succès ; il en fut de même en Suisse. Durant trois ans, il tint la tête d'affiche à l'Opéra-Comique de Paris. C'est au moment de signer son contrat que le directeur exigea qu'il change son nom pour celui de Gérard. Au Canada il chanta sur scène et à la radio. Il fut grandement apprécié. Toscanini, en 1942, le fit entrer au Metropolitan Opera de New York avec un contrat de trois ans. Il donna plusieurs récitals au Canada et aux États-Unis. Son répertoire était fort étendu.

Il consacra le reste de sa vie à l'enseignement du chant à Montréal. Il décéda subitement à Old Orchard le 12 août 1957 ; ses restes reposent à Arthabaska.

1900

WILLIAM LATIMER ET WALTER E. PRICE

Monument à Granby, au parc Latimer

TO THE MEMORY OF BOMBARDIER WILLIAM LATIMER SGT. MAJOR 15TH SHEFFORD FIELD BATTERY R.G.E.A. KILLED IN ACTION AT FABERS PUTTS. SO. AFRICA. MAY 30TH. 1900. AGED 24 YEARS. ALSO OF GUNNER WALTER E. PRICE. DIED OF ENTERIC FEVER AT NETLEY HANTS. ENG., JULY 23RD. 1900. AGED 21 YEARS. BOTH MEMBERS OF SHEFFORD FIELD BATTERY R.C.F.A. ENLISTED FOR SERVICE IN THE BOER WAR A.D. 1899.

THIS MONUMENT IS ERECTED BY PUBLIC SUSCRIPTION AT THE BATTERY HEADQUARTERS BY THEIR FELLOW COUNTRYMEN AND OTHERS, BOTH AS AN ABIDING MARK OF APPRECIATION OF THEIR LOYAL DEVOTION TO DUTY IN THE CAUSE OF QUEEN AND COUNTRY AND ALSO AS AN INCENTIVE TO THE YOUNG MEN OF SHEFFORD TO BE READY TO EMULATE THEIR NOBLE EXAMPLE OF PATRIOTIC SELF-SACRIFICE WHENEVER IS THE CAUSE OF RIGHT AND JUSTICE THEY MAY BE CALLED UPON TO SERVE HIS MOST GRACIOUS MAJESTY THE KING LATIMER.

I.P.

1901
LA MAISON NATALE DE MAURICE O'BREADY

À Wotton, sur l'ancienne route O'Bready, à environ un mille à l'ouest de Wottonville, première maison près de la route no 249

Mgr Maurice O'Bready fut prêtre, professeur, historien, conférencier, l'un des fondateurs de l'université de Sherbrooke, principal de l'École normale Louis-Joliet de Sherbrooke, premier titulaire de la chaire d'histoire régionale de cette université.

Né à Wotton (Wolfe) le 11 novembre 1901, d'Élie, cultivateur, et de Victoria Bélisle, il fit ses études secondaires au séminaire Saint-Charles-Borromée de Sherbrooke. Ordonné prêtre en 1926, il travailla durant une vingtaine d'années comme professeur à son Alma Mater, surtout en classe de rhétorique. Il fut licencié ès-lettres de la Sorbonne et diplômé de l'Institut Catholique de Paris en psychologie et en chant grégorien. Ouvrier de la première heure de l'université de Sherbrooke, il en fut le premier secrétaire général puis le vice-recteur durant une dizaine d'années. Il devint camérier secret en 1954 et prélat en 1957. En 1969, on lui confia la chaire d'histoire régionale, à la suggestion de la Fédération des Sociétés d'Histoire du Québec. Ce fut pour lui la consécration de son talent et de ses qualités d'auteur et de chercheur dans le domaine historique des Cantons de l'Est.

On lui doit les ouvrages suivants: *LA PREMIÈRE MESSE À SHERBROOKE* (1933), *HISTOIRE DE WOTTON* (1949), JOHN OU JEAN HOLMES (1954), PANORAMAS ET GROS PLANS (1959), *NOTES SUR LA FAMILLE BREADY OU O'BREADY* (1957) et *LES CANTONS DE L'EST, DÉBUT DE BIBLIOGRAPHIE* (1970). Il a légué ses nombreux dossiers, ses notes, etc. à la Société d'Histoire des Cantons de l'Est, dont il fut l'un des fondateurs et le secrétaire durant de nombreuses années. Celle-ci, en 1973, en collaboration avec le Département d'histoire de l'université de Sherbrooke, a publié en 1973, *DE KTINE A SHERBROOKE*, qu'il avait laissé en manuscrit.

Il décéda le 10 juillet 1970, victime d'une crise cardiaque. Arrivé au temps de sa retraite, il aurait justement pu publier de nombreux textes, en grande partie déjà préparés, sur l'histoire de l'Estrie, (mot qu'il a trouvé en 1946), qu'il aima et servit jusqu'à la fin.

1901
ALFRED DESROCHERS

Né à Saint-Élie-d'Orford le 3 octobre 1901

Alfred Desrochers est un poète. Il publia ses poèmes d'abord dans les journaux, surtout dans LA TRIBUNE, puis en fit des éditions à ses frais. C'est alors que les critiques les apprécièrent.

Il naquit au sixième rang nord ; sa maison, située sur un terrain appartenant maintenant à M. Adrien Carrier, n'existe plus. Son père, mentionné sous le prénom d'Honoré dans son certificat de baptême, a été connu sous celui d'Honorius ; il était cultivateur. Sa mère s'appela Zéphirine Marcotte. En 1904, sa famille alla vivre à Manseau où son père fut contremaître des chantiers forestiers. Celui-ci étant décédé en 1913, la famille alla demeurer à Manchester (États-Unis) puis revint s'établir à Sherbrooke.

Alfred commença à gagner sa vie à 14 ans comme garçon livreur, apprenti mouleur, ouvrier forestier etc. Mais de 1918 à 1921, il eut l'avantage de faire des études au collège séraphique des Trois-Rivières. Marié en 1925 à Alma Brault, il devint père, en 1933, de Clémence, poète, auteur comme son père, et comédienne. Attiré par le journalisme, il collabora de 1925 à 1942 à LA TRIBUNE, d'abord comme correcteur d'épreuves puis chef de service, sauf quelques interruptions comme le lancement par lui d'un journal L'ÉTOILE DE L'EST à Coaticook qui dura peu. De 1942 à 1944, il fit partie de l'armée canadienne. En 1945, il fut traducteur à Ottawa pour retourner à LA TRIBUNE.

Il a publié L'OFFRANDE AUX VIERGES FOLLES, À L'OMBRE D'ORFORD, PARAGRAPHES, LE RETOUR DE TITUS, ÉLIGIES POUR L'ÉPOUSE EN ALLÉE. Il a mérité le prix d'Action intellectuelle et le prix David. En 1976 l'Université de Sherbrooke lui décerna un doctorat honoris causa. Les ÉDITIONS FIDES ont publié ses OEUVRES POÉTIQUES COMPLÈTES.

« Alfred DesRochers est un vrai poète. Son chant est à lui et sa voix est belle, très belle. C'est même l'une des plus belles de la poésie québécoise » (Conrad Bernier).

1840 ET 1902
PALMER COX ET SON BROWNIE CASTLE

Maison à Granby aux nos 123 et 125 de la rue Elgin

C'est à South-Ridge (près Granby) que naquit, le 28 avril 1840, Palmer Cox qui fut un écrivain célèbre et un auteur de pièces de théâtre. Son père, Michael Cox, et sa mère, Sarah Miller, étaient originaires d'Écosse. Ils étaient venus s'établir dans le canton de Granby vers 1830. Après avoir fréquenté l'école du rang, il aida ses parents à la ferme jusqu'à l'âge de 17 ans. Il partit alors pour l'Ontario où il demeura à Lucknow. Mais deux ans après, il alla tenter sa chance à San Francisco, Californie. Il y fut d'abord employé de Southern Pacific Railroad, tout en suivant des cours du soir en littérature et en art graphique. Attiré vers le journalisme, il adressa des poèmes et des dessins aux périodiques.

En 1875, il partit pour New York et, là encore, il fit parvenir aux journaux des croquis humoristiques et des poèmes. Malcolm Douglas, gérant du NEW AMSTERDAM THEATRE, fut l'un de ceux qui s'intéressèrent à lui, lui demandant d'écrire un livre. C'est ainsi qu'il écrivit HANS VON POTTER'S TRIP TO GOTHAM et NOW COLUMBUS FOUND AMERICA. C'est en 1880 qu'il publia le premier volume illustré d'une longue série portant le mot principal BROWNIES (petits farfadets des contes écossais). Le premier, portant le titre THE BROWNIES AT HOME, édité par CENTURY, eut immédiatement du succès aux États-Unis. Il devint célèbre dans toute l'Amérique. Une quarantaine de maisons d'édition lui payèrent des droits d'auteur ; il reçut des sommes considérables. Il serait devenu fort riche mais préférait dépenser son argent en voyages, etc.

Il aima toujours revenir à Granby, où il comptait de nombreux amis et y donnait des conférences. En 1902, il réalisa son rêve en faisant construire à Granby sa résidence qui reçut le nom de BROWNIES CASTLE. Alors qu'il était en vacances près de Québec, il décéda le 24 juillet 1924. Une grosse pierre sur sa tombe au cimetière protestant de la rue Cowie, à Granby, (qu'il avait fait transporter là venant de sa terre paternelle) rappelle son souvenir.

1903
LA MAISON NATALE MGR JOSEPH-ROMÉO GAGNON

À Saint-Cyrille-de-Wendover (Wendover et Simpson)

Mgr Joseph-Roméo Gagnon fut le deuxième évêque d'Edmunston, au Nouveau-Brunswick.

Fils de Simon, cultivateur, et de Marie-Anne Lebeau, il vit le jour le 24 février 1903. Il fit ses études primaires à son école du rang puis ses humanités au séminaire de Nicolet avec grand succès. Il étudia la théologie dans ce même séminaire et y fut ordonné prêtre le 8 juillet 1928 par Monseigneur Brunault, évêque de Nicolet.

Vicaire à Saint-Paul-de-Chester jusqu'en 1929, il devint ensuite professeur de mathématiques à son Alma Mater. De 1932 à 1936, il fit des études supérieures en diverses universités de Rome; il en revint avec un doctorat en droit canonique et une licence en philosophie. Il fut alors successivement professeur de philosophie, de mathématiques puis directeur des élèves au séminaire de Nicolet. De 1939 à 1944, on lui confia la chaire de droit canonique à l'université Laval.

Il était vicaire général de l'évêque de Nicolet depuis 1946, lorsque Pie XII le créa prélat domestique, en 1948. Il fut sacré évêque d'Edmunston, N.B., dans la cathédrale, le 31 mars 1949, par Mgr Hildebrando Antoniutti.

Il a réalisé, durant ses vingt et un ans d'épiscopat, des œuvres considérables dont voici un aperçu : construction du collège Saint-Louis sous la direction des Pères Eudistes, de la maison de retraites fermées des Pères Oblats, du couvent des Servantes du Saint-Sacrement, etc. En 1951, il présida, à Saint-Basile, le Congrès marial diocésain. Il participa à toutes les séances (1962-64) du concile Vatican II.

La mort le ravit subitement à ses ouailles le 16 février 1970, à la consternation de tous. Il a été inhumé dans la crypte de sa cathédrale, près du premier évêque d'Edmunston, Monseigneur Marie-Antoine Roy, et du curé de la cathédrale, Monseigneur Conway.

1903
LORENZO CADIEUX

Né à Granby le 10 novembre 1903

Le Père Lorenzo Cadieux, prêtre de la compagnie de Jésus, fut professeur de rhétorique et d'histoire au collège du Sacré-Cœur, à Sudbury (Ontario). En 1950, il devint directeur de la division d'histoire à l'Université Laurentienne de Sudbury, où il fut aussi archiviste. Il fonda, en 1942, la Société historique du Nouvel-Ontario et écrivit plusieurs volumes et brochures sur l'histoire de cette région.

Il naquit d'Adélard et de Clara Dalpé. Il fit ses études classiques au Collège Sainte-Marie (Montréal) et au Collège Saint-François-Xavier (Edmonton) puis en 1924 entra au noviciat des Jésuites. Ses père et mère sont décédés aux États-Unis où ils étaient allés demeurer.

Il obtint une maîtrise en lettres et en histoire ainsi qu'un doctorat en philosophie. Il fut ordonné prêtre en 1938. Trois ans après, il était appelé à se dévouer, durant le reste de sa vie, à Sudbury : 17 années au Collège du Sacré-Cœur et 11 à l'Université Laurentienne.

Il fut président de la Société canadienne d'Histoire de l'Église catholique, conseiller de la Société historique du Canada, directeur de l'Association canadienne des Éducateurs de langue française, etc. Il fut l'âme dirigeante de la Société historique du Nouvel-Ontario.;

Il collabora à de nombreuses revues. Il a publié LES LETTRES DES NOUVELLES MISSIONS DU CANADA.

Il décéda le 8 décembre 1976, des suites d'une broncho-pneumonie contractée lors d'un léger accident de voiture où il prit froid.

Ses réalisations lui ont mérité : un doctorat en histoire de l'Université Laval, le prix Champlain, l'ordre du Mérite scolaire franco-ontarien, l'Award of Merit de The American Association for State and local history, l'Award of Merit of Canadian Historical Society.

1904
L'ÉDIFICE HASKELL

À Rock Island, avenue Caswell, à l'angle de la rue Church

KASDELL FREE LIBRARY. OPERA HOUSE

Ce bel immeuble en pierre de taille, inauguré le 7 juin 1904, fut un don en faveur des villages de Derby Line (Vermont) et de Rock Island (Québec), de la part de Martha Stewart Haskell et de son fils, Horace Stewart Kaskell, de Derby Line. C'est un monument en hommage à Carlos F. Haskell, époux de Martha.

Il a été construit d'après les plans de l'architecte James Ball, de Rock Island, sous la surveillance de Nate Beach. La Boston Opera House a servi de modèle. Environ un tiers de l'édifice se trouve aux États-Unis où il a sa façade, et deux-tiers au Canada, afin que ceux qui s'y rendent n'aient pas les ennuis de passer par le bureau des douanes.

La pierre angulaire fut posée le 1er octobre 1901 par les membres du Golden Rule Lodge, A.F. and A.M., assistés par les « masons » éminents des deux côtés de la frontière. Roch Island, Beebe, Stanstead et Derby Line étaient alors plus prospères qu'aujourd'hui; la vie mondaine y était fort active.

Le soir de l'ouverture, il y eut au programme : *COLUMBIAN MINISTRELS*, chœur de 40 voix, *THE CLEMENT THEATRE, l'ORCHESTRE OF SHERBROOKE.* La vedette en fut Eugène Cowles, né à Derby Line, compositeur et basse, qui travailla durant plusieurs années, à la Haskell Opera House.

La salle d'opéra fut longtemps fort employée pour des opéras, des récitals, des conférences, etc. La bibliothèque, riche de plus de 14 000 livres, etc. est située dans le territoire canadien, alors que la salle de lecture se trouve aux États-Unis.

Le coût élevé des spectacles, le peu de population de la région, les problèmes de langues, etc., ont entravé l'emploi de la salle d'opéra.

1906-1907
CHARLES-FRÉDÉRIC OLIVIER

Plaques à Sherbrooke, sur la rue Olivier, à l'angle de la rue Saint-Alexandre

ÉDIFICE OLIVIER. CETTE APPELLATION CONSACRE LE SOUVENIR DU VINGT-SEPTIÈME MAIRE DE SHERBROOKE 1906-1907. ARDENT CHAMPION DE LA MUNICIPALISATION. CHARLES-FRÉDÉRIC OLIVIER, 1er MARS 1846-DÉCEMBRE 1940. DESCENDANT DE JEAN-BAPTISTE OLIVIER ÉTABLI À SHERBROOKE EN 1835. PLAQUE DÉVOILÉE LE 24 JUIN 1961 PAR LE DÉPUTÉ FÉDÉRAL ME MAURICE ALLARD.

OLIVIER BUILDING. IN MEMORY OF THE TWENTY-SEVENTH MAYOR OF SHERBROOKE 1906-1907 CHARLES-FREDERIC OLIVIER. ARDENT CHAMPION OF MUNICIPALIZATION, BORN MARCH 1, 1846. DIED DECEMBER 31, 1940. A DESCENDANT OF JEAN BAPTISTE OLIVIER WHO SETTLED IN SHERBROOKE IN 1835. THIS PLAQUE WAS UNVEILED ON JUNE 24, 1961 BY ME MAURICE ALLARD M.P.

I.P.

Charles-Frédéric Olivier, à l'expiration de son mandat à la mairie de Sherbrooke où il avait été élu par acclamation, ne voulut pas continuer à exercer cette fonction. Ayant été auparavant conseiller durant plusieurs années, il considérait avoir fait son devoir de citoyen. Il dit de plus que le futur maire devrait être un homme de plus grande compétence que lui-même, pour le bénéfice de la municipalité.

Au conseil de ville, il fut le champion de la municipalisation non seulement de l'eau mais aussi de l'électricité et même du gaz.

Il était né à Lennoxville, du mariage de Valère et de Marie Boudreau qui eurent plusieurs enfants. La population dans la région était alors aux trois quarts anglaise. Les Canadiens français y étaient bilingues.

Il n'avait qu'une quinzaine d'années lorsque, accompagné de son frère Albert, il partit à pied pour les États-Unis. Lorsqu'ils revinrent à Sherbrooke, les deux fières, grâce à leur expérience du commerce et à un capital substantiel, ouvrirent ensemble un magasin de marchandises sèches et de vêtements pour hommes et femmes.

De son mariage avec Jeanne Benedict (Benoit) naquirent : Valère, Eugène R., Flora, Hortense, Elisabeth et Cécile.

1909
AIMÉ LAURION

Né à Roxton Pond (Sainte-Pudentienne) le 16 décembre 1909

Aimé Laurion fut journaliste, éditeur, industriel et financier. Parti au bas de l'échelle, il a atteint des sommets.

Fils d'Eugène Laurion, cultivateur, et de Mélendie Dion, il fut bachelier ès-arts du collège de l'Assomption ; il suivit ensuite des cours de droit à l'université Laval.

Il n'avait que vingt-cinq ans lorsqu'il fut co-fondateur de l'hebdomadaire *LA VOIX DE L'EST*, où il demeura deux ans comme journaliste. Il fut ensuite directeur de *LA GAZETTE DE VALLEYFIELD*, de 1937 à 1943. Devenu gérant général et directeur de la compagnie éditrice de *LA VOIX DE L'EST*, il fit de ce journal en 1945, un quotidien dont il assuma la charge de président.

Il fut aussi le président de Radio CHEF de Granby, de Liqueurs nationales (Coca-Cola) Corp., du Conseil d'administration de G.M. Plastic Corp., de Publications Laurion Ltée, de la Revue Municipale Inc.

Il occupa le poste de vice-président du PROGRÈS DU SAGUENAY Ltée, du Crédit Trans-Québec Inc., de Formules Municipales Ltée, du journal *LA RÉFORME*.

Il fut directeur de Corporation d'Expansion Financière, de Richelieu Finance Inc., de Granby Elastic and Textiles Ltée, de Simel Inc., de Prêts Richelieu Inc., de Délisle Ltée, de Corplastic Canada Ltd, de la Corporation d'Expansion financière, etc.

En 1937, il fonda la Chambre de Commerce des Jeunes de Granby. L'année suivante, il fondait celle de Valleyfield et devenait président de la Fédération du Jeune Commerce de la Province de Québec. En 1950, il était élu président de la Chambre de Commerce senior de Granby.

Il avait épousé, en 1940, Thérèse Marchand. Troix enfants naquirent de cette union. Il décéda, à la suite d'une longue maladie, à l'Hôtel-Dieu de Montréal, en 1966.

1911
MGR LOUIS-PHILIPPE LUSSIER

Né à Weedon (Wolfe) le 3 octobre 1911

Mgr Louis-Philippe Lussier fut le deuxième évêque du diocèse de Saint-Paul-en-Alberta, du 28 juin 1952 à juin 1968.

Né du mariage de Philibert Lussier et de Valéda Charest, il fut baptisé en sa paroisse le 5 octobre suivant par l'abbé O.E. Blanchard. Ses parrain et marraine furent Hormisdas Lussier et Odila Lussier, de Saint-Gérard.

Il fit ses humanités, à comter de 1922, au juvénat rédemptoriste de Saint-Anne-de-Beaupré. Il prononça ses vœux dans cette communauté à Sherbrooke, en 1930. Il fit ses études philosophiques à Ottawa et sa théologie chez les Rédemptoristes de langue anglaise, à Woodstock (Ontario). Mgr Forbes l'ordonna prêtre en 1937, à Ottawa.

Après quelques années de professorat et de ministère, il suivit des cours de littérature anglaise au collège St-Michael (université de Toronto). Le 17 août 1952, il était sacré évêque au siège de Saint-Paul-en-Alberta.

Il organisa les mouvements d'Action catholique et mit tout en œuvre pour accroître dans son diocèse le nombre des prêtres, religieux et religieuses. Il fonda : le Centre d'Accueil, la Société d'Établissement rural, la Relève albertaine pour aider les jeunes Canadiens français, le Centre d'Information catholique, etc.

En 1968, après seize ans de dévouement, Mgr Lussier, constatant que sa santé était minée, donna sa démission. Il prit la direction du grand séminaire d'Ottawa, puis se dévoua à l'oeuvre des vocations religieuses. Il est présentement retiré à Notre-Dame-des-Laurentides, au Québec.

1911
LE PREMIER « WOMEN'S INSTITUTE » AU QUÉBEC

Plaque à Dunham, près du bureau de Téléphone Bell

TO COMMEMORATE THE FOUNDING AT DUNHAM ON JANUARY 27th, 1911, OF THE FIRST WOMEN'S INSTITUTE IN THE PROVINCE OF QUEBEC.

POUR COMMÉMORER LA FONDATION À DUNHAM, LE 27 JANVIER 1911, DU PREMIER « WOMEN'S INSTITUTE » DANS LA PROVINCE DE QUÉBEC.

C.M.H.Q.

Le 13 janvier 1911 fut tenue à Dunham, une assemblée convoquée par Mme Geo Beach, afin de discuter de l'opportunité de fonder dans cette localité un WOMEN'S INSTITUTE. Elle présida cette assemblée alors que Mademoiselle J. Brown agissait comme secrétaire. Madame Geo Wilkinson lut « HOW THE INSTITUTE WAS FORMED ». Le comité formé alors pour donner suite à cette réunion eut comme membres : Mesdames Geo Bearch, Geo Wilkinson, M. Carley, H.O. Martin, S.J.M. Elroy, A. Brown, J. Fridlington et E. Baker.

Le 27 janvier suivant se tint la première assemblée régulière dans le BEST'HALL. Vingt membres furent admis dans l'association alors fondée sous le nom de WOMEN'S INSTITUTE, la première dans le Québec.

Les membres suivants furent élus dignitaires : présidente : Mme Geo Beach ; vice-présidente : Mme Geo Ford ; seconde vice-présidente : Mme H.O. Martin ; secrétaire-trésorière : Mlle J.N. Brown ; directrices : Mesdames F. Gilbert, Geo Wilkinson, J.T. Yeats. Mme J. Muldrew fut élue présidente honoraire.

En outre des sus-nommées, les personnes suivantes, dans la cours de l'année 1911, devinrent membres de cette association : Mesdames Stuart A. Wisdom, R.H. Doherty, W.E. O'Brien, C.E. Lavery, C.E. Whitcomb, D. Gilbert, Geo Wilkinson, C.E. Whitcomb, A.W. Watson, D.N. Ingalls, L. Harvey, Wm Baker, Geo Doherty, E. Baker, E.A. Buchannan, Mary Gilbert, E.A. Savage, J.N. Brown, A.B. Baker, H. Shufelt.

1912
L'ABBAYE SAINT-BENOÎT-DU-LAC

À Saint-Benoît-du-Lac (Austin), près de la route 247, à environ 10 milles de la route 112

L'inauguration de l'abbaye Saint-Benoît-du-Lac, bastion de la foi et de la culture, date du 4 décembre 1912. Dom Paul Vannier, son fondateur, prit alors possession au nom de l'Ordre de Saint-Benoît, d'une terre et d'une modeste maison avec des bâtiments de ferme, le tout situé sur le cap Gibraltor, à Austin, au côté ouest du lac Memphrémagog.

L'abbé Joseph Laferrière, professeur au Séminaire de Saint-Hyacinthe alors étudiant à Louvain, était allé aux vacances de Noël de 1911, visiter les moines de Saint-Wandrille établis à Dongelberg (Belgique). Il avait exprimé le voeu qu'un tel monastère soit fondé au Québec. Dom Paul Vannier obtint les autorisations requises à cette fin et le 4 juillet 1912 arrivait à Montréal. Peu après, il accompagnait l'abbé François-Xavier Brassard, curé de la paroisse Saint-Patrice, qui l'amena en yacht visiter la ferme précitée, alors propriété de Salem Dufresne.

Les autres fondateurs du monastère furent : le Frère Collot qui arriva avec Dom Paul Vannier, Dom Félix Lajat, Dom Ernest Boitard, et, particulièrement, le Frère Hilaire Fraudeau qui s'y dévoua jusqu'en 1949. Le monastère consista d'abord en une petite maison de ferme construite en bois et point neuve. Il fut graduellement agrandi. En 1929, la maison bénédictine ayant été élevée au rang de prieuré, Com Fernand Lohier en devint le premier Prieur.

C'est le 11 juillet 1939 que fut bénite par Mgr Philippe Desranleau, évêque de Sherbrooke, la pierre angulaire du nouveau monastère. Le monastère lui-même était bénit le 11 juillet 1941. Dom Paul Bellot, moine de Solesme et architecte réputé, en dressa les plans, aidé de jeunes architectes canadiens : M. Félix Racicot et Dom Claude Côté, moine à l'abbaye. Le monastère fut érigé en abbaye, le 23 septembre 1952, une étape définitive de son développement. « Dieu et les hommes ont besoin de St-Benoît-du-Lac » (Georges Vanier, gouverneur général du Canada).

1912
MGR ALBERT LANCTOT

Né à Sherbrooke le 14 avril 1912

Mgr Albert Lanctot fut Père Oblat, missionnaire en Afrique, vicaire apostolique de Bukoba puis de Rulenge. Il naquit d'Hector, marchand de meubles, et de Rachel Bureau. Après avoir fait ses études d'abord à Sherbrooke chez les Frères du Sacré-Coeur, puis au Séminaire Saint-Charles-Borromée, il entrait chez les Oblats en 1931, commençant sa théologie avec le Père Lacoursière. Dès l'année suivante cependant, il partait pour l'Afrique du Nord. Il continua sa théologie à Carthage où il fut ordonné prêtre en 1936.

Nommé missionnaire au diocèse de Bukoba, il apprit très vite la langue indigène. Son zèle fut si grand qu'une forte anémie l'immobilisa quelque temps. En 1940, ses supérieurs l'envoyèrent 200 milles dans la brousse fonder la mission Rulenge avec le Père Daniels comme supérieur. Il y manifesta son talent d'organisateur : deux ans plus tard, l'église et la plupart des immeubles nécessaires étaient construits. En 1942, il devint supérieur fondateur du Ngote, le plus jeune du vicariat à exercer cette charge. En 1946, il était supérieur de la paroisse de Bunena.

En 1951, Mgr Tétrault, évêque de Bukoba, décéda, Le Père Lanctot le remplaça pour sa partie sud. Il fut sacré le 6 mars 1952 et se mit aussitôt à l'œuvre, avec son enthousiasme habituel, prenant contact personnellement avec ses ouailles. Avec succès il mit en pratique plusieurs moyens employés au Canada pour accroître la piété : retraites fermées, récitation du chapelet en famille, centres sociaux, etc.

Il devenait évêque de Rulenge en 1960, diocèse formé des trois districts les moins développés de Bukoba. Il fallut recommencer les initiatives prises dans son ancien diocèse, en des circonstances bien plus difficiles. Durant les quelque neuf années qui suivirent, il s'usa à la tâche. Il demanda et obtint un auxiliaire. Mais une maladie de cœur le terrassa le 30 mai 1969. Ses restes sont demeurés à Rulenge parmi ceux à qui il a donné tout son dévouement.

1915

DANIEL JOHNSON

Né à Danville le 9 avril 1915

Daniel Johnson fut avocat à Montréal et à Saint-Pie, député du comté de Bagot à l'Assemblée nationale (1946-1968), ministre dans le cabinet Duplessis (1958), chef de l'Union Nationale (1961) et chef de l'opposition jusqu'en 1966 alors qu'il devint Premier ministre du Québec.

Fils de Francis, d'origine anglaise, et de Marie Daniel, Canadienne française, il opta pour la langue française. Il fit ses études primaires chez les Frères du Sacré-Coeur de sa ville natale, ses études classiques au Séminaire Saint-Hyacinthe et a pris son droit à l'Université de Montréal.

Dès ses études supérieures, il milita dans l'Association Catholique de la Jeunesse Canadienne-française (A.C.J.C.) et en eut la vice-présidence. Il fut président de l'Association générale des Étudiants de l'Université de Montréal, de la Fédération canadienne des Étudiants catholiques et de la Section française de l'Union des Jeunes catholiques du Canada. Il fut aussi vice-président de Pax Romana. Plus tard, il devint conseiller juridique non seulement de la Chambre de Commerce des Jeunes du Canada, des Syndicats nationaux de Montréal, mais, aussi de l'Association des Hebdos de langue française.

Adjoint parlementaire de Maurice Duplessis en 1954, président du Comité de la Chambre et vice-président de l'Assemblée législative, deux ans après, il fut ministre des Ressources hydro-électriques en 1958 ; c'est alors que la Bersimis fut terminée et que furent entrepris les travaux considérables de Carillon et de la Manicouagan.

En 1965, il publia ÉGALITÉ OU INDÉPENDANCE, ce qui lui assura la sympathie des nationalistes du Québec et favorisa grandement son élection comme Premier ministre. Il fut assermenté à cette charge le 16 juin 1966, se gardant le ministère des Affaires fédérales-provinciales et celui des Richesses naturelles. L'autonomie du Québec fut la ligne de force de sa politique.

Mais la mort, survenue le 26 septembre 1968, l'empêcha de poursuivre l'œuvre entreprise. En 1943, il avait épousé Reine Gagné, dont furent issus : Daniel, Marc, Diana et Marie.

1917
JOSEPH-GEORGES GOUDREAU

Monument à Thetford Mines, au cimetière Saint-Alphonse, rue Simoneau à l'angle de la rue Charest

À LA MÉMOIRE VÉNÉRÉE DE MESSIRE JOSEPH GEORGES GOUDREAU, PRÊTRE, NÉ LE 13 SEPTEMBRE 1859 — CURÉ DE ST-ALPHONSE DE THETFORD 28 SEPT. 1899 — 1er AVRIL 1917. DÉCÉDÉ LE 19 AVRIL 1917, À L'ÂGE DE 57 ANS ET 7 MOIS. R.I.P. HOMMAGE DE LA PAROISSE ST-ALPHONSE DE THETFORD.

I.P.

Dès 1918, les paroissiens de Saint-Alphonse de Thetford exprimèrent leur gratitude envers leur curé défunt. Ils le firent en ces termes inscrits sur une plaque apposée dans leur église : À LA MÉMOIRE VÉNÉRÉE DE MESSIRE JOSEPH-GEORGES GOUDREAU, NÉ AUX GRONDINES, LE 13 SEPTEMBRE 1859, ORDONNÉ PRÊTRE, LE 30 MAI 1885, CURÉ DE CETTE PAROISSE DU 28 SEPT. 1899 AU 1er AVRIL 1917. IL A BÂTI LE PRESBYTÈRE EN 1900, FONDÉ LE COLLÈGE EN 1906 ET ÉRIGÉ CE TEMPLE EN 1907. PASTEUR SELON LE COEUR DE DIEU, IL A DONNÉ SA VIE POUR SON TROUPEAU (JEAN, X, II). R.I.P.

En 1922, ils exprimaient de nouveau leur reconnaissance envers leur regretté pasteur, en érigeant en son honneur, face au collège, une statue qui fut dévoilée le 2 juillet. Avec la haute colonne du cimetière, voilà trois monuments en hommage au même personnage, dans la même localité, ce qui est unique au Québec.

Joseph-Georges Goudreau était issu de Georges, meunier, et d'Exilda Faucher. Il fit ses études classiques au Collège Sainte-Anne-de-la-Pocatière et théologiques à Québec. Après avoir été vicaire à plusieurs endroits, il fut professeur à son alma mater jusqu'en 1896, alors qu'il fut nommé curé à Mont-Carmel-de-Kamouraska (1896-1898), à Saint-Gilles (1898-1899) puis à Thetford Mines, sa dernière mission.

1918

HENRY MORRELL ATKINSON

À North Hatley, au « Memorial Park », vis-à-vis le bureau de poste

THIS PARK AND FLAGSTAFF WERE GIVEN BY HIS PARENTS IN LOVING MEMORY OF CAPTAIN HENRY MORRELL ATKINSON WHO DIED IN THE SERVICE OF HIS COUNTRY AT ANGERS FRANCE NOVEMBER 2ND, 1918.

MGMXXVI *I.P.*

Le canton de Hatley fut érigé le 25 mars 1803, rappelant une paroisse du comté de Cambridge (Angleterre).

Les premiers colons furent d'origine britannique.

La municipalité du canton de Hatley fut incorporée le 1er juillet 1845 et celle du village de Hatley le 24 janvier 1912. Celle du village de Hatley-Nord le fut le 25 octobre 1897.

Les catholiques furent desservis par un missionnaire de 1905 à 1908, alors qu'un premier curé en titre arriva. C'est aussi la date d'ouverture des registres.

La paroisse catholique fut érigée canoniquement le 8 novembre 1906 et civilement le 2 avril 1908. Elle comprend une partie du canton de Hatley.

1914-1918

LE MONUMENT AUX BRAVES DE LENNOXVILLE

À Lennoxville, rue Queen, à l'angle de la rue Belvédère

IN MEMORY OF THE MEN OF LENNOXVILLE AND ASCOT WHO LAID DOWN THEIR LIVES IN THE GREAT WAR AS A SACRIFICE ON THE ALTAR OF FREEDOM 1914-1918. «GREATER LOVE HATH NO MAN THAN THIS THAT A MAN LAY DOWN HIS LIFE FOR HIS FRIENDS.»

CHARLES AVELING PTE. DELBERT BEAN PTE. WALTER BENNETT PTE. FRANK W. BURNS PTE. ALPHONSE CARRIER PTE. F.W. CRAWFORD SERG. F.P. COLESERC. ARTHUR CORDY PTE. WILLIAM COOPER PTE. LOUIS CHRS BONNEAU PTE. E.W. DAY PTE. FREDERICK DOONAN PTE. RALP DOONAM PTE. D.N. EVERETTE PTE. W.L. ELLIOTT PTE. CHARLES EVESTAFF PTE. CLAUDE FOX 2ND LIEUT. GILBERT FAIRBAIRN CO. S. MAJ. WILLIAM GARDNER PTE. J.E. GREENE CORP. HARRY GREEN PTE. TERENCE HALL PTE. FRED HOWELLS PTE. FRED HINTON PTE. ALBERT HAWKS PTE. D.T. LARIGEE PTE. P.T. LARIGEE PTE. ARTHUR LOWE PTE. CARL G. LABERGE LIEUT. GEORGE H. MUSTY 1ST CLASS STOKER. J. MARSH PTE. REV. CHARLES W. MITCHELL CHAP. JACK PORTER PTE. ROBERT REEVES PTE. L.A. ROBERTSON CORP. J.A.P. SCARTH CO. SERG. MAJ. J.B. SPRAY PTE. W.E. SAUNDERS PTE. H.R.S. SHUTER PTE. CHARLES SWANSON PTE. W.J. TURNER CORP. G.E.D. WILKINSON PTE. CHARLES WORSTER PTE. L.C. WARD PTE. HARRY WATTS PTE. GUY F. WILCOX PTE. C.W. YOUNG PTE.

COL. DANIEL BOLDUC U.S. ARMY KILLED IN ACTION VIETNAM. JULY 29, 1969.

I.P.

1914-1918
LE MONUMENT AUX BRAVES DE SHERBROOKE

À Sherbrooke, au centre de la rue King, à l'angle de la rue Wellington

DEVANT SES FILS TOMBÉS OU SURVIVANTS QUI SE SONT ILLUSTRÉS AU CHAMP D'HONNEUR, SHERBROOKE S'INCLINE. 1914-1918. TO THE MEN AND FOR THE COUNTRY AND THEIR GOD. G.W. HILL, SCULPTEUR

Amell, G.-L.; Anderson, D.; Ashcroft, E.; Atkinson, J.H.; Aveling, C.; Bailey, C.-T.; Baillie, W.-S.; Baldock, G.; Ballard, A.; Bartholomew, V.; Beaudette, E.; Beaulieu, J.-A.; Bédard, J.-H.; Bennett, F.; Bernard, E.; Bernard, J.; Bilodeau, C.; Biron, A.; Black, H.; Boucher, L.; Boulanger, A.; Boulich, A.; Bowen, H.; Brett, W.; Brisson, X.; Brown, T.; Buchanan, E.-J.; Buchanan, G.-E.; Buckley, J.; Cadorette, P.; Carbonneau, L.-N.; Campbell, R.-C.; Cannon, J.-R.; Chambers, T.; Carrière, A.; Chauvin, E.-H.; Choquette, H.; Cloutier, A.; Cloutier, F.; Clowrey, J.; Cole-Frederick, P.; Conner, C.-A.; Croff, J.; Croil, D.-R.; Cyr, W.; Dean, W.-A.; Defeu, E.; Deradour, T.; Deveault, W.-A.; Devenger, A.-W.; Dewitt, H.; Dexter, I.; Dodge, G.-T.; Drummond, A.-M.-T.; Duggan, K.-L.; Duncan, J.--.; Duncan, W.-C.; Dupont, J.-A.; Dupuis, A.; Dupuy, R.; Durocher, L.; Elliott, G.-A.; Elliott, L.-W.; Eustace, T.; Evestaff, C.-W.; Fairbairn, G.; Fales, A.-W.; Fellows, J.-T.; Ferland, A.; Fournier, L.; Frye, E.-H.; Gascoigne, C.-J.; Gatien, C.-E.; Gaudet, E.; Gerry, R.-P.; Gobeil, E.; Goodman, A.-H.; Gordon, W.-M.; Grant, A.-E.; Greene, J.-E.; Grégoire, S.; Griffin, L.; Gwyn, D.-S.; Haffenden, A.-J.-F.; Hall, T.-C.; Haldane, J.-C.; Hamel, P.; Hamilton, G.-H.; Hamilton, J.-H.; Hamilton, W.; Harrison, G.; Harrison, F.; Harrison, C.-J.; Hawkes, A.-E.; Haynes, H.; Hébert, A.-D.; Henderson, W.; Hewitt, R.-T.; Hicks, J.-E.; Hindmarch, P.; Hinton, F.; Holden, W.; Hollings, A-T.; Hovey, A.-L.-B.; Howell, F.-H.; Hugo, G.; Jackson, W.; Jell, R.; Jennings, J.-H.; Johnson, J.-H.; Kenison, F.-K.; Kirtland, A.-M.; Kittredge, J.-O.; Kyle, G.; Lacourse, C.; Lacroix, J.-F.; Laflamme, J.; Lapointe, P.; Larigee, D.; Larigee, P.; Laroche, P.; Léger, E.; Lefrançois, P.; Lepage, J. Letourneau, J.; Levesque, H.; Lobban, J.-A.; Lockwood, G.; Long, A.-W.; Long, H.-O.; Lowe, A.; Mack, W.-A.; Madden, G.-H.; Magnan, A.; Major, A.-C.; Marcotte, J.-A.-E.; Marcour, A.; Mason, D.; Mayhew, C.; Mayle, H.-W.; Maccusworth, A.-F.; Mackay, A.-N.; MacRae, S.-F.; McCarley, C.-G.; McIver, A.; McKenna, P.-J.; McClean, K.-W.; McMarne, J.; McRae, K.-W.; Ménard, S.-G.; Millard, E.; Millard, L.; Miller, H.B.; Moore, H.-E.; Moreau, A.; Morehouse, S.-P.; Morris, G.-E.; Nault, O.; Noble, J.; Nourse, G.-E.; Oakley, H.; Paiement, L.; Paquette, B.; Paquin, G.; Parr, H.-A.; Payne, E.-T.; Payne, W.-H.-G.; Peason, W.; Penticost, A.-G.; Pilcher, N.-C.; Poole, F.; Porter, J.-C.-B.; Powell, A.; Pratt, T.-G.; Price, L.-G.; Prien, H.; Richard, J.-A.; Rickner, W.; Rigby, F.; Robertson, D.; Robertson, L.-A.; Ross, S.; Roy, J.-A.; Ruel, A.; Rushbrooke, J.; Russell, E.; Saillant, A.; Sandell, C.; Sapper, P.; Sawyer, A.; Scarth, J.-A.-P.; Schuh, A.-O.; Seale, T.-D.; Shresbury, W.-G.; Simard, O.; Sjolander, G.-B.; Slack, H.-J.; Smith, E.-B.; Smith, L.-C.; Smith, V.-A.; Smyth, A.; Spray, G.-B.; Starling, E.; Stedman, W.-H.; Steers, G.-W.; St-Pierre, J.-A.; Stevens, H.-K.; Swift, A.-A.; Tanguay, M.; Tanguay, P.; Tate, H.-G.; Terreau, A.; Thibaudeau, J.; Thompson, F.; Thompson, R.-W.; Thuot, E.; Tremblay, V.; Tucker, P.-W.; Turnbull, K.; Verrault, J.-B.; Viens, H.; Viens, P.; VradenbBurg, W.; Wallace, W.-H.; Waller, A.-E.; Waller, G.-A.; Watson, L.; Watson, L.-E.; Watt, C.; Watts, H.-C.; Welsh, J.; Whalen, J.-G.; Whitehead, F.-E.; Whitfield, W.-A.; Wacher, A.-E.; Widger, W.-H.; Wilcox, F.-F.; Wilkins, J.-F.; Wilkinson, G.-D.; Williams, H.; Williams, H.-H.; Wootton, F.; Wormald, E.; Worster, W.-C.; Wright, H.; Youell, A.-W.; Young, C.-W.; Younger, F.-L.

1914-1918
LE MONUMENT AUX BRAVES DE NORTH HATLEY

À North Hatley, au « Memorial Park », vis-à-vis le bureau de poste

1914-1918. IN HONOUR OF THE MEN OF NORTH HATLEY WHO SERVED IN THE GREAT WAR: HAMILTON F. ARMSTRONG U.S., T. GARDNER ASPINWALL U.S., HENRY M. ATKINSON JR. U.S., CYRIL G. BALLIN U.S., HAROLD R. BALLIN U.S., ERNEST W. BAMPING, ALFRED BEACH, ADELBERT BEAN, CHARLES W. BENNETT, FRED A. BENNETT, OCTAVE BLAKE U.S., HENRY BRECKENRIDGE T.S., LUCIEN BRECKENRIDGE U.S., R.A. BROCK, FRANK DAVES BROWN U.S., CHARLES D.F. BRUNE U.S., EMMONS BRYANT U.S., ERVINE L. BURNS, ANDREW L. GINNAMON, FARL H. GINNAMON, CHARLES S. CLARK, HUMPREY COBB, ELI CODELAND, DONALD DICK, JACKSON P. DICK U.S., WILLIAM DICK, ALBERT B.C. DOOLEY, ARTHUR N. DUTTON, CHARLES J. EDGAR, CLIFFORD E. FORCE, WILLIAM J. GAGNON, REGINAL CALLACHER, GEORGE GARDNER, AMBROSE GORDON U.S., FRANK COSNELL JR. U.S., H. ALLAN COSNELL U.S., DALBY M. GRAINGER, A.E. WILSON HARRISON U.S., CHARLE A. HAWES, JAMES HOPKINS, KENNETT HUSBAND, WILLIAM HUSBAND, HERBERT JACQUES JR. U.S., JAMES JARDINE, H. HOLMAN KETCHAM U.S., JOHN B. KETCHAM U.S., SIMON R. KEZAR, WILFRID J. KEZAR, OSCAR M. KILBY U.S., ADELBERT LEBARON, GRANT A. LEBARON, JOSEPH A. LEDUC, JOHN G. LIVINGSTON U.S., GORDON LOCKWOOD, PATRICK LYNCH, ARNOLD G. MAYO, ASHLEY W. MAYO, GLIFFORD W. MAYO, ALBERT MATTHEW, HARRY B. MOSS, HERBERT A. McCREA, A. LEE McKAY, JOHN R. McKAY, ROBERT MCVITTIE, THOMAS C. PARKER, E. WILLING PETERS U.S., THOMAS PHILLIPS, SHERWOOD PICKING U.S., JAMES R. POND, HARFORD W. H. POWEL U.S., HOWARD H. POWEL U.S., CHILTON L. POWEL U.S., PAUL R. POWELL U.S., WARREN A. RANSOM, JAMES S. ROBERTSON, HARRY ROBINSON, ARTHUR E. SÉGUIN, AUGUSTUS SÉGUIN, J. ADOLPHE SÉGUIN, APLPHONSE SICARD, FRED SPRIGINGS, T. ELLIS STEBBINS U.S., E. VAIL STEBBINS U.S., SYDNEY M. TAYLER, CLINTON E. WOODARD, ANDREW WYLIE U.S., ALTON YOUNG, CLARENCE F. YOUNG.

YPRES, VIMY, SOMME, MONS.

I.P.

1914-1918
LE MONUMENT AUX BRAVES

À RICHMOND, rue du Collège, à l'angle de la rue Carpenter

1914-1918

IN PROUD AND LOVING MEMORY OF OUR COMRADES WHO GAVE THEIR LIVES IN THE GREAT WAR

GEORGE F. BELFORD; R. MELBOURNE BROWN; J.B. BOUCHER; OMER J. BEAUREGARD; THOMAS E. BIRCHFIELD; HUBERT BROOKS; WILFRID CROWE; JOHN CARPENTER; WILFRID CROOK; ERNEST M. DELANEY; FREDERICK H. DOHERTY; MAURICE H. GILCHRIST; SYDNAY JACKSON; WILLIAM H. LAROCHE; DESPHIS LAMPRON; WILLIAM McKENZIE; JOHN McLEOD; GEORGE F. MOORE; ROY F. MONAHAN; WILLIAM L. NELSON; JOHN NEWSOME; CARLETON T. POPE; J. DOUGLAS SELLAR; CLARENCE S. SMITH; D.T.G. STREET; WILLIAM TURNER; HORACE WHITE; WILLIAM E. WARD; THEODORE WEBB; CLEMENT J. WILCOX; W.F. WHITEHOUSE; GEORGE H. WILSON; ALFRED WOODS.

THIS TABLET IS ERECTED BY THE WOMAN'S AUXILIARY
AND THE GREAT WAR VETERANS

I.P.

1914-1918

LE MONUMENT AUX BRAVES DE RICHMOND

À Richmond, au parc à l'angle des rues Principale S. et Craig

ERECTED BY THE UNITED MUNICIPALITIES OF THE TOWNSHIPS OF CLEVELAND AND MELBOURNE AND THE VILLAGES OF MELBOURNE, KINGSBURY AND NEW ROCKLAND AND THE TOWN OF RICHMOND IN PROUD AND LOVING MEMORY OF THOSE WHO FELL IN THE GREAT WAR 1914-1918.

THEY «SAVED OUR HERITAGE AND CAST THEIR OWN AWAY»

MORTS SUR LE CHAMP D'HONNEUR.

MONS. VALENCIENNES. COURCELETTE. ARRAS. AMIENS. CAMBRAY. FERTUBERT. GIVENCHY. THE SOMME. LENS. PASSCHENDAEL. YPRES. VIMY RIDGE. BOURLON WOOD. HILL 70. ST. JULIEN. SANDUARY WOOD. QUEANT. DROCOURT.

RICHMOND : M. GILCHRIST, W.H. LAROCHE, THOMPSON, J.D. SELLAR, J. McLEOD, G.F. MOORE, W. CROWE, A. WOODS, T.C. WEBB, S. JACKSON, E.M. DELANEY, J.B. BOUCHER, F.G. HASTINGS, J. NEWSOME, R.M. BROWN, W.E. CROOK, C.P. POPE, W.E. WARD, G.P. S.J. BELFORD.

CLEVELAND : E. HOULE, E. MARTIN, H.H. WRIGHT, P.T.J. STREET, W.W. HAMM, E. DIBLEY, D. LAMPRON, R.F. MONAHAN, J. CARPENTER.

MELBOURNE : W.C. SUTHERLAND, W.H.O. TURNER, C.J. WILCOX, H. WHITE, C.S. SMITH, W.L. NELSON, W. McKENZIE, T.E. BIRCHFIELD, H.J. VICAT, C.W. WHITEHOUSE, G.L.H. WILSON, I.F. McGAIG, C.H. PRATT, F. BURTON, H.O. BROOKS, F.A. DOHERTY, O.J. BEAUREGARD, F.H. VICAT.

GEO. W. HILL, sculpteur.

I.P.

1914-1918

LE MONUMENT AUX BRAVES DE ULVERTON

À Ulverton, au centre du village, vis-à-vis l'église en brique datant de 1866

THEY FOUGHT FOR FREEDOM AND HONOUR. ROLL OF HONOUR 1914-1918
KILLED IN ACTION

LIEUT. B. TRENHOLME REED; CORP. HAROLD W. BORLAND; PRIVATE WILLIS E. ADCOCK; PRIVATE JOHN A. ARMSTRONG; PRIVATE ALFRED C. JONSTON; PRIVATE HAROLD W. LYSTER; PRIVATE GEORGE W. MARTIN; PRIVATE LAURIE M. MILLER; PRIVATE P. WILLIAM PERRIN; PRIVATE CYRIL W. ROGERS; PRIVATE WALTER YOUNG.

ALSO SERVED OVERSEAS

MAJOR W.R. STEVENS; LIEUT. MICHAEL L. BRADY, M.C.; LIEUT. HORACE LYSTER, M.C.; FLIGHT LIEUT. HOWARD RICK; CORP. C. HENRY BAILEY; LANCE CORP. CHRISTOPHER H. HALL; PRIVATE ELLIS DOYLE; PRIVATE WILLIAM C. FRASER; PRIVATE GEORGE M. GRAHAM; PRIVATE MARCOUS N.D. HUSK; PRIVATE SYDNEY KEMP; PRIVATE GEORGE L. MARTIN; PRIVATE JOHN R. MASSEY; PRIVATE HAROLD POND; PRIVATE H. STEVENS PYE; PRIVATE EDWARD A. RICK; NURSING SISTER M.A. MITCHELL.

I.P.

1914-1918
LE MONUMENT AUX BRAVES DE KNOWLTON

À Lac Brome (Knowlton), rue Victoria, à l'angle de la rue Davignon (dans le parterre de Knowlton Academy)

1914-1919. THIS TRIBUTE IS DEDICATED TO THE SONS OF THE COUNTY OF BROME WHO SO GLORIOUSLY LAID DOWN THEIR LIVES IN THE GREAT WAR. ERECTED WITH GRATEFUL HEARTS BY THEIR FELLOW CITIZENS.

IN MEMORIAM

TOM BIRCHFIELD; GARDNER BOOTH; MYRON BROWN; REGINALD BROWN; WILLIAM BRERETON; GLEN C. COAPLAND; GORDON H. CROWELL; GORDON COOK; JAMES CUNNINGHAM; EDWARD CLARK; SAM. COOK; RUSSELL S. DEULE; ROYCE C. DYER; C. EDWARD DYER; JOHN DALTON; EDWARD L. ELAND; FRANK FERLAND; GORDON FULLER; ALEXANDER S. FULLER; DAVID FRASER; GEORGE GILMAN; WILLIAM GUIRVAN; ALBERT HAPGOOD; FREDERICK HUGHES; JOS. HALL; PERCY HARDEN; WILLIAM HUNT; MAXWELL HORTON; ARTHUR INGALLS; PERCY JOHNSON; WILLIAM KING; WILLIAM MILLER.

IN MEMORIAM

NORMAN M. MACDONALD; COLIN C. MACDONALD; SYDNEY G. MENARD; STANLEY MOREHOUSE; E. CARL MILLER; HUGH McHAFFIE; HERBERT NIXON; JOHN NUTTING; GEORGE W. PEDRICK; MARC A. PRATT; VICTOR PREMONT; JERRY C. PETTES; ALBERT PULFORD; ALFRED REED; LAWRENCE B. ROGERS; HAROLD E. RALSTON; WILLIAM STANISTREET; ERNEST SPENCER; FRANK SMITH; MAYLAND SANBORN; OSCAR SANBORN; ALVA SHEPPARD; LELAND S. WESTOVER; GEORGE WESTOVER; GEORGE WHITFORD; FRANK E. YOUNG; ROBERT WHERRY; VALDEMAR WEST; HERBERT H. WILLIAMS; THOMAS WILSON.

I.P.

1914-1918
LE MONUMENT AUX BRAVES
À Magog, en face du no 382, rue Principale

THEIR GLORY SHAIL NEVER FADE. IN MEMORIUM OUR BOYS 1914-18.

NOS FILS. LEUR GLOIRE DEMEURERA.

FOR KING AND COUNTRY. POUR LE ROI ET LA PATRIE.

1914-1918. YPRES. SOMME. VIMY. RIDGE. PASCHENDRELE. CAMBRAI. MONS. THEY SERVED. ILS ONT SERVI.

H. ALDRICH; W.P. ADAMS; M.E. ADAMS; J. ALLAN; AUDET; M. AUDET; T. BAXTER; H. BOOTH; S.C. BACHELDER; E. BATES; F.E. BAKER; W.W. BAIRD; R.H. BEAN; C. BENOIT; G. BOUTIN; W.M. BROWLEY; A. BROWLEY; J. BROWLEY; V.W. BUZZELL; K.A. BURBANK; G. BURBANK; J.W. BROADBENT; J.R. BETTINGTON; W.F. BEATTIE; M.F. BULLARD; E.W. BRACEY; A. BOUCHER; A. BERGERON; W.N. BROOKHOUSE; O. BOUSQUET; C. BYERS; E. BISSONNETTE; V. BISSONNETTE; D. COURTEMANCHE; H. COX; R. CHALK; O. CAYA; E. CARTER; E. CARTER JR.; E. CARTER; J. CARTER; A. CLAVELL; C.A. CLAVELL; C.R. CLAVELL; R. CREVIER; A. CLEMENT; J.A. CLEMENT; A.C. CUNNINGHAM; J. COHRANE; P. COMMING; E. COLT; P.C. CLARK; W.W. CHAMBERLAIN; E. DARCY; F. DUCHARME; A.J. DESMARAIS; J. DULPITIN; W. FOTHERGILL; D. FONTAINE; F. FORTIER; C.F. FRANKLIN; H. FRANKLIN; W.K. FOSS; A. FULLER; A. FORTIER; C. FREUDEMANCHER; J. GOULDING; E. GOULDING; R. GOYETTE; M.J. GOYETTE; J.P. GRAVEL; H. GRAVEL; E.O. GRAVEL; ART. GINGRAS; A. GINGRAS; T.E. GAUNT; A. GOSSELIN; C. COUETTE; C. GOULET; A. HINDLE; H. E. HAWLEY; C. HARDREAVES; W. HARWOOD; A. HERBERT; S. HERBERT; C.R. HULME; J. HOPKING; K. D'O. HUSBAND; R. HOPPS; E. HUMPARLY; A.D. JOHNSTONS; H. JOLLEY; S.J. JOLLEY; J. JERMY; A. JERMY; A.P. JENNER; C.N. JONES; J.F. KING; W. KING; E.F.H. KING; E. KINGSLAND; W. KENNEDY; L.N. KEET; O. LEDOUX; J. LÉPINE; F. LARAMÉE; C. LANGLOIS; F. LANGLOIS; J. LEVICK; A. LEVICK; J.A. LÉPINE; A.W. LAREAU; J.A. LABRECQUE; W. LEMELIN; A. LAFONTAINE; L.S. LÉPINE; W. LAURIE; A. LAROCHE; E. LACHAPELLE; S. McFADDER; C. McDONALD; P. McALLISTER; A.C. McKENNA; C.C. McPHERSON; J. McINNIS; J.C. MANNING; G.E. MANNING; C. MANNING; J. MITCHELL; T.A. MITCHELL; R.M. MITCHELL; W. MARTIN; F. MORGAN; F. MARKS; R. MARKS; R. MOORE; J. MOORE; P. MARTINEAU; C. NADEN; P.F. NEEDHAM; F.W. PROWSE; J. PIPER; F. PROSPEPE; POIRIER; E.C.C. PENNY; E. PRICE; P.O. PERRIER; E.C. PROBYN; E.N. RACINE; V. ROBINSON; E.A. ROBINSON; A.C. ROBINSON; P. ROBINSON; A. ROUTLEDGE; A. REMBER; C. ROACH; C. RAYMOND; L. ROLLINS; C. E. RENAUD; A. ROY; J. SMITH; P. SÉVIGNY; R. STOCK; S.L. STONE; R.T. STOCK; W.E. SHEDRICK; M. SAVOIS; F. STANLEY; C. STYAN; H. SANDELL; C. SANDELL; B. SHONYO; A.L. SILVERSTER; C. SHAW C.G. SAMSON; R. SHELDON; J. TURTON; S. TURTON; C. THOMPSON; N. TURCOTTE; L.E. TARRANT; L. W.H. TERRANT; J. VENNE; C.C. VAUCHAN; W. WILLIAMSON; W.H. WHITE; C.E. WHITE; J.R. WILCOX; C. WILCOX; H. WELLS; L.W. WHITEHEAL.

1914-1918

LE MONUMENT AUX BRAVES

À Bedford, à l'angle des rues Principale et Du Pont

1914-1918

IN MEMORY — À LA MÉMOIRE

A. TÉTREAULT, C. BOUCHARD, H. BROCHUS, E. CRISLEY, W.N. MILLER, H. HÉNAULT, L.E. SMITH, F.E. ARÈS, E.A. CAILLAGHAM, V.J. ROBERTS. THEY BRAVERLY LAID DOWN THEIR LIVES FOR THE CAUSE OF THEIR COUNTRY. THEIR NAMES WILL EVER REMAIN FRESH IN THE HEARTS OF THEIR FRIENDS AND COMRADES.

IN MEMORY OF

DOUGLAS E. CEREY, MELVIN W. HARRISON, RENALD W. KILLING, CAMERON F. McCAW, DARWIN E. PROCTOR, C. JOHN P. RAMSEY, WALTER F. SHAPPARD, ARTHUR R. VEYSEY — 1939-1945.

ÉRIGÉ PAR LES CITOYENS DE BEDFORD AVEC L'AIDE DU CERCLE DE TRICOT, EN L'HONNEUR DE SES FILS QUI ONT SERVI L'EMPIRE.

ERECTED BY THE CITIZENS OF BEDFORD THROUGH THE EFFORTS OF THE KNITTING CLUB, IN HONOR OF THE BOYS WHO SERVED THE EMPIRE.

I.P.

(suite de la page 182)

NURSING SISTERS

J. COLBURN; E. CUMMINGS; E. FOTHEROILL, L. MOORE, W. WHITEHEAD

E. BATES, H. WILLS, A. JERNY, C. NADEN, J.F. KING, H. COX, J.H. WHITE, E.P.F. KING, C.M. JONES, P.C. CLARK, L.N. KEET, A. ROY, L.W.H. TARRANT, M.L. WHITEHEAD, W.E. SHEDRICK, K. D'O. HUSBAND, P.O. PERRIER, A. GOSSELIN, N. TURCOTTE, J. DEOPHIN.

S.L. STONE, A. FORTIER, J. HOPKINS, E. LARAMÉE, H.E. HOWLEY, F.W. PROWSE, W. SANDELL, A. HINDLE, A. FULLER, L.A. ROLLINS, C. SANDELL, C.Ç. SANSON, M.F. BULLARD, P. MARTINEAU, C.F. FRANKLIN, A.L. SILVESTER, W.M. BROWLEY, A. ROUTLEDGE, E.G.G. PENNY, J.A.L. LÉPINE.

1939-1945

N.S. BALL, B.G.H.R. BEAN, L.A.J. BEAUDOIN, W.H.L. BELLINGHAM, C.R. BUTTERS, R.E.M. CONNOR, W.K. DINGMAN, W.H.J. DROUIN, P.J. FENSOME, C.A. FLANDERS, L.A. GENDRON, C.C. HOPPS.

P. HYDE, B.J.G. JEAN, R. LADOUCEUR, H.C.T. LEGAULT, J. MASSEY, R.E.J. MÉTIVIER, V.M.J. MEUNIER: A. POTT, C.P. RICHARD, A.R. TULK, W.E. TULK, W.L. TURNER.

GEO. W. HILL, sculpteur

I.P.

1914-1918
LE MONUMENT AUX BRAVES

À Coaticook, rue Adams, à l'angle de la rue Child

1914-1918. TO HONOUR THE MEMORY OF OUR HEROES WHO MADE THE SUPREME SACRIFICE IN THE GREAT WAR FOR FREEDOM. BLAKEMAN, PRIVATE R., BISHOP, PRIVATE WALTER, BROWN, PRIVATE BYRON R., DUPONT, PRIVATE JAMES, FOREST, GUNNER HENRY, FACTEAU, PRIVATE A., FARLEY, PRIVATE HOWARD, HALL, GUNNER FRANCIS C., LAVOIE, LIEUT. LOUIS, LEADBEATER, PRIVATE C., LADD, PRIVATE WILBUR, McHARC, LIEUT. LORNE, NORFOLK, LIEUT. ERNEST, STEVENS, SERGT. A.E., ST-PIERRE, SERGT. ARTHUR, VINCENT, PRIVATE O., WALKER, PRIVATE HENRY. «GREATER LOVE HATH NO MAN THAN THIS THAT MAN LAY DOWN HIS LIFE FOR HIS FRIENDS» AND IN RECOGNITION OF THE VALOUR AND DEVOTION OF THOSE WHO SERVED. AINCER, CADET FRED. ANDREWS, GUNNER. T.H., ANDREWS, PRIVATE H.C. AVERY. GUNNER WILKEN, ANDREWS, PRIVATE CLAUDE, ARMITAGE, PRIVATE FRED, AVERY, BOMER. ARTHUR E., ARMITAGE, PRIVATE CHAS H., ALLEN, PRIVATE J.N., ANDREWS, SERGT. J.H., BARON, SERGT. T., BINETTE, SAPPER LOUIS, BALDWIN, GUNNER P.T., BAGLEY, PRIVATE GEORGE, BALDWIN, GUNNER ALLAN, BURROUGHS, SAPPER H.L., BAGLEY, DVR. FRANK, BOURUE, CAPORAL CHAS, BUCKLAND, GUNNER A.J., CLOWRAY, CORPORAL FRS, COUTURE, PRIVATE ALPH., CHESLEY, PRIVATE L., CHAMPAGNE, PRIVATE ALPH., CYR, PRIVATE PHILIPPE, CHARTIER, SAPPER ROLAND, CARON, SAPPER ALCIDE, CAIRNIE, SIGNALLER GORDON, CARRIER, GUNNER A., DUPONT, PRIVATE J.S. WM., DEVOST, PRIVATE LEANDRE, DAMPIER, PRIVATE R., DOUGHERTY, PRIVATE R.C. DAVIES, GUNNER J. HUGH, DAVIES, PRIVATE J. EARL, DAMOUR, PRIVATE LOUIS, DALTON, PRIVATE THOS., DUBE, PRIVATE J., ELLIOTT, CORP. J.H. DUPUIS, CORP. O.

NALETTE, DVR. HENRY C., OLIVIER, PRIVATE C.L., OLIVIER, PRIVATE J., PARSONS, PRIVATE, PERRAULT, PRIVATE E.D., PERREAULT, PRIVATE E.M., PHIPPS, PRIVATE GEO., PASHLEY, PRIVATE JOHN, PAQUETTE, LIEUT. E., PAQUETTE, PRIVATE ARTHUR, PETIT, PRIVATE ALBERT, PELLETIER, PRIVATE A., PHIPPS, SERGT. WM. A., ROUSSEAU, PRIVATE J.H., ROBINSON, PRIVATE R., RAYNER, PRIVATE JOHN, SPARKS, SERGT. ALEX, SNOW, LIEUT. HOWARD, SISCO, SIGNALLER ARCHIE, SAGE, PRIVATE L. SULLIVAN, PRIVATE M.H. SULLIVAN PRIVATE L., SMITH, PRIVATE M.H., SMITH SIGNALLER B.B., SUTTON, PRIVATE EARL P. SULLIVAN, PRIVATE E., SPARKS, GUNNER H., SAUCIER, PRIVATE ERNEST, THOMPSON, CAPT. A.E., THOMPSON, LIEUT. N.A. THOMAS, PRIVATE GEO.,, TYLER, PRIVATE FRED., THENHOLME, LIEUT. R., THERRIEN, PRIVATE JOSAPHAT, WEBSTER, PRIVATE O.G.G., WEBSTER, BDR. TURNER, WILKINSON, GUNNER W.L., WOODMAN, SERGT. M.A., O'KEEFE, PRIVATE J.

EMTAGE, BDR. G.N., FOREST, PRIVATE J.J., FARNSWORTH, LIEUT. R.H., FLANDERS, GUNNER PHELIP, FEWTREEL, PRIVATE J., GARCEAU, PRIVATE THEO., GREEN, PRIVATE H.G.W., GREEN, PRIVATE C.G.F., GRANTHAM, PRIVATE ALEX, GRÉGOIRE, PRIVATE ARMAND, HANSON, MAJOR A.C., HENDERSON, PRIVATE G., HEATH, PRIVATE J.S., HUDSON, PRIVATE J., HOWITT, GUNNER HAROLD, HOULE, PRIVATE ALFRED, HANSON, PRIVATE JOHN HADDON, PRIVATE A., JENKS, LIEUT. A.N., TOHANN, GUNNER GEORGE, KENNEDY, PRIVATE J., KELLEY, PRIVATE J., KEENAN, PRIVATE H.L., LAVOIE, CORPORAL HENRI, LAVOIE, PRIVATE EMILE, LEONARD, PRIVATE FRED, LOVELL, LIEUT. HENRY P., LAPOINTE, SERGT. HILLAR, L'HEUREUX, PRIVATE A., LAVOIE, SERGT. W.J., McCUTCHEAN, LIEUT. M.A., McKEE, PRIVATE CHAS., McKOY, SERGT. A.T., McLEAN, PRIVATE PERCY, McNAMARA, PRIVATE J.M. NUNNS, PRIVATE GEO. S. HAMMOND, PRIVATE A., McCUTCHEON, LT. PARIS. ERECTED BY THE RED CROSS SOCIETY OF COATICOOK.

1914-1918 ET 1939-1945
LE MONUMENT AUX BRAVES

À Farnham, vis-à-vis l'hôtel de ville de Farnham

1939-1945

MORTS AU CHAMP D'HONNEUR — KILLED IN ACTION

BARON, GÉRARD; CLARK, KEITH; CLARK, JAMES; DESLAURIERS, JACQUES; DYNES, FREDERICK; LALANNE, ALPHONSE; LEQUIN, RAYMOND; PATCH, RONALD; PELLETIER, LIONEL; POLLENDER, MAURICE; PORTER, HARRY; RUEL, RENÉ; STEVENS, ANDREW.

CYPRES, ST-JULIEN, MONS, 1914-1918, ARRAS, COTE 70 VIMY

MORTS AU CHAMP D'HONNEUR — KILLED IN ACTION

P. AUCLAIR, W. AUDETTE, J.J. ALLAN, J. ALLAN, W. ASHFIELD, L.A. AUDETTE, F. BROWN, P. BELL, W.D. BROSSEAU, L. BORICHT, F. BEATON, C. BROWN, A. BIRCH, H. BOUDREAU, LS. A. BERTHIAUME, R. BÉDARD, E.A. BOISVERT, H. BOYLE, N. COUSINS, GEO. CANNON, G. CROSS, P.E. COMEAU, E. CARDINAL, ART. CHAMPAGNE, A. CÔTÉ, H.H. CLARY, J.W. DESNOYERS, L. DARTOIS, GOE. DREW, T. DORMAN, H. DAUDELIN, C. DESMARAIS, L.P. LEDUC, J.L. FULLER, H.A. FULLER, D. FAVREAU, A. GIRARD, A. GINGRAS, O. GUERTIN, G. HESSE, A. HESSE, F. HOLDON, A. HÉBERT, N. HINES, F.H. ENRICHOM, W.S. JONES, A. JARRY, R. JOHNSTON, S. KIDD, A. KIDD, H. KAVANACH, W. KILLOCK, C. CRIST, P.E. COUILLARD, R. D'ARTOIS, P. FONTAINE, S. HESSE, H. MERCURE, O. POUDRETTE, J. WILKINS, E. GRANGER, J. KAVANACH, D. KAVANACH, T.H. KILLETT, J. LAPORTE, H. LAJOIE, F. LIFFTON, F. LANDERS, L. LASNIER, R. LANDRY, H. LEQUIN, A.A. MARCHESSAULT, GEO MUSTILL, J. MCGUIRE, GOE McPHERSON, D. McPHERSON, W. MAY, E. MÉNARD, J. MARCHAND, C.R. O'HARA, JOS. O'HARA, A. PHANEUF, L. POPE, A. PORVIN, P.J. PEABUDY, G. POUDRETTE, D.P. PATTERSON, E. PAQUETTE, A. RACICOT, CHS RUSSELL, SR, CHS RUSSELL, JR, GEO RIVARD, LUP. ROBERT, ALB. ROBINSON, F. RODDICK, L. STARKE, J.B. SMITH, S. SCOTT, C. SHOFELT, Dr M. SLACK, C. SAVAGE, O. STENSON, A. ST-AMANT, R. STURGEON, MISS T. SLACK, NURSE, L. ST G. WILKINS, B.L. WILLIAMS, J.B. WILLIAMS, C. WILBY, H. WALKER, A.T. WATSON, E. ZAICE.

LES CITOYENS DE LA VILLE DE FARNHAM
CITIZENS OF THE TOWN OF FARNHAM

I.P.

1914-1918 ET 1939-1945
LE MONUMENT AUX BRAVES

À Rock Island, rue Main (Dufferin Rd), à l'angle de la rue Willow-Lane

1914-1918 — 1939-1945

I. P.

La municipalité du village de Rock Island a été érigée le 19 mars 1892. Elle porte ce nom parce qu'elle est bâtie sur un roc.

Elle s'appelait auparavant Beebe-Plain, en souvenir de David et de Calvin Beebe, ses premiers colons. Elle avait été incorporée sous ce nom le 19 janvier 1873.

La paroisse Notre-Dame-de-la-Merci de Rock-Island fut érigée canoniquement le 14 avril 1916, et civilement le 15 août 1916.

Elle fut détachée de la paroisse du Sacré-Cœur-de-Jésus.

Ses registres s'ouvrirent en 1916.

1914-1918 ET 1939-1945
LE MONUMENT AUX BRAVES

À Cookshire, au no 85, rue Principale ouest

IN MEMORY OF THE MEN OF COOKSHIRE WHO FELL IN THE GREAT WAR 1914-1918.

PTE NORMAN E. PLANCHE 1915, PTE GEORGE V.B. SAYERS 1915, PTE FELIX CASTONGUAY 1916, PTE GERALD E.D. WILKINSON 1916, PTE HAROLD A. WRIGHT 1916, SGT. HAROLD KERR 1917, CPL. THEODORE SEALE 1917, PTE WILBERT T. SEALE 1917, SGT. ALPHONSE THERRIEN 1917, SGT. ALPHONSE THERRIEN 1917, PTE WILBERT VERNE, L. BARTHOLOMEW 1918, LT. C. GORDON LABEREE 1918, GNR. HUCH C. LACKEN 1918 DIED IN CANADA, PTE J.A. DUMONT 1919.

GREAT WAR 1914-1918. PTE T. BARWIS BAILEY DIED FROM WAR SERVICE 1931. PTE B. COOK, SGT. A.W. BUCKLAND.

GREAT WAR 1914-1918. DIED IN CANADA: MAJOR REVEREND A.W. BUCKLAND, V.D. 1932, NURSING SISTER LAURA M. TERRILL 1937, LT. CLIFFORD C. PLANCHE 1938, LT. COL. T.O. FARNSWORTH, V.D.

YPRES — VIMY — CAMBRAI — LANGEMARCK — PASSCHENDALE — ITALY — HONG-KONG — NORTH-WEST — TERN-EUROPE.

1939-1945. TO THE MEMORY OF THOSE WHO GAVE THEIR LIVES IN WORLD WAR II. EN MÉMOIRE DES SOLDATS MORTS À LA DEUXIÈME GUERRE: CPL. DALE BATES, LT. COL. PL. ANTONIO BEAUDOIN, SGT. GRANT CAMERON, W.A.G. SGT. MAXELL DRENNAN, W.A.G. SGT. DOUGLAS DRENNAN, PTE VICTOR DROUIN, PTE HARVEY FRENCH, PTE LEO GIROUX, L.A.C. MILTON KIRKBY, SGT. WILLIAM POPE, SGT. COLIN POPE, LT. RUFUS POPE, RFM. HENRY SALTER, GDM. GARFIELD STEVENSON, LT. RAYMOND TULK, LT. WALDO TULK, P.O. HAROLD WOOTEEN.

ERECTED BY THE CITIZENS OF COOKSHIRE.

1914. COOKSHIRE AND VICINITY. 1918: CAPT. H.L. CLAVELAND, CNR. LEON DESRUISSEAUX, PTE NEWTON STEVENSON, PTE T.J. STEVENSON, PTE THOMAS BURTON, PTE PAULO DUBÉ, S. SGT. C.B. SAWER, PTE WALTER DUBÉ, CPL. WILFRID DUMAS, CPL. ROBERT HARBINSON, PTE OVILA DUMONT, PTE A. LECUYER, CPL. JOHN MacINALLY, PTE JOS POMERLEAU, SGT. H.B. WOOLLEY, PTE THOSWYATT, GNR. TOM RIGLAR, N.S. MARGARET LEARNED, N.S. LOUISE MacKIE, PTE RANFORD MORROW, LT. STUART PLANCHE, CPT. J.H. POPE, SGT. J.A. MURRAY, PTE JOHN A. WILLIAMS, SPR. NORMAN HEWMING, SPR. WM. HUSBANDS, PTE W.A. MARTIN, CAPT. ROBERT CAMERON, CAPT. ROBERT BARTHALOMEW, PTE GEORGE McKEE, SGT. WM. WARREN, C. PO. GEORGE COURT, LT. COL. MUIR HEAD, PTE ARTHUR NEWPORT, LT. HORACE CHADDOCK, SPR. WM. WAITING, CPL. T.H. KIRBY, PTE WM. WHITESIDE, PTE ALDEN WILLIAMS, CPL. BRUCE MILLAR, R.S.M.A.W. DARKER, MAJOR R. M. ELLIOTT, CPL. WALTER MASTERS, PTE WILFRID COOPER, MAJOR HERBERT SCOWEN, PTE ED. HARVEY, PTE GEDEON LEBLANC, PTE LUDGER LECLERC, PTE ALCIDE ROY, PTE J.T. ROY, PTE MORRELL COATES, PTE GEORGE WELLS, SGT. C.H. MacHARDY, SGT. A. ROUSSEAU, C.SM. A.B. McKEAGE, CPL. D.C. BELL, CAPT. HOWARD PLANCHE, PTE GEO GIGUERE.

1914-1918 ET 1939-1945
LE MONUMENT AUX BRAVES

À Beebe, voisin du no 110, rue Main

TO OUR GLORIOUS DEAD
BEEBE MEMORIAL PARK
À NOS MORTS GLORIEUX
WORLD WAR I
1914-1918

THESE WENT AND CAME NOT AGAIN.

PARTIS, ILS NE REVINRENT PAS

EDWARD AULIS, WILLIAM DUNCAN JR, ROBERT C. FELTUS, ALEXANDER GRANT, MILTON HASELTON, ROBERT HASELTON, GEORGE MITCHELL, WINDSOR RACINE, WILLIAM SCROGGIE, HARRY TAYLOR, JOHN THOMPSON, DOUGLAS WEIR.

LEST WE FORGET
GARDONS LEUR SOUVENIR

WORLD WAR II
1939-1945

THESE WENT AND CAME NOT AGAIN
PARTIS, IL NE REVINRENT PAS

GEORGE BELL, CHARLES BRUNET, NIL COLLET, MICHAEL DODSWELL, ANDREW GOSSELIN, HAAKON T. HANSEN, GORDON HAND, ARTHUR J. HENDERSON, JAMES LENEY, ORAL MANN, DOUGLAS Y. McINTOCH, FRED MUNRO, ALTON C. PIERCE, ALBERT K. ROSS, HOLLIS SHELDON, RONALD WEIR.

LEST WE FORGET

GARDONS LEUR SOUVENIR

I.P.

(suite de la page 187)

COOKSHIRE—EATON—NEWPORT. 1939-1945:

SGT. ROLAND BOLDUC, CPL. GERALD DUNSMORE, PTE CANTULE DUBE, CPL. WILLIAM HARLOW, PTE JOS MacKIE, C. SM. ROGER TALBOT F.O. OLIVER TODD, CPL. GERALD LACHANCE, SPR. VERNEL COOK, L.S. RUSSELL KERR, PTE CHARLE SPAUDING, PTE JOS. VOGELL, F.O. ALEX GLEN, CPL. DARRELL BILAM, CPL. ARTHUR BROUSSEAU, TPR. KENNETH FLAMBERS, GNR. HOWARD KIRKBY, CAPT. S.J. BENNETT.

1914-1918 ET 1939-1945

LE MONUMENT AUX BRAVES

À Philipsburg (Missisquoi), rue Montgomery, près de la route no 133

YPRES SOMME VIMY

IN HONOUR OF THOSE OF THIS DISTRICT WHO SERVED WITH THE FORCES AND IN ABIDING MEMORY OF

EN L'HONNEUR DE CEUX DE CE DISTRICT QUI ONT SERVI PENDANT LA GUERRE ET À LA MEMOIRE DE

CAPT. BERTRAM ST-GEORGE — FRENCH
J.W. FLETCHER, RUSSEL DEUEL, ANTONIO RHEAUME
ROSARIO LARIVIERE, ALBERT-EDWARD WELLS
LT. LISLE C. RAMSAY, LT. JAMES W.M. RAMSAY,
FLIGHT LT LANGLEY, F.W. SMITH — D.S.C.R.N.

WHO LAID DOWN THEIR LIVES IN THE SERVICE OF THE EMPIRE AND HER ALLIES

QUI ONT DONNÉ LEUR VIE AU SERVICE DE L'EMPIRE ET DE SES ALLIÉS.

1914-1918

HAEC OLIM MEMINISSE JUVABIT

THIS STONE IS PLACED BY THE PHILIPSBURG BRANCH NO. 82 OF THE CANADIAN LEGION TO COMMEMORATE THOSE OF THIS DISTRICT WHO SERVED IN THE FORCES.

1939-1945

AND IN ABIDING MEMORY OF MELVIN HARRISSON, FRANCIS QUINN, WALTER SHEPPARD, WHO GAVE THEIR LIVE FOR US.

PLAY UP PAY UP

AND PAY THE GAME

I.P.

1914-1918 ET 1939-1945

LE MONUMENT AUX BRAVES

À Bolton Centre, près de l'église anglicane St. Patrick

WORLD WAR I

DEDICATED TO THOSE WHO SERVED FROM BOLTON CENTRE AND SOUTH BOLTON

1914-1918

JOHNSON, P.S.; PAIGE, E.T.; BRACEY, E.W.; FULLER, A.S.; NEALE, J.L.; WINDLE, S.; THOMAS, L.; McGILL, C.J.; SNOW, H.; JOHNSON, R.J.; MOONEY, F.; HUGUES, W.J.; FULLER, L.H.; WHITEHEAD, F.E.; BRACEY, P.R.

WORLD WAR II

DEDICATED TO THOSE WHO SERVED FROM BOLTON CENTRE AND SOUTH BOLTON

1939-1945

ASHEW, T.; PEASLEY, N.A.; PEASLEY, L.D.; PEASLEY, G.R.; NEALE, J.L.; BARNES, G.E.; BARNES, J.S.; COUSENS, J.A.; GEORGE, L.H.; GEORGE, A.G.; McGILL, P.J.; McGILL, L.K.; McGILL, A.R.; McGILL, C.J.; McGILL, W.A.; TRUE, G.B.; TRUE, R.G.; FULLER, G.V.; DAVIS, L.A.; WILLEY, W.J.; WILLEY, A.F. Miss; MITCHELL, T.; ROYEA, R.H.; ROYEA, M.M. Miss; PATCH, J.D.; ALDRIDGE, D.W.; COX, J.; BRACEY, F.E.; McGILL, V.J.; COUPER, L.; BRACEY, W.C.; HEVEY, A.L.; COUSENS, H. Padre; MANUEL, J.W.; FLANAGAN, D.; PATCH, F.E.

HONOR ROLL

1914-1918

JOHNSON, PERCY S. FULLER, ALEX SMART, WHITEHEAD, FRANK E.

1939-1945

COUSENS, J. ALBERT

1914-1918 ET 1939-1945
LE MONUMENT AUX BRAVES DE HATLEY

À Hatley, vis-à-vis la St-James Church Anglican (érigée en 1828)

SOLDIERS

1914-1918. IN LOVING MEMORY OF THOSE WHO DIED: PTE BENJAMIN HODGES, PTE RAY HODGES, PTE HARRY BROWN, LIEUT. JED. POPE, L. CORP. ALBERT SCHUH, PTE WALTER WALKER.

IN HONOUR OF THOSE WHO DARING TO DIE YET LIVE: LIEUT. IRVING WHITCOMB, CORP. CARL SCHUH, PTE EPHRAIM HODGES, PTE CARROLL HODGES, PTE EDWARD KERR, PTE RICHARD WEST, PTE JOHN WILLIAMS, PTE EDWARD RICHARDSON, PTE ERNEST RICHARDSON, PTE RILEY BOWEN, PTE HORACE WAINWRIGHT, PTE REGGIE JENNINGS, SGT. GEO. MACDONALD, PTE ASHLEY LEBARON, PTE CHAS. WHITEHOUSE, PTE JAS. HILEY, PTE HARRY EMO, PTE JAS. SADDLER, PTE WALTER RAYNOLDS, PTE CHAS. BODKER, PTE GEO. WADDINGTON, PTE FRANK BUXTON, SPR. WM. WOODMAN, SPR. ARTHUR McCLARY, PTE MELVIN WALKER ERECTED IN 1923.

1939-1945. IN LOVING MEMORY OF THOSE WHO DIED: CLARK, JACK. RIDE, LLOYD.

IN HONOR OF THOSE WHO DARING TO DIE YET LIVE: ASHMAN, JOHN. ALEXANDER, W. LEE. BENOIT, DENZIEL. BOWEN, C.L. BOWEN, EDWARD. BOWEN, JOHN. BOWEN, MARTON. BOWEN, RHODES, BOWEN, THOMAS. BULLING, GEORGE. BYRAN, MALCOLM. CLARK, RUBY. COREY, HAMILTON. COREY, HAROLD. CUTLER, ALBERT. DAVIDSON, EDWARD. DREW, GERALD. GILL, ALBERT. HAINES, IRVING. HAINES, JOYCE. HALL, ARTHUR. HARTWELL, LORA. HODGES, WAYNE. HODGSON, JOHN L. HUMPREY, HOWARD. HYATT, RALPH. KENNEDY, JAMES. LADD, JOHN. MARSHALL, MATTHEW. MOULTON, A.W. MOULTON, CHAS. MOULTON, KENNETH. MOULTON, MORRIS. OAKER, SYDNEY. PARKER, MURDO. PELLERIN, ROGER. PICKFORD, JOHN. PIDDICK, WILLIAM. POIRIER, PAUL. REYNOLDS, WALTER. RICHARDS, GEORGE. RIDE, WILLIAM. ROSS, THOMAS. SADDLER, JAMES. SADDLER, WILLIAM. TAYLOR, MALCOLM. TAYLOR, RONALD. THWAITES, DOUBLAS. THWAITES, MILTON. TOWNSEND, JAMES. VAUGHAN, ROBERT. WAINWRIGHT, HORACE. WASHBURN, C. WESTBROOK, JOHN. WHITE, ROBERT. WALKER, MELVIN. YOUNG, CLINTON. YOUNG, DAVID. ERECTED 1947.

I.P.

1914-1918 ET 1939-1945

LE MONUMENT AUX BRAVES DE DANVILLE

À Danville, au no 11, rue Grove

WE LIE DEAD IN MANY LANDS SO THAT YOU MAY LIVE IN PEACE. 1914-1918. NOUS REPOSONS SOUS D'AUTRES CIEUX AFIN QUE VOUS PUISSIEZ VIVRE EN PAIX.

YPRES. FESTUBERT. COURCELETTE. VIMY RIDGE. HILL 70. PASSACHANDAELE. CAMBRAI. ARRAS. VALENCIENNES. MONS.

IN MEMORIAM LUCIEN BELANGER, OCTAVE BERGERON, HENRI BOSSE, PERCY BOURNER, ERNEST S. BURBANK, JOSEPH BRUNEAU, ELMER L. CLEVELAND, J.-OVILA COUTURE, RAOUL A. DARCHE, PHILIPPE FRECHETTE, J. MELVILLE GREENSHIELD, WILLIAM HILL, ALFRED LACROIX, JOSEPH LACROIX, DONAT LACOURSE, ADOLPHE LAMPRON, ALEXIS LEBEAU, D. WALLACE LEVINGTONE, HUBERT F. LACHWOOD.

STANLEY J. MASTINE, ROYS MONAHAN, DONALD D. MACDONALD, HAROLD MACDONALD, DONALD A. MACLOAD, ROBERT McCORD, GEORGE F. MOORE, G. KENNETH MURRAY, JAMES T. NUTTING. MARSCHALL R. PERKINS, FRANK SAFFIN, FELIX SENECHAL, ALBERT E. SMITH, JAMES H. STEVENSON, HOWARD S. STOCKWELL, JOSEPH ST-PIERRE, EDWARD THOMPSON, RALPH H. THORPE, OSCAR VAILLANCOURT, HARRY J. WILLIAMS.

1939-1945. WE WILL REMEMBER THEM: ROLAND BOURNER, CONRAD BOURRET, EMMANUEL BLAIS, GORDON W. DOAR, ERWIN EVANS, DOUGLAS GIBBS, HARRY D. GRAY, DOUGLAS HALL, BRUCE J. INGALLS, DONALD MASTINE, GORDON PERKINS, CLARENCE STEVENS, IVAN WILLEY, KOREA: ROBERT H. HANKIE.

I.P.

1914-1918 ET 1939-1945
LE MONUMENT AUX BRAVES

Asbestos, à l'angle des rues du Roi et Saint-Charles

IN MEMORY OF THE VALIANT MEN OF THE DISTRICT WHO GAVE THEIR LIVES IN DEFENCE OF OUR LIBERTY.

À LA MÉMOIRE DE CEUX QUI SE SONT SACRIFIÉS POUR LA DÉFENSE DE NOTRE LIBERTÉ.

1914-1918

BEAUDETTE, A.E.; BÉLANGER, L.; BOISSÉ, H.; FRÉCHETTE, N.; HAMELIN, P.R.; LEBEAU, A.; LIVINGSTONE, D.W.; LOCKWOOD, H.F.

1939-1945

BOUDREAU, E.J.; CHATTERTON, O.J.; CLARK, J.H.; CUZNER, G.J.; DOUCET, J.R.; DEAN, W.B.; DODGE, D.W.; LEGENDRE, R.; LEMIRE, R.; MEREDITH, F.J.; MORROW, A.W.; SMITH, B.B.; TAYLOR, A.H.; VINCENT, J.G.; WOOD, G.A.

KOREAN WAR

BOSSÉ, C.; LAXSON, D.C.

THIS PLAQUE WAS DONATED BY THE CANADIAN LEGION B.E.S.L. ASBESTOS BRANCH no 141 — 1953.

CETTE PLAQUE A ÉTÉ PRÉSENTÉE PAR LE LOCAL D'ASBESTOS no 141 DE LA LÉGION CANADIENNE B.E.S.L. — 1953.

I.P.

1914-1918 ET 1939-1945
LE MONUMENT AUX BRAVES DE GRANBY

À Granby, dans le parc Latimer

ERECTED AS A GRATEFUL TRIBUTE BY THE CITIZENS OF GRANBY. ÉRIGÉ COMME TRIBUT DE RECONNAISSANCE PAR LES CITOYENS DE GRANBY. DULCE ET DECORUM EST PRO PATRIA MORE. LT. COL. J. BRUCE RAISED AND TOOK OVERSEAS 27TH BATERY, C.F.A.

MORTS AU CHAMP D'HONNEUR — KILLED IN ACTION:

A. BAKER, A. BEAUVAIS, P. DUCHARME, F. GAUTHIER, L.F. JACKSON, R.H. LONGHURST, W.J. MARTIN, M. MÉNARD, W.E. VITTIE, P. MÉNARD, O.C. OLSEN, M.A. PRATT, F.R. ROBINSON.

DÉCÉDES SOUS LES ARMES — DIED IN SERVICE: N. GRIGGS, G.D. MINER, M.J. QUINN, E. MCCOMISKY.

MEN OF GRANBY WHO SERVED AT THE FRONT IN THE GREAT WAR, 1914-1918 — SOLDATS DE GRANBY QUI ONT SERVI AU FRONT PENDANT LA GRANDE GUERRE: L.J. ALLEN, N.A. AUSTIN, W. BAKER, H.G. BALL, R. BEAUVAIS, G.D. BENHAM, D.R. BLAMPIN, A. BERNARD, ALF. BERNIER, AD. BERNIER, J.-W. BOISSY, P. BOURDEAU, E. BOUSQUET, J. BOUSQUET, A. BOUTHILLETTE, O. BOUTHILLETTE, L.L. BOWKER, O.A. BROWN, L. CANTIN, J. CHABOT, S. CHABOT, M.T. CHANDLER, E. CHARBONNEAU, N. CHARBONNEAU, A. CHARRON, RON. CHARTIER, G. GHYLT, D. GHYLT, E. GHYLT, G.F. COOK, H. COURTEMANCHE, N. COUSINEAU, S. DAVIDSON, V. DESLAURIERS, G. DESMARAIS, H.M. DUNCAN, P. DUPUIS, V. DURANLEAU, J.C. DAIRRELL, C.L. ELKIN, T.A. FARLEY, F.E. FAYERS, G.W. FAYERS, J.W. FAYERS, G.F. FLEMING, P.-H. FONTAINE, A.G. FROST, A.-T. GARNEAU, E. GAUTHIER, W. GILMAR-HARRINGTON, R. HEALY, H. HÉBERT, G.G. JOHNSON, J.V. JOLLANDER, ALF. PATENAUDE, C.M. PAYNE, E. PELLERIN, W. PICARD, W. POLLARD, B. PRÉMONT, G.T. RUTH, E.T. ROBERTS, R. ST-HILAIRE, J.W. JONES, P. KENDALL, V.G. KENT, E.J. KNIGHT, E. LOGE, J. LAGIMONIÈRE, E. LAPOINTE, J. LAPORTE, F. LEBLANC, V. LEDUC, A. LEMAY, J. LEMAY, F.N. LYNCH, J. MARCOTTE, L. MARQUETTE, E.T. SCALE, G.R. SELWAY, N.R. SKINNER, W.W. SMITH, A.W. SPENCER, D. STALKER, J.A. STANLEY, G.T. STEVENSON., G.E. STRIKE, O.J. MARQUIS, G.V. MEER, P.H. MEYER, K.J. MITCHELL, M.R.P. MONK, W.G. MORRISON, L. MUDD, E. NEIL, F.E. NEIL, N. NEIL, C.F. NORRIS, W. NOYES, G. PARÉ, P. PARÉ, E. PATERSON, G. PURETTE, J.M. TETREAULT, I THORAVAL, J.M. VITTLE, K.C. VITTLE, J.C. WHITE, H.C. WILLARD, C. WILLIAMS, S. YARNOLD.

THE GRANITE BASE WHICH FORMS PART OF THIS MEMORIAL WAS DONATED BY THE LADIES OF QUEEN MARY'S NEEDLEWORK GUILD.

1939-1945 AND KOREA: ADAMS F.G., ADAMS K.T., ALLEN R.D., ALIX A.X., ALIX R., ANDERSON P.R., ARBOUR J.R.E., ARBOUR L., AREL C.B., AUCLAIR J.N., AUGER L., AVERILL D.R., AVERILL W.M., BALL C.A.C.D., BALL E.H., BALL H.C., BALL H.G., BALL J.C., BALL K.C., BALL K.B., BALL S.D., BARRE M., BATES G.S., BEAUCHAMP P.E., BEAUDIN J.X., BEAUREGARD, S., BEAUSOLEIL G., BEAUVAIS G., BÉDARD J.M., BÉDARD P., BÉDARD T., BÉGIN M., BENOIT R., BENOIT W., BERGERON J.M., BERGERON L.P., BERGERON M., BERNIER A.F., BERNIER B., BERNIER R.T., BERNIER J.,

BESSETTE E.T., BIENVENUE B., BIENVENUE P., BLANPIN D., PLANPIN R., BLUNT F., BLUNT S., BLUNT S.H., BOILEAU J.R., BOILEAU J.P.R., BOLDUC J., BOOTH W.T.D., BOUSFIELD J.C., BOUCHER R., BOUTHIETTE P.J., BOWKER JR. H.W., BOWKER R.S., BOWKER W.E., BOYD D.L., BLACK J.W.W., BRADFORD R.E., BRADFORD W., BRANDWICK W.R., BRODEUR D.J., BRODEUR A.E., BRODEUR E., BRODEUR H., BRODEUR J.P., BRODEUR R., BRODEUR R.O. BROWNING G.H., BROWNING J., BRUNELLE R., BULLOCK M., BURELLE M., BURNS R., BUTLER L.L., BUTLER P., CABANA G.E., CAMPBELL R., CADIEUX J.P., CAHIL R.G., CAOUETTE J.C., CHABOT G.A., CHABOT G., CHABOT J.E.E., CHABOT L., CHARLAND A., CHARTIER C.A., CHARTIER C.H., CHIASSON REV. W.G., CHONIÈRE B., CHOINIÈRE L., CLEMENTS L.A., CLOUÂTRE M., COUÂTRE R., COBURN W.K., COBURN L.B., CODERRE J.A., COLBY C.G., COLLETTE E., CONKIE C., CONKIE S., COOK G.E., COOK K.H., COPPING R., CORNISH J.G.A., CORNISH C.R., CORNISH F.B., CORNISH L.G., CORNISH L.T., CORNISH W.H., COSTLEY R.D., COUTURE F., CÔTÉ G.B., CÔTÉ J., CÔTÉ J.A., CÔTÉ J.P. COXHEAD F.J., CROOK E.H., DANIS H., DAVIDSON L.A., DAVIGNON P.A., DAWSON J.F.B., DEMERS A., DEMERS M., DERAGON A., DERAGON L., DEROME E., DESLANDES W., DESMARAIS E.M., DESMARAIS E.L., DESROCHES, A., DESROSIERS M., DESROSIERS A., DESROSIERS H., DICKENSON J.R., DICKENSON R., DIONNE A.V., DIONNE L.P., DIONNE R.V., DIONNE R. DOE B.E., DOE D.O., DOE C.K., DOE J.R., DOE K.S., DOE W.V., DOSSETTE, E.J., DOUCET S.L., DOYAN O., DOZOIS B.L., DRYDEN E.N., DUBOIS A., DUBOIS L., DUBOIS R., DUCLOS R., DUFRESNE R., DUKELOW J.W., DUNFIELD J.W., DUPUIS M., DUROCHER J.T., DUVAL J., EGLI G., EDWARDS D.S., FARLAND E., FARLEY J., FENTON A.T., FERLAND L., FLACK T., FLACK W.H., FORGET P.E., FORTIN B., FOURNIER A., FOURNIER C., FOURNIER J.R., FRASER D., GAUDREAU A., GALER R.R., GALIPEAU R., GALIPEAU R.J., GANNON L.G., GARNEAU E., GAUVIN R., GAY G., GEDYE W.P., GIBEAULT L., GIBEAULT G., GIDDINGS A.W., GIDDINGS G.H., GILEAU M., GIRARD P., GIROUARD M., GOLDBERG I, GOLDBERG R., GOSSELIN A., GOYETTE A., GOYETTE R.J.H., GRAVES F.H., GRAY R., GRÉGOIRE N., GRÉGOIRE R.S., GRENIER R., GROSSMAN A.B., GUILBEAULT M., GUERTIN D., HADE P., HARDING C.G., HARDING C.M., HARDING P.A., HARDING R.E., HARDY G., HARDY R., HARRINGTON W.G., HARRIS M., HEALY A., HEBERT L., HÉBERT P., HEELIS G.W., HIBBARD W.D., HILL E., HIVON L.G.E., HIVON N., HIVON R., HOBBS JR. J.M., HOBBS J.M., KILLED IN ACTION. WOMEN CORPS. KOREAN WAR.

1939-1945 AND KOREA: HOBBS R.C., HORNER R.M., HOUGH A.C., HOUGH R.E., HOULE E.O., HOWARD M.C., HUNT G.R., HUNTCHAINS G., HUNTCHAINS R.M., IRWIN E.R., IRWIN K.H., ISAACSON A., JACK W.G., JEFREYS H.D., JOHNSON H., JOHNSON K.W., JOLANDER J.L., JOLIN A.J., JUAIR E., KACHERGENSKY A., KACHERGENSKY D.E., KACHERGENSKY J., KAVANACH L.J., KENNEDY J.E., KENWORTHY R.J., KERR J.A., LABELLE W.E. LABRECQUE M., LACASSE L.N., LACROIX C.A.V., LACROIX J., LACHAPELLE L., LAFLAMME D., LAMARCHE R., LANGLOIS L., LANGUAY L., LANGUEDOC L.F., LAPIERRE O., LAPLANTE J.P., LAURIE V.E., LAVOIE L.G., LAVOIE P., LAWRENCE A.S., LAWRENCE H.B., LECLERC C., LECLERC L., LEGGE D.C., LEONARD R., LEWIS E.H., LEWIS R.F., LEWIS JR. W.O., LEVINGSTON J.J., L'HEUREUX B., LLOYD C.E., LLOYD R., LOISELLE J.M.M., LOW J.R., LYONS C., MAHEU J., MAJOR R., MARCHANT E.W.E., MARQUIS D.O., MARTEL E.L., MARTIN M., MARTIN W.G., MASSE E., MASSE L.G., MEYER C.G., MEYER R.E., MEUNIER A., MILGRAM S., MILLER D.E., MILLER C.E., MILLER R.C., MILLER W.H., MINER J.W.H., MINER M.E., MINER C.E., MITCHELL L.A., MIZENER C.W., MEZENER E., MIZENER G., MONFILS A., MONFILS R., MONK H.C., MONDS H.T.J., MONTPETIT M., MORIN J. MOREL P., MORISSETTE R.B., MURRAY B., MACDONALD G.G., MACDONALD W.K., MACDONALD B.C., MACDONALD G.G., MACDONALD K.J., MCELRAVY K., MCKENNA A.W., MCKENNA D.G., NEIL D.S., NEIL J.E., NEIL M., NEIL R., NELTHRORPE C., NELTHRORPE A., NICHOLSON S., NICHOLSON D.E., NICHERSON L.M., NIQUETTE M.A., NIXON JR. G.E., NIXON J.A.B., O'NEIL E.V., OSSINGTON E.F., OSTIGUAY B., OSTIGUAY G., OUELLETTE A.J., OWENS E.J., OWENS D.O., PAINTER E.T.J., PARENT A., PARFREMENT C.W., PAQUETTE C., PAQUIN F., PATENAUDE A., PATENAUDE M., PATENAUDE R., PATENAUDE W.H., PELLERIN H., PERRAS R., PICARD A.O., PICARD R., POLLARD J., POLLARD W.E.S., POMMIER D., POMMIER L., POTVIN J.A.C., POTVIN M., POULIN M.L., POW C.J., PRÉFONTAINE L.U., PRÊMONT A., PEEMUNT E., PROUES R., RAYMOND R., REITH

1914-1918 ET 1939-1945
LE MONUMENT AUX BRAVES

À Lac Mégantic, dans un parc près de l'hôtel de ville

1914-1918

IN HONOR OF OUR HEROES FROM THE COUNTY OF FRONTENAC AND TOWN OF MEGANTIC WHO HEARD THE CALL OF DUTY AND DIED FOR FREEDOM AND RIGHTEOUSNESS.

HONNEUR ET GLOIRE AUX BEAUX SOLDATS DU COMTÉ DE FRONTENAC ET DE LA VILLE DE MÉGANTIC, MORTS POUR LA DÉFENSE DE LA LIBERTÉ ET DE LA CIVILISATION.

E. HARLEY; FRANK MOORE; FRANK CORMACK; DONALD K. McLEOD; ANGUS A. McLEOD; LEWIS G. McLEOD; KENNETH A. McLEOD; LUCIEN GAGNON; ARCHIBALD ROSS; CHARLES FERLAND; ROSARIO RHÉAUME; ALFRED A. HILL; WILLIAM L. GLEASON; MICHEL-E. GOBEIL; CARROL A. CONNER; HUDSON A. McFARLANE; ROBERT A. McDONALD; DONALD J. MURRAY; ALBERT RUEL; EDWIN MORRISON; WILLIAM O. TOWNSLEY; WILLIAM GORDON; JOSEPH T. HILL.

THEIR NAME SHALL ENDURE FOREVER

À LA MÉMOIRE DE CEUX QUI SONT MORTS À LA GUERRE 1939-1945.

I. P.

(suite de la page 195)

A.G., REYNOLDS W.D., RICHARDSON N., RIDDLE C.H., RIDDLE J.W., RIDDLE K.H., RIDDLE W., RIENDEAU F., RIVARD A.C. RIEL A., ROBERT A., ROBERT F.E., ROBERT J.A., ROBINSON A.W., ROBILLARD C., ROGERS D., ROGER R., ROLLINS E.E., ROLLINS L.H., ROY R., RUNTE M., ST-AMANT J., ST-AMANT R., ST-ONGE A., ST-ONGE J.P., ST-ONGE L.O., ST-ONGE M., ST-ONGE P.E., ST-PIERRE G., SABOURIN L., SAMWOURTH G.T., SAMWOURTH K., SAURETTE M.L., SAVAGE R.W., SCOTT A., SCRIMGEOUR J.M., SCRIMGEOUR R.K., SEALE D.D., SENAY G., SHUTT JR. C.H., SHORT L.R., SKINNER J., SKINNER K.C., SKINNER N.R., SIMPSON R.J., SINGFIELD M.O., SIROIS, G.A., SMITH G., SMITH L.H., SMITH L.E., SMITH R.L., STOHN JR. C.F., STOHN J.D., STONE N.A., STAPLETON H.K., STREETER, B.A., TAYLOR L., TESSIER J.C., TÉTREAULT F., TÉTREAULT L., TÉTREAULT V.C., TÉTREAULT W.D., THIBODEAU C., TOPP G., TOPP D.C., TURCOTTE V., TURCOTTE Z.H., VACHON L., VIENS M., VINCENT R., WALKER G.K., WATSON W.C., WEBSTER R.E., WHITEHEAD D.H., WHITEHEAD L.D., WILLEY C.L., WILLEY D., WILLEY H.O., WILLEY L.A., WILLIAMS I.G., WINFIELD R., WORTHINGTON R., ZANNIS J. KILLED IN ACTION. WOMEN CORPS. K: KOREAN WAR.

I. P.

1914-1918 ET 1939-1945

Á Stanstead, rue Baxter, à l'angle de la rue Centre

IN MEMORIAM

THEY WENT AWAY
AND
CAME NOT AGAIN

1914-1918

1939-1945

KOREAN WAR

WE WILL REMEMBER

ILS SONT PARTIS
ET
NE REVINRENT PAS

1914-1918

1939-1945

GUERRE DE CORÉE

GARDONS LEUR SOUVENIR

MEMORIAM EORUM RETINEBIMUS LEGION

I. P.

1914-1918 ET 1939-1945

LE MONUMENT AUX BRAVES DE DRUMMONDVILLE

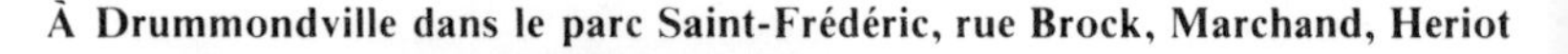

À Drummondville dans le parc Saint-Frédéric, rue Brock, Marchand, Heriot

ÉRIGÉ SOUS LES AUSPICES DE LA LÉGION CANADIENNE, B.E.S.L., SUCCURSALE 51, PAR LA CITÉ DE DRUMMONDVILLE ET LES CITOYENS DU GRAND DRUMMONDVILLE, À LA MÉMOIRE DE CEUX QUI ONT DONNÉ LEUR VIE POUR LA PATRIE.

ERECTED UNDER THE AUSPICES OF THE CANADIAN LEGION, B.E.S.L., BRANCH 51, BY THE CITY OF DRUMMONDVILLE AND THE CITIZENS OF GREATER DRUMMONDVILLE, IN MEMORY OF THOSE WHO GAVE THEIR LIVES FOR THEIR COUNTRY.

1914-1918

MITCHELL, F.H.; MONTGOMERY, W.M.; PELLETIER, J.E.; TRENT, R.J.; WATKINS, A.D.J.;

1939-1945

BÉDARD, J.R.R.; CARIGNAN, E.R.; CHAMPOUX, J.L.A.; CHASSÉ, A.; CROFT, C.; DEMERS, H.W.J.; DUMAIS, L.; FIELDSEND, J.A.; FLEURY, R.; JACQUES, J.G.; LABONTÉ, D.H.; LETARTE, A.; MITCHELL, H.G.C.; MARTEL, J.A.L.; MURPHY, G.W.; PARENTEAU, J.M.A.; RATTÉ, C.; RICHARDS, W.F.; ROUSSEAU, R.; RUTHERFORD, W.; WHITTINGHAM, W.E.;

GUERRE DE CORÉE — KOREAN WAR

LUPIEN, ABBÉ J.A.R., MAJOR HONORAIRE; McKINNON, H.I.; PARENT, A.D.C.; GIRARD, J.A.F.;

ARMÉE — OCCUPATION — ARMY

MARTEL, J.F.

« AU COUCHER DU SOLEIL ET QUAND SE LÈVERA L'AURORE, NOUS ÉVOQUERONS LEUR MÉMOIRE. »

« AT THE GOING DOWN OF THE SUN AND IN THE MORNING, WE WILL REMEMBER THEM. »

I.P.

1914-1919 ET 1939-1945
LE MONUMENT AUX BRAVES DE WINDSOR MILLS

À Windsor, côte sud de la ville, sur la route no 5

OUR GLORIOUS DEAD

MAJOR F.C.H. TRYON, LIEUT. W.H. KNAPP, SGT. W.S. McCULLOUGH, PTE J.A. BLAIS, PTE. G. PAQUIN, PTE. J.Z. RAYMOND, PTE H.S. ROBB, PTE A.S. BEATTLE, PTE H.L. APPLEBY, PTE J. AITKEN, PTE. A. ROYER.

IN HONOURED MEMORY OF THE MEN OF WINDSOR MILLS WHO SERVED FOUGHT AND DIED FOR KING AND COUNTRY IN 1914 — THE GREAT WAR — 1919.

VIMY, RIDGE, SOMME, ARRAS, SANCTUARY WOOD, YPRES, FESTUBERT, MONS, PASSCHENDAELE.

ARCHIBALD, J E — ANNANDALE, F W — ANDRÉ, E — BEATTLE, A — BOURASSA, D — BOURASSA, R — BAILEY, L — CARRIER, J — CHARTIER, L — CUSTEAU, W — CÔTÉ, E — CÔTÉ, D — CASCADDEN, R — CROTEAU, C — CHAMPAGNE, E — DESORCY, C — DUNLOP, F I — DESORCY, E — FRAME, J — FRASER, FM — FRÉCHETTE, P — GAGNON, R — GOULD, N L — GOULD, C C — GOUDREAULT, M — GIRARD, J N — GARDINER, T J — HINCH, F — HINCH, J — HUXTABLE, C S — HUXTABLE, G R — JAQUES, S — KING, N S — KING, HH — KENDALL, H G — LADOUCEUR, A — LAMONTAGNE, N — LEBLANC, P — LONG, I P — LANGLOIS, A — LEBEL, J — LAVALLIÈRE, R — MASSE, E R — McMASTER, J — McLOAD, T G — MASSE, A — MOUNTAIN, W R — McCARTHY, L — MOREY, K — MIGNEAULT, L — MILLER, H R — MOREAU, H D — McCULLUM, S — MILETTE, G E — PAQUIN, A — PERKINS, L E — PERKINS, H E — PROULX, P — PAQUET, E — PENDER, G — ROBINSON, E — REED, J — ROBINSON, E A — ROBB, G S — ROBB, CS — ROUX, C — ROY, E — ROY, J A — ROUSSEAU, L — SIMS, G — STUBBS, H — THIBAULT, A — THIBAULT, O — TEAR, J — TRUDEAU, W — VERRETTE, E — WITTY, D — WILLMENT, F — YOUNG, C.

NOS MORTS 1939-45 — OUR FALLEN 1939-45

BISSON M., CHARTIER P., DESLOGES J.R.G., DESROCHERS L., DION A., FORTIN R., KENDALL D., LEE R.L., NOËL E., PION G., ROY, E.C., VERNEAY M.A.

1914-1918 ET 1939-1945
LE MONUMENT AUX BRAVES DE SAWYERVILLE

À Sawyerville, vis-à-vis les nos 6 et 8 de la rue Main

IN MEMORY OF THE SAWYERVILLE BOYS WHO DIED IN THE WARS OF 1914-1918 — 1939-1945.

PTE WILFRID OSGOOD 1915; PTE JOHN MOFFATT 1916; PTE JUSTIN E. ÉVANS 1917; PTE JOHN CURTIS 1918; SGT. GILBERT R. MATTHEW 1918; REL EDWARD PHILLIPS 1943; PTE REGGIE TAYLOR 1943; PTE DALE BATES 1945; REL LEO WOOD 1942; P.O. VICTOR ADAMS 1945.

L.P.

1914-1918 ET 1939-1945
LE MONUMENTS AUX BRAVES

À Waterloo, à l'angle des rues Court et Foster

À LA MÉMOIRE DES HOMMES DE WATERLOO QUI ONT DONNÉ LEUR VIE POUR LEUR PAYS AU COURS DES DEUX GUERRES MONDIALES 1914-18 ET 1939-45. ÉRIGÉ EN NOV. 1949 PAR LEURS CAMARADES DE SHEFFORD no 77.

IN MEMORY OF THOSE MEN OF WATERLOO WHO GAVE THEIR LIVES FOR THEIR COUNTRY DURING TWO WORLD WARS 1914-18 AND 1939-45. ERECTED NOV. 1949 BY THEIR COMRADES OF SHEFFORD No. 77.

WE SHALL REMEMBER THEM.

1914-1918. BRITISH EMPIRE SERVICE LEAGUE CANADIAN LEGION.

BALDOCK, GEORGE, RUSH, ALLEN, COOK, ARTHUR C., DE VARENNES, HENRI, HAMEL, WILFRID. LACOMBE, JOSEPH. LADD, WILLIAM. H. LAPORTE, J. ALCIDE. MORGAN, THOMAS. A.. RICHARSON, WILLIAM. WEST, VELTIMORE. WILSON T. IN MEMORIAM.

BRITISH EMPIRE SERVICE LEAGUE CANADIAN LEGION. 1939-1945. BALDWIN, STEWART. WM. BAIRD, WILLIAM D. BANCROFT, HUGH, BROWN, LINDSAY E. CLOUTIER, LEONARD. COPPING, CLARENCE L. DUNN, CHARLES. HASKELL, ERIC. MARTIN, JOHN R. McCORMICK, CLAUDE. NORRIS, CLIFFORD. RIDDELL, KERTH C. SMITH, ERNEST S. SNOW, NORMAND H. STEVENS, JOHN. ST DENIS, JOHN, ST DENIS, JOHN A. TAYLOR, ROBERT. WILSON, JOHN W. WILSON, RALPH. IN MEMORIAM.

I.P.

1914-1918-1939-1945

LE MONUMENT AUX BRAVES

À SUTTON, à l'hôtel de ville, au no 11, rue Principale

TO THE GLORY OF GOD AND IN LOVING MEMORY OF THOSE FROM THE TOWNSHIP. OF SUTTON WHO GAVE THEIR LIVES FOR KING AND COUNTRY.

1914-1918

BROWN, REGINALD; COOK, GORDON; CROWELL, GORDON H.; DYER, ROYCE; CLAND, EDWARD L.; HALL, JOSEPH; INGALLS, ARTHUR; MACDONALD, COLIN C.; MACDONALD, NORMAND McC.; PATMAN, VALENTINE; SPENCER, ERNEST; STANISTREET, WILLIAM; VOKES, SIDNEY; WESTOVER, GEORGE M.; WITHFORD, GEORGE; YOUNG, FRANK.

1939-1945

ALDRICH, DONALD; BALWIN, STEWART; BOWDEN, DONALD; BOWDEN, WILLIAM; COULOMBE, WILFRID; CROWELL, MORRIS; CRONHINGHAM, CLAIRE; DAVIDSON, JAMES; DYER, MAURICE B.; FITZPATRICK, K.W.; JACOBS, CARLTON; JONES, WALTER; KIRBY, RONALD, ROY; MARDEN, KENNETH; McELROY, P.S.; REMBERTON, SIMON; RIDDLE, KEITH; RUSSELL, ERNEST C.; SPEED, JAMES; STURTEVANT, WILBUR; WINTLE, CHESTER.

THIS CLOCK WAS ERECTED BY THE SUTTON JUNIOR GIRLS INSTITUTE.

I.P.

1914-1918 ET 1939-1945
LE MONUMENT AUX BRAVES

À Bury, rue Stoks, en face de la mairie

NAMES OF THOSE WHO MADE THE SUPREME SACRIFICE IN WAR 1914-1819: W. MORROW, E. CARR, L. TARRANT, T. CLARK, J. CRAWFORD, T.E. ROC, G. HAMILTON, G. THOMPSON, F. ROSS, W. HAMILTON, J. KANE. 1939-1945: A. MORROW, C. GOODENOUGH, A. HARRISON, E. MARTIN G. HALLE, R. COATES, F. CHAPMAN, C. HARISON, M. GOODENOUGH, C. McCORNICK.

VETERANS WHO HAVE DIED SINCE CLOSE OF WORLD WAR I: E. ROC, G. COOK, H. UNCLES, R. WARD, N. ROE, F. THOMPSON, J. BURSTON, P. ALLISON, E. BATH, W. SUNSMORE, W. WHITE, C. RAMSAY, T. ANDERSON, E. LASENBA, H. HEYNES, G. DOUGHERTY, I. THOMPSON, P. PETIT, O. POPE, W. WHITE, G. MAYHEW, E. GOODWIN, A. WHITEHEAD, J. MacIVER, H. BAIN, G. DAWSON, A. MUNDY, W. GILLIS, G. WARD, J. COOK, H. CRAYTON, W. JEUKEO, E. SPRIGGINGS, G.H. WARD, J. MANN, W. JANDRON, H. McCLENNAN, V. PAIMER, E. KIRKPATRICK, T. HARPER, W. LUCE, L.E. TARRANT, C. GAULIN, A. CHARLEBOIS, H. LAWRENCE, C. BENNETT, A. HUDSON, R. WOTTEN, R. EVERETT, C. EVERETT, C. DUNSMARE, A. WORBY, L. PARSONS, C. McCORMICK, J. COLEMAN, J. ROYER, J. HOLLYFIELD, C. KLOCK, S. PRANGLEY, F. PRANGLEY, E.J. LOCKE, E.C. KIRKPATRICK, E.R. DOUGHERTY, M.H. ALLISON, C.A. GREY, R. WOOTTEN, C. McCLINTOCK, M.M. MacLOAD.

I.P.

1914-1918 ET 1939-1945

EN HOMMAGE AUX HÉROS DE VICTORIAVILLE

Plaque à Victoriaville, dans le hall d'entrée de l'hôtel de ville

La Ville de Victoriaville

En Hommage à ses Héros

Guerre 1914-1918

CAPT. (ABBÉ) ROSAIRE CROCHETIÈRE, ARMÉE

EUGÈNE	AUGER	ARMÉE
JÉRÉMIE	DESLOGES	—
WELLIE	MARCHAND	—
MAURICE	MARTEL	—

Guerre 1939-1945

La Ville de Victoriaville

En Hommage à ses Héros

Guerre 1914-1918

CAPT	ROSAIRE	CROCHETIÈRE	ARMÉE
	EUGÈNE	AUGER	ARMÉE
	JÉRÉMIE	DESLOGES	—
	WELLIE	MARCHAND	—
	MAURICE	MARTEL	—

Guerre 1939-1945

F/O	ROGER	LAMBERT	AVIATION
W/OI	CHARLES	TOURVILLE	—
F/SGT.	MAURICE	RENAUD	—
SGT.	GABRIEL	MAHEU	—
	ROGER	GOUGEON	MARINE
	J. PAUL	BOUDREAU	ARMÉE
	J. PAUL	HOULE	—
	RICHARD	LAGACÉ	—
	RENÉ	LANGLOIS	—
	FERNAND	POUDRIER	—
	MAURICE	ROUX	—
	ARMAND	GAUTHIER	AVIATION

Guerre de Corée

GÉRARD	LEBLANC	ARMÉE
ALBERT	FORTIER	—

I.P.

1914-1918 ET 1939-1945
LE MONUMENT AUX BRAVES DE VICTORIAVILLE

À Victoriaville, en face de l'hôtel de ville

À NOS MORTS GLORIEUX 1914-1918. 1939-1945. CORÉE

TO OUR GLORIOUS DEADS. 1914-1918. 1939-1945. KOREA.

L.P.

1914-1918 ET 1939-1945
LE MONUMENT AUX BRAVES

À East-Angus, à l'angle des rues East-Angus et Saint-Jean

THEIR SACRIFICE FOR PEACE. LA MORT EN LES PRENANT, SUR LEUR FRONT GLORIEUX MIT AUTANT DE RAYONS QUE DE PLEURS DANS NOS YEUX. YPRES TO MONS.

1914-1918. ANDREW MUIR, WATSON RIDDLE, CHARLES WESTGATE, JOHN A. McKEAGE, F. RICHARDSON, C.J. GASCOIGNE, PETER M. McLELLAN, J.T. BEAULIEU, HENRY THOMPSON, CYRIL BILODEAU, RICHARD RUSSELL, GEORGE CORNISH, OREN T. DEAN, THEODORE SUNBURY, FRANK L. AUSTIN, LAURENCE J. THOMPSON, FRANK M. PEPPARD, JOHN J. LONEAY, E. RICHARDSON, ARTHUR SAWYER, HECTOR MARTIN, C. BIRCH.

THESE ALSO SERVED: GEORGE J. ROWLEY, CHARLES J. THOMPSON, T. MOORE, JACK NORWOOD, RUBERT MURRAY, WILLIAM DUNCAN, RICHARD CORRIE, LESTER LEARMONTH, BERT CORK, JOSEPH WHITE, ALCIDE JOLIN, W. WARREN, J. MORRIS, J.O. LAGUEUX, PATRICK McDERMOTT, FRANK HOLD, EVARISTE PERREAULT, EMILE PERREAULT, J. PERREAULT, J.H. NUGENT, J. DESMARAIS, ALEX B. McKEAGE, VICTOR NASH, FRANK BELFORD, RICHARD KIDD, EDWARD COWLING, WILLIAM PANGBORNE, CLIFFORD GAULIN, JOHN SAVOIE, BERT HORTON, IRBY GILBERT, CALVIN MACKEY, PHILIP THOMPSON, FOSTER SHORTEN, HOWARD DREW, FRED PADNER, S. KERR, A.C. JOHNSTON, GEORGE HEATH, ALFRED DAVIS, FRED CURNISH, MALCOLM McKEAN, THOMAS CURRIE JR., A. GREEN, ALFRED JAMES, ALFRED RATCHIFFE, FRED NEIL, ALLAN A. MUIR, EARLE McINTYRE, ARCHIE SIMONS, BERTON McLELLAN, ALEX CURRIE, LEO DESPEAULT, PHILIPPE NADEAU, C.W. JOHNSTON, WILLIAM SUTTON, CHARLES E. DEBLOIS, ERNEST WEBB, W. HERMAN ELLIOTT, HERBERT COWLING, DOUGLAS BELL, GORDON, J. PLANCHE, HENRY DOCKERAL, THOS. COWPERTHWAITE, CHRISTOPHER KING, ALBERT HARDING, ALFRED HUNTER, LYLE DAVIS, EDWARD L. DEARDEN, LAWRENCE DOUGHERTY, ARTHUR KELLY, A. LEBOUTHILLIER, ERNEST JONES, HORACE HOLT, ROBERT CAMPBELL, JAMES WILSON, J. MEIGS, E. DESRUISSEAUX, CHARLES EGRIN, OSCAR BRIÈRE, A. GRÉGOIRE, MOÏSE DANIEL, PIERRE ROBERGE, GEORGES ROBIDAS, JOSEPH CHARBONNEAU, A.L. HARRISON, LÉON DROUIN, ARTHUR LANDUE, WALTER GOULET, ALBERT NADEAU, ALBANS L. DAVIS, WM McALLISTER, S.J. MARTYN, DAVID CURRIE, A. McMANN, HENRI H. JOHNSTON, HOWARD CURRIE, AUSTIN WOODROW, ROY FOGG, ALLEN W. HAMILL, CLARENCE TINCARBE, ALDEN WILSON, PERLEY BIRCH, ARTHUR DeBLOIS, PHILIPPE LABARRE, GEORGES BOISVERT, G. GODBOUT. IN MEMORIAM 1939-1945: BILLY CONWAY, GERARD GAGNÉ, HORACE WEBB, HENRY GRINSTAD, BILL ALLEN, FLOYED LUXFORD, FRANKLIN HUGUES, AUSTIN MORROW, FRANK FERANELEY, GASTON THIBAULT, ROLAND LAMOUREUX, R. JACKIE WESTGATE, MURRAY GOODENOUGH, CARLTON GOODENOUGH.

J.P.

1914-1918 ET 1939-1945
LE MONUMENT AUX BRAVES

**À Thetford Mines, sur la rue Notre-Dame sud,
à l'angle de la rue Saint-Alphonse**

SOUVENONS-NOUS
1914-1918

PTE GRÉGOIRE SIMÉON, FÉV. 1916
PTE MARCOUX ALFRED, JUIN 1916
PTE RACINE JOSEPH, SEPT. 1916
PTE LABRANCHE AIMÉ, OCT. 1916
PTE BLANCHETTE ANTOINE, FÉV. 1918
PTE BOSSÉ HENRI, AOÛT 1918
L/SGT RUSSELL E. WILLIAM, AOÛT 1918
PTE SAVOIE GÉDÉON, AOÛT 1918
PTE MERCIER FRANÇOIS, SEPT. 1918
PTE BISSON ALPHONSE, OCT. 1918
PTE POIRIER J. ARTHUR, NOV. 1918

LEST WE FORGET
1939-1945

L/CPL MacDONALD A. DANIEL, JUIN 1940; L/SGT PLANTE IRÉNÉ R., OCT. 1943; SGT MacNAUGHTON, W. GORDON, OCT. 1943; L.A.C. VEILLEUX J. PAUL, OCT. 1943; LT. BINDMAN D. HAROLD, DÉC. 1943; PTE KERWIN ERNEST, DÉC. 1943; P/O CHAREST LAURENT, JANV. 1944; CPL VALLÉE ROBERT, MAI 1944; P/O DUFOUR GASTON, JUIL. 1944; LT. LYNN B. FREEMAN, JUIL. 1944; L/SGT CARON ALBERT, FÉV. 1945

KOREA

PTE MERCIER J. ROCK, NOV. 1951

J.P.

1914-1918 ET 1939-1945
LE MONUMENT AUX BRAVES D'AYER'S CLIFF

À Ayer's Cliff, rue Principale, près de la rue School

IN HONOUR OF THOSE INLISTING FROM AYERS CLIFF AND VICINITY WORLD WAR I AND 2 AND KOREA.

ALDRICH M.S. ANSELL F.H. ASTBURY E.J., BELL G., BISHOP O. BRYAN R.F., BUCKLAND W., BUXTON F., CLOUGH R.B. CORFIELD J., DOUGLAS D., DUNKLEY W. DYSON A.R., DYSON H.S., DYSON W.A., ELAM J.M., ELVIDGE J.P., EMO H.T., FISH L.W., FISHER F.J., FISHER R.S., FOLKS D., GARNSEY E., CLEDHILL J.H., HALLIDY F., HARVEY H., HIBBARD H.W., HILL R., HOLMES C.A., HOLMES W.B., HOVEY K.C., HUNTER H., HUNTER J., JOHNSON R., JONES C.W., KEET L.N., LUNDEBORG J.A., LYNCH H., MARTIN W.G., McMARNE J., MOORE C.M., MORRILL B.A., MORRILL G., MOSHER W., MUNNS G.S., PANKHURST C., PIERCY A.W., PIERCY L.C., RALSTON J., RICHARDSON L.F., RODERICK R., ROLLINS L., ROLLINS W.E., RUDD A.B., RUDD H.J., SHANNON A.E., SMITH C.H., SMITH E., SMITH T., SMITH W., SUMMERVILLE A., TAYLOR A.E., TAYLOR H.U., TAYLOR J.R., THIBAULT C., THOMPSON H.E., TYLOR E.W., WALKER M., WALKER W., WARD R., WEST A., WEST F.H., WEST W WHITCOMB N.C., WORTHINGTON T., YOUNG J.A.

W.W. 2: ACHILLES C.W., ACHILLES L.E., ADAM N., ARMSTRONG K.F., ASHMAN J.W., ASTBURY J.R., AULIS C., AULIS G., AULIS R., BALDWIN P., BANGS M.E., BARROW V., BELL F.C., BELL R., BLAKE C.R., BLAKE D., BLAKE K.L., BLAKE R.E., BLOUIN R., BRETT M., BROWN G.C., BROWN GS BRYAN G., BRYAN R.F., CALL W.W., CARR G., CLARK R.L., MISS CLARK J.A., COATES W.R., COOPER S.H., DAVIS C.H., DERRICK H., DATCHON E.M., DEZAN I., DEZAN L.H., DEZAN R.F., DEZAN U.L., DOBB W.T., DUSTIN G.L., MISS FERGUSON D., GILBERT L., GOODE A.M., HALL F.W., HAM B., HAMILTON A., HARRIS F.G., HARTSON A., HARTWELL E., HIBBARD A., HIBBARD J., HOWARD A.F., MISS HUMPHREY C., HUMPHREY E.M., HYATT E., HYDE A., JOHNSON J., JOHNSON L.E., JOHNSON L.S., JOHNSON A.W., JORDAN A.D., KEANE T.T., KEEBLES A., KEELER H.S., LEBLANC A., LEBLANC F., LIBBY F.C., LIBBY R.H., LORD G., LYFORD G.H., LYONNAIS L., McINTOSH W.A., MARTIN O.J., McFADDEN H.I., MISS McGILL R., McHARG R.G., McVEAY A.J., MONFETTE L., MUSHER R.W., MUSHER G.W., MUSHER W.L., NEIL S., NUTBROWN S., PARKNILL D.C., PAWLEY W.J., PEDERSEN C.D., POTTER J.T., ROBERTS A., ROBINSON M.S., ROSS A., ROUSSEAU J.J., SAANUM J., SHARMAN D., SHIPWAY G., SLACK A.H., SLACK W.C., SLADE A., SMITH F.E., STILES E., TAYLOR A., TAYLOR D., TAYLOR M.M., TAYLOR R.G., TAYLOR T.J., TREVAIL S., TRYON N., TYLER W.C., TYLER R.E., VACHON E.T., VACHON I.L., VAILLANCOURT R., WAITE H.E., WIPPLE C., WHITE D.J., WIGGETT M.W., WIGGETT S.A., WYMAN H.I., YOUNG D.R.

KOREAN WAR: ATKINSON J.M., GAULIN J.H., TREVAIL M.E., TREVAIL W.G., DAVIS J.H.

I.P.

1914-1918 ET 1939-1945
LE MONUMENT AUX BRAVES

À STANSTEAD, à « Dufferin Heights », sur la route no 143, à environ 2½ milles au nord de la ville (terrain de golf)

THESE WENT AND CAME NOT AGAIN

GEORGE BELL; CHARLES BRUNET; JACK CLARK; NIL COLLET; WENDELL S. CURTIS; MICHAEL DOWDSWELL; LLOYD FARROW; REV. PAUL E. GAUTHIER; ANDREW GOSSELIN; GORDON HAND; HAAKON T. HANSEN; ARTHUR HENDERSON JR.; ROSSELL LANGLEY; JAMES LENEY; FRANCIS E. LORD; GERALD MacKAY; ORAL MANN; DOUGLAS Y. McINTOSH; FRED MUNRO; CHARLES NEVEU; DOUGLAS PARKHAIL; ALTON A. PIERCE; LLOYD RIDE; ALBERT K. ROSS; HOLLIS SHELDON; COLIN SIM; ARTHUR SMITH; RONALD WEIR; JOHN WELLS; WILLIAM R. HALL.

MEN OF THIS TOWNSHIP
WHO FELL IN WORLD WAR II
1939-1945
ERECTED BY THEIR COMRADES OF
THE STANSTEAD FRONTIER BRANCH
CANADIAN LEGION B.E.S.L.
LEST WE FORGET

THESE WENT AND CAME NOT AGAIN

STANLEY ALDRICH; EDWARD AULIS; RANSOME BALL; ALFRED BEACH; WALTER COBURN; STANLEY COOPER; WESLEY DORMAN; WILLIAM DUNCAN; GEORGE C. FELTUS; ALEX R. GRANT; MILTON HASELTON; ROPERT C. HASELTON; HENRY HUNTER; CLAUDE M. JONES; MELVILLE KEARNS; LEE KEET; GEORGE MITCHELL; GUY MONTLE; BRADFORD MORRILL; GUY MORRILL; GEORGE MUNNS; EDGAR PEAKE; WINDSOR RACINE; LEE ROLLINS; ALLEN ROUTLEDGE; ARTHUR ROY; WILLIAM SCROGGIE; WALTER E. SMITH; ALBERT SWIET; ARTHUR L. SYVESTRE; ROM. E. TELFORD; JOHN THOMPSON; WALTER WALKER; HARRY WELLS; CHARLES WILSON; FREDERICK YOUNG.

MEN OF THIS TOWNSHIP
WHO FELL IN THE GREAT WAR
1914-1918
ERECTED BY THEIR COMRADES OF
THE STANSTEAD FRONTIER BRANCH
G.W.Y.A. OF CANADA

I.P.

1914-1918 ET 1939-1945
LE MONUMENT AUX BRAVES DE MANSONVILLE

À Mansonville, rue Bridge, vis-à-vis l'« Elementary School »

EN MÉMOIRE DE CEUX QUI ONT COMBATTU ET QUI SONT MORTS. 1914-18. 1939-45. CORÉE. JE ME SOUVIENS.

IN MEMORY OF THOSE WHO SERVED AND DIED 1914-18. 1939-45. KOREA. LEST WE FORGET.

MEMORIAM EORUM. LEGION.

1914-1918: C. ABEL, H. ARKLESS, A. BROUILLETTE, R. BROWN, E. CHAPEL, H. FULLER, W. GILMAN, J. HOLLAND, P. LABONTÉ, A. PULFORD, R. SARGENT, C. STOWE, H. ABEL, E. ATWELL, W. BRULOTTE, E. BARNETT, D. CROWELL, A. FILION, C. HAMMOND, R. JONES, N. MASSE, C. REILLY, H. SNOW, W. ST-ONGE, S. ABEL, B. BOYCE, H. BROWN, L. CABANA, C. DAVIS, G. GIROUX, A. HEATH, L. LAWLOR, C. NEWELL, F. SARGENT, E. STOWE, B. YOUNG.

HONOR ROLL 1914-1918: M. BROWN, G. CROWELL, F. FERLAND, G. GILMAN, H. NIXON. 1939-1945: J. BAILEY, M. GROWELL, G. CHALIFOUX.

1939-1945: A. AIKEN, P. AIKEN, W. BAILEY, W. BOUCHER, L. BRACEY, W. BRULOTTE, R. BROWN, C. BICKFORD, R. CLARK, V. COURSER, P. CABANA, P. CADORETTE, O. AIKEN, C. BAILEY, E. BARNETT, F. BUTCHER, K. BROCK, C. BROWN, R. BROWN, R. BLOKFORD, J. CHAPEL, L. CABANA, R. CABANA, R. CHAMPION, P. AIKEN, M. BAILEY, J. BARNETT, B. BOYCE, R. BROUILLETTE, L. BROWN, G. BROWN, E. CLARK, A. CRAWFORD, J.-P. CABANA, F. CADORETTE, P. CHAMPION, R. CHICOINE, R. DAVIS, M. FULLER, G. GENDREAU, G. GUILBEAULT, Y. GIROUX, R. HAMELIN, G. JOHNSON, L. KIRBY, P. LAMOUREUX, L. LONGEWAY, T. MANSON, W. McCOY, H. NEWMAN, R. O'BRIEN, N. REILLY, A. SHEPPARD, W. STURTEVANT, H. THAYER, E. WHITE, L. WILKINS, W. WODDARD, R. AIKEN, A. MATHIEU, D. DAVIS, S. DAVIS, R. GARDNER, G. GEORGE, C. GILMAN, R. GREENHAM, R. HASTINGS, W. JOHNSON, L. KIRBY, F. LIMBOSCH, G. MAGOON, C. McLURE, J. MILTIMORE, G. NIXON, D. PERKINS, J. SCHOOLCRAFT, A. ST-ONGE, W. STURTEVANT, A. TRACEY, A. WHITEHEAD, F. WILSON, V. WOODARD. KOREA: N. CHALIFOUX, B. PICOTTE, D. DAVIS, G. ELDRIDGE, B. GENDREAU, R. GEORGE, F. GIROUX, E. HAMELIN, F. JERSEAY, G. JONES, L. LAMOTHE, A. LACOSTE, J. MANSON, D. McCOY, A. MORPHY, H. NIXON, H. POULIN, W. SCHOOLCRAFT, R. ST-ONGE, E. THAYER, W. TRACEY, B. WILKINS, W. WOODARD, E. JONES.

THUOT-DENICOURT — IBERVILLE.

I. P.

1919
WILFRID LAURIER ET ZOE LAFONTAINE

Plaque à Arthabaska, au no 16 ouest, rue Laurier

ARTHABASKA. SIR WILFRID LAURIER HABITA CETTE MAISON À PARTIR DE 1877 JUSQU'À SON DÉPART POUR OTTAWA EN 1896. IL VINT SOUVENT, DEPUIS, S'Y REPOSER DE LA POLITIQUE.

ARTHABASKA. SIR WILFRID LAURIER LIVED IN THIS HOUSE FROM 1877 UNTIL HIS DEPARTURE FOR OTTAWA IN 1896. HE OFTEN CAME BACK, IN LATER YEARS, TO REST FROM THE CARES OF PUBLIC LIFE.

C.M.H.Q.

Wilfrid Laurier naquit du mariage de Carolus Laurier et de Marcelle Martineau. Celle-ci mourut de tuberculose en 1848 à l'âge de trente-cinq ans. Son fils n'avait alors que sept ans. Il reçut d'elle les germes de cette terrible maladie.

Losqu'il alla étudier le droit à Montréal, il pensionna chez le docteur Séraphin Gauthier, ami de sa famille. C'est là que Laurier fit la connaissance de Zoé Lafontaine qui était la fille adoptive de son hôte.

Établi à Arthabaska alors qu'il se croyait tuberculeux, il garda ses distances avec Zoé, bien que sa santé fût plutôt bonne. En 1868, il reçut un télégramme du docteur Gauthier le convoquant d'urgence à Montréal. Ce dernier l'examina et constata qu'il n'était pas tuberculeux. Alors Laurier apprit que Zoé Lafontaine, demandée en mariage par le docteur Pierre Valois, avait refusé, disant en larmes qu'elle n'épouserait que son Wilfrid. Celui-ci et Zoé se marièrent le soir même à l'évêché.

Laurier décéda à Ottawa le 19 février 1919, ayant succombé à un épanchement célébral. C'est le Père L. Le Jeune, o.m.i., auteur du *DICTIONNAIRE GÉNÉRAL DU CANADA*, qui l'assista durant son agonie, comme il devait le faire plus tard pour Lady Laurier, décédée le 1er novembre 1921. Ce couple célèbre avait vécu intimement uni durant plus d'un demi-siècle.

1920-1921
LE DOMAINE HOWARD

À Sherbrooke, au no 1300, avenu Portland

Le Domaine Howard est le plus beau parc de la ville de Sherbrooke. Ses deux maisons-châteaux furent construites en 1920-1921 : celle qui est située près de l'avenue par Charles-Benjamin Howard, et l'autre par le père de ce dernier, Benjamin-Cate Howard. C'est François-Xavier Vanier, l'un des pionniers de la paroisse Notre-Dame-du-Perpétuel-Secours, qui dirigea les travaux.

Benjamin-Cate Howard naquit à Stanstead en 1865, fils de James de descendance écossaise, et de Clarinda, Irlandaise. Il fit ses études à Stanstead et fut neuf ans échevin de Sherbrooke. Il fut l'un des pionniers au Québec dans le domaine du bois de pulpe. Il fit de nombreux dons, entre autres à la Y.M.C.A.. Il était méthodiste en religion et libéral en politique. Il décéda en 1921, n'ayant pu jouir de sa nouvelle maison. Il avait épousé Helen Salls, de Stanstead. Naquit de cette union Charles-Benjamin.

Ce dernier vit le jour à Smith Mills (aujourd'hui Waterville), en 1885. Il fit ses études au High School de Sherbrooke, au collège de Stanstead et au Rugbee Business College. Dès l'âge de 15 ans, il le lançait dans le commerce du bois et de l'immeuble. Il collabora aux entreprises de son père et s'associa à nombreuses autres compagnies. Il fut échevin de Little Lake Magog, président du Comité des Routes, gouverneur de l'Hôpital de Sherbrooke. Il fut, surtout, actif député libéral du comté de Sherbrooke de 1925 à 1940 aux Communes. Comme maire de sa ville, il collabora à la construction du pont Jacques-Cartier, etc. Il fut nommé sénateur en 1940. Il épousa en premières noces Alberta M. Campbell dont furent issus Benjamin-C. Douglass-S. et Harold-A. En secondes noces, il s'unit à Klaire D. Schoup et en 1959 à Simone Lemieux.

Il vendit tout d'abord un secteur de 77,465 p.c. à la ville en 1940, pour $6 500, puis, en 1961, le reste du domaine pour $285 000. Il possédait « la compréhension totale de ce que devait être le respect des deux grandes nationalités du Canada » (Paul Desruisseaux)

1920
LA CHAPELLE DE BEAUVOIR

À Sherbrooke, RR no 5, près de la route no 143 (près de Bromptonville)

L'abbé Joseph Laporte, curé de Bromptonville (1891-1902), aimait à se rendre à travers champs jusqu'à l'extrémité de sa paroisse, sur une colline où le panorama est extraordinairement beau. Il l'appela son BEAUVOIR.

En 1903, il devint curé de Saint-Jean-Baptiste, à Sherbrooke, mais il continua d'aller sur cette colline où il priait, méditait et admirait.

En 1915, il acheta cette colline d'Émile Lessard et s'y construisit un chalet qu'il considérait comme un ermitage. Deux ans après, à la suggestion du Père Marie-Clément Staub, Assomptionniste, grand apôtre du Sacré-Coeur et fondateur de la congrégation des Soeurs de Saint-Jeanne d'Arc, il érigea, tout près une statue du Sacré-Coeur. S'inspirant d'un plan élaboré par les architectes Audet et Charbonneau, les paroissiens bâtirent alors la chapelle de Beauvoir qui fait l'admiration de tous par sa simplicité et son charme. Monseigneur Paul Larocque, évêque de Sherbrooke, la bénit le 24 octobre 1920. L'abbé Laporte, son oeuvre terminée, décédait le 20 août 1921.

Même s'il y eut des périodes plus ou moins calmes, ce sanctuaire fut toujours visité. C'est Monseigneur Philippe Desranleau, évêque de Sherbrooke, qui, en 1943, lui donna un nouvel élan en le confiant aux Filles de la Charité du Sacré-Coeur, avec aumônier résident. En 1945, il y faisait construire une église de 500 places et, trois ans après, il y faisait venir les Assomptionnistes.

1920
JAMES-SIMPSON MITCHELL

Fontaine à Sherbrooke, au parc Mitchell,
(entre les rues Dufferin, Montréal, Mitchell et Moore)

IN MEMORIAM JAMES SIMPSON MITCHELL 1852-1920. ERECTED BY HIS LOVING WIFE ISABELLE McKECNIE MITCHELL.

G.W. Hill, sculpteur

I.P.

Cette fontaine est un hommage rendu par son épouse à un homme d'affaires éminent de Sherbrooke. Cette femme a ainsi posé un geste élégant, unique en son genre au Québec.

James-Simpson Mitchell naquit à Ascot le 21 avril 1852, fils de William Simpson et d'Anne Wood. Il fit ses études à l'école du district d'Ascot et à la Sherbrooke Academy. À l'âge de 25 ans, il devint l'associé de Lucke pour former la compagnie Lucke and Mitchell, dans le commerce en gros du fer, de la quincaillerie et du charbon, aux nos 73-77 de la rue Willington, Sherbrooke. Au décès de son partenaire en 1894, la compagnie fut dissoute et James-Simpson Mitchell la prit en main sous le nom de J.S. Mitchell and Co. Profitant de quatre entrepôts adjacents à un chemin de fer, l'entreprise devint la plus considérable en son genre au Québec, exception faite de celle de Montréal.

Au nombre des pionniers dans l'exploitation des mines d'amiante, il fut vice-président d'Asbestos Corporation et de Beaver Asbestos Co. qui vendit à Amalgamated Asbestos Corporation. Il fit partie de l'organisation de Thompson and Co., manufacturier de bobines, etc, et devint le président de cette compagnie. Il remplit la charge de directeur de plusieurs autres entreprises, comme Eastern Township Bank, Stanstead and Sherbrooke Fire Ins. Co, etc.

Membre du Protestant School Commissioners, de l'Eastern Townships Agricultural Ass., du Sherbrooke Board of Trade, il fut aussi l'un des fondateurs de Sherbrooke Curling Club, dont il fut le vice-président, du Sherbrooke Golf, du Wolfe Fish and Game, etc.

Il adhérait à la Congregationalist Church. En politique, il était conservateur.

1851-1922
LA MAISON HABITÉE PAR ADOLPHE POISSON

Plaque à Arthabaska, au no 55, rue Laurier

JE ME SOUVIENS. ICI VÉCUT DE 1851 À 1922 LE POÈTE ADOLPHE POISSON.

COMMISSION DES MONUMENTS HISTORIQUES

Adolphe Poisson fut le poète officiel d'Arthabaska et le barde des Bois-Francs. Il fit plus que bien d'autres pour faire connaître favorablement sa localité dans tout le Québec.

Né le 14 mars 1849, du mariage du docteur Édouard-Modeste Poisson, premier médecin d'Arthabaska, et de Delphine Buttoute, il fut reçu avocat en 1873, mais n'exerça pas sa profession, car en cette même année, son père, le voyant de santé délicate, lui céda sa fonction de régistrateur du comté d'Arthabaska.

Conservateur en politique, Adolphe Poisson ne cachait pas ses couleurs malgré les changements de régime. Il eut la chance d'être le protégé de Lady Laurier qui parlait en sa faveur lorsque les fédéraux furent au pouvoir. Elle l'invitait souvent chez elle où, devant ses invités en grande majorité du sexe féminin, il récitait ses plus récents poèmes.

Il a publié quatre recueils de poésie: *CHANTS CANADIENS (1880), HEURES PERDUES (1894), SOUS LES PINS (1902)* et *CHANTS DU SOIR (1917)*, ainsi que *LE SOMMEIL DE MONTCALM (1910)* et *LE PRINCE IMPÉRIAL*. Plusieurs journaux durant nombre d'années ont publié ses poèmes. Il était membre de la Société Royale du Canada.

Sa femme Amélie Côté, née à Québec, était charmante. Leur fils Jules fut aussi admis au barreau en 1907; il exerça toujours sa profession à Arthabaska.

Monseigneur Camille Roy, dans *MORCEAUX CHOISIS D'AUTEURS CANADIENS*, écrit: « Son lyrisme se plaît dans l'ombre des pins qui enveloppe sa maison. Il a aussi cherché les horizons de l'histoire. Nul poète ne fut plus sensible; mais il ne peut toujours traduire ni tout son rêve ni toute sa pensée. À le lire, on devine en ses poèmes quelque chose d'inexprimé. »

1925
ASBESTOS CORPORATION

À Coleraine, dans le parc situé entre les rues Proulx, Saint-Patrick et Bernier

L'Asbestos Corporation Ltée a été fondée en 1925, à la suite de l'union de sept autres compagnies minières. Elle consolidait celles-ci, qui la plupart, n'exploitaient pas avec profit les mines King, Beaver, British Canadian et Vimy Ridge.

En 1955, la Vimy Ridge fut fermée et la mine Normandie fut exploitée intensément. Cette dernière étant à peu près épuisée en 1976, l'exploitation de la Beaver King fut entreprise mais en utilisant les usines de la Normandie.

Andrew Johnson, marchand demeurant près de Thetford Mines, fut le premier au Canada à y exploiter une mine d'amiante, en 1876. Sa première livraison se fit par voitures traînées par des boeufs jusqu'au plus proche chemin de fer, à environ 30 milles. La Johnson's Company, fondée en 1885 à Thetford Mines, fut maintenue pendant soixante-dix-neuf ans, jusqu'à ce qu'elle soit acquise par l'Asbestos Corporation.

En 1878, la King Brothers Asbestos Company exploita aussi une mine d'« asbestos » et le fit jusqu'en 1909, alors qu'elle fit partie de l'Amalgamated Asbestos Corporation. Celle-ci, en 1912, devint l'Asbestos Corporation of Canada Ltd. qui, à son tour, forma l'Asbestos Corporation, en 1925. Cette dernière a des représentants dans quarante pays. Ses exportations représentent de 35 à 40% des exportations canadiennes.

L'exploitation des mines d'amiante dans les Cantons de l'Est donne de l'emploi à plus de 6 500 hommes et femmes. Elle apporte annuellement près de ce[illegible] millions de dollars en salaires à une population de près de 35 000 personnes. [illegible]viron 95% de ses employés sont nés et ont fait leurs études dans la région.

1825

LA PREMIÈRE « ACADEMY » D'EATON CENTRE

À Eaton Centre, au village

Ce bâtiment fut construit en 1825 pour une école qu'on appela « Academy ». Il servit à cette fin jusqu'en 1880 pour tout le township d'Eaton, tant au cours primaire que supérieur.

De 1852 à 1872, il fut en outre le palais de justice pour la Cour locale et la Cour des commissaires.

Le Conseil du comté de Compton, à compter de 1880, s'en servit pour tenir ses assemblées. On l'appelle alors « Town Hall ».

La Société d'Histoire et du Musée du comté de Compton fait maintenant usage du rez-de-chaussée et de l'étage supérieur comme annexe à son musée tenu dans la Congregational Church construite en 1840 et située de l'autre côté de la rue.

Ce bâtiment est typique des écoles construites autrefois dans la Nouvelle Angleterre d'où vinrent les premiers colons du canton d'Eaton.

Il a été classé monument historique le 12 décembre 1963.

1930
LA FONTAINE ROMAINE

À Granby, dans le parc Pelletier, rue Robinson, à l'angle de la Première rue

PRÉCIEUX SARCOPHAGE ROMAIN DU PREMIER SIÈCLE DE L'ÈRE CHRÉTIENNE ÉBRÉCHÉ DANS LE COTÉ ANCIEN ET ARRANGÉ EN AUTEL POUR UNE DES PREMIÈRES BASILIQUES DE ROME, AU DÉBUT DU MOYEN ÂGE, PAR UN ARTISTE CHRÉTIEN. CETTE FONTAINE ORNÉE DE DEUX CHAPITEAUX VENANT DES COLONNES D'UN PALAIS DE LA ROME IMPÉRIALE A ÉTÉ DONNÉE À L'INDUSTRIEUSE CITÉ DE GRANBY ET À SON MAIRE HORACE BOIVIN PAR LES CHEFS D'ENTREPRISES CHRÉTIENNES D'ITALIE RÉUNIS DANS L'UCID, EN TÉMOIGNAGE DES LIENS QUI UNISSENT LES PEUPLES CHRÉTIENS À ROME, LA VILLE ÉTERNELLE, BERCEAU DE LA CIVILISATION CHRÉTIENNE.

A PRECIOUS ROMAN SACROPHAGUS OF THE FIRST CENTURY WASTED IN THE ANCIENT SIDE AND CARVED ON THE OTHER ONE BY AN UNKNOWN CHRISTIAN ARTIST IN THE EARLY MIDDLE AGE AND SETTLED AS ALTAR IN ONE OF THE OLDEST CHRISTIAN BASILICAS. THIS FOUNTAIN IS SUPPORTED WITH CAPITALS FROM COLUMNS OF EMPEROR'S PALACES. IT IS PRESENTED TO THE INDUSTRIOUS CITY OF GRANBY AND ITS MAYOR HORACE BOIVIN BY CHRISTIAN EMPLOYERS OF ITALY MEMBERS OF UCID TO CEMENT THE FRATERNAL TIES OF PEOPLES TO ROME, CRADLE OF CHRISTIAN CIVILISATION.

PREZIOSO SARCUFACO ROMANO DEL PRIMO SECOLO DELL ERA CHRISTIANA SBRECCIATO NELLA PARTE ROMANA ANTICA ED ADATTATO AD ALTARE PER UNA DELLE PRIME BASILICHE DI ROMA NEI TEMPI DEL MEDIO EVO DA UN ARTISIA CHRISTIANO. QUESTA FONTANA ORNATA DI DUE CAPITELLI PROVENIENTI DA COLONNE DI UNO DEI PALAZZI DELLA ROMA IMPERIALE A STATA DONATA ALLA INDUSTRIOSA CITTA DI GRANBY ED AL DUO SINDACO HORACE BOIVIN DAI CAPI DI IMPRESA CHRISTIANI D'ITALIA RIUNITI NELLA UCID A TESTIMONIANZA DEI LECAMI CHE UNISCONO I POPOLI CHRISTIANI A ROMA CITTA ETERNA CULLA DELLA CIVITA CHRISTIANA.

QUI PRIMO CHRISTIANAE AETATIS SAECULO PRETIOSUS SARCOPHACUS ERAT ET ANTIQUIS ERASIS LITTERIS A CHRISTIANO MEDII AEVI ARTIFICE AD BASILICAE ARAM APTATUS EVERAT DUOBU COLUMNARUM CAPITOLIS ORNATUS EX IMPERIALIS ROMAE AEDIBUS EROTIS. NUNC FONS EST QUI A MEDERATORIBUS CHRISTIANIS ILLUS SODALITATIS QUAE COMPENDIARIIS LITTERIS USID APPELATUR INDUSTRIAE GRANBY ENSI CIVITATI EIUSDEMQUE MUNICIPI CURATORI HORACE BOIVIN IDCIRCO DONATUS FUIT UT CHRISTIANAE CIVILISQUE HUMANITATIS RATIONUM OVIBUS ALMAURUS CONCTIS CUM CENTIBUS UNCITUR PRAECLARUM EXISTERET MONUMMENTUM. A.D. MDCCDLIII.

I.P.

1931
LA MAISON NATALE DE GEORGES DOR (DORE)

À Drummondville, au no 21, chemin du Golf

Le chansonnier, chanteur et auteur connu sous le nom de Georges Dor est né, sous les prénoms de Joseph-Jean-Henri-Georges, le 10 mars 1931, de René Dore, agent d'assurances, et d'Émilie Joyal. Il est le onzième d'une famille de quatorze enfants.

Il n'avait qu'un an environ quand sa famille s'établit à Saint-Germain-de-Grantham, pays de ses parents tant du côté paternel que maternel. Il y demeura jusqu'à l'âge de dix ans, alors que sa famille retourna à Drummondville. Il fit sa quatrième année à l'école Sainte-Thérèse, ses cinquième et sixième années au Collège Saint-Frédéric. Pour sa septième année, il fréquenta le juvénat des Frères de la Charité à Sorel. Il termina ses études chez les Oblats de Chambly-Bassin où il demeura deux ans.

À seize ans, il devenait ouvrier d'usine à la Canadian Celanese de Drummondville, et ce jusqu'à vingt et un ans. Il s'inscrivit alors à l'école de théâtre du TNM à Montréal et y étudia six ans. Il devint ensuite annonceur et rédacteur de nouvelles à différents postes de radio en Abitibi, aux Trois-Rivières, à Sherbrooke et à Québec. Il passa dix ans à Radio-Canada (télévision) à Montréal, dont six ans à titre de réalisateur.

C'est comme passe-temps qu'il commença à chanter en 1965. Le succès remporté le décida à quitter Radio-Canada pour ne s'occuper que de musique et de littérature. LA BUTTE À MATHIEU le fit connaître et apprécier au grand public. Mais c'est à Percé qu'il fut le mieux connu comme compositeur et comme chanteur, où il passait l'été avec sa famille. LA COMPLAINTE DE LA MANIC fit de lui une vedette. LA BOÎTE À CHANSONS et POUR LA MUSIQUE remportèrent aussi beaucoup de succès. On lui doit deux albums microsillons lancés en France, deux albums chez Gamma, une quinzaine de 45 tours et huit titres en 33 tours.

Depuis 1955, il a publié plusieurs livres: ÉTERNEL LES SAISONS, LA MÉMOIRE INNOCENTE, PORTES CLOSES, CHANTE-PLEURE, POÈMES ET CHANSONS, JE CHANTE-PLEURE ENCORE, POÈMES ET CHANSONS II, POÈMES ET CHANSONS III, APRÈS L'ENFANCE et LE QUÉBEC AUX QUÉBÉCOIS et LE PARADIS À LA FIN DE VOS JOURS. De son mariage avec Marguerite Jacob, en 1956, sont nés quatre enfants.

1934
GLOIRE À CEUX QUI ONT SOUTENU NOTRE FOI, NOTRE LANGUE ET NOS DROITS

Monument à Granby, dans le parc de la rue Principale

À LA GLOIRE DE DIEU ET DE CEUX QUI ONT SOUTENU DEPUIS UN DEMI-SIÈCLE DANS NOTRE RÉGION NOTRE FOI, NOTRE LANGUE ET NOS DROITS. — SOCIÉTÉ ST-JEAN-BAPTISTE DE GRANBY FONDÉE LE 13 MAI 1884.

ÉRIGÉ LE 24 JUIN 1834.

I.P.

Le canton de Granby fut créé en 1801, arpenté par Joseph Bouchette et divisé en 261 lots. Il fut concédé le 8 janvier 1803 au colonel Henri Caldwell et à 98 autres militaires ou veuves de militaires. Mais la plupart d'entre eux n'étant pas venus s'y établir dans les délais fixés, ils perdirent leurs droits.

En 1809, les premirs colons commencèrent à y arriver. Parmi eux, mentionnons Rosswald Spaulding et Jonathan Herrick.

La localité appelée plus tard Granby, comme village en 1859, puis comme cité en 1916, se nommait d'abord Frost-Village, car ses fondateurs furents les frères Jonathan, Richard et Joseph Frost, originaires de Malborough, New Hampshire, États-Unis.

La municipalité du canton de Granby date du 1er juillet 1845.

La paroisse Notre-Dame-de-Granby fut la première organisée. Elle le fut canoniquement le 3 décembre 1859 et civilement le 14 juin 1860. Des missionnaires la desservirent de 1844 à 1859, alors qu'elle reçut son premier curé résident. Ses registres datent de 1846.

Granby, paroisse, village puis ville, fut d'abord une localité de langue anglaise, comme ce fut le cas partout ailleurs dans les Cantons de l'Est, à cette époque. Les Canadiens de langue française commencèrent par s'établir dans la partie ouest pour rayonner graduellement ensuite sur toute la ville. Ils y parvinrent par leur travail, leurs économies et surtout grâce à leurs familles nombreuses.

En 1951, la ville comptait 20 556 citoyens de religion catholique dont 20 046 personnes de langue française et 1 784 Anglais.

1937
CHARLES-ÉDOUARD MAILHOT

Plaque à Arthabaska, face au no 44 est, rue Laurier

À LA MÉMOIRE DE L'ABBÉ CHARLES-ÉDOUARD MAILHOT HISTORIEN DES BOIS-FRANCS NÉ EN 1855, DÉCÉDÉ EN 1937 EN L'HOTEL-DIEU, ARTHABASKA.

LES CITOYENS D'ARTHABASKA 30 JUIN 1957.

Plusieurs historiens ont écrit sur les Bois-Francs avant l'abbé Charles-Édouard Mailhot, nommément les abbés Charles Trudelle et Chs-F. Baillargeon, Mgr P.H. Suzor ainsi qu'Antoine Gérin-Lajoie et Hyacinthe St-Germain. Mais c'est lui qui demeure l'« historien des Bois-Francs », ainsi qu'il est gravé sur la plaque érigée en son honneur à Arthabaska.

Son ouvrage, publié en quatre volumes (1914, 1920, 1921 et 1925), était épuisé depuis longtemps lorsqu'en 1968, l'Imprimerie d'Arthabaska qui en détient les droits d'auteur publia une autre édition revisée et complétée par MM. Alcide Fleury et Roger Lussier, spécialistes de l'histoire régionale. Cette réédition en deux fort beaux volumes illustrés est déjà épuisée.

L'abbé Charles-Édouard Mailhot naquit à Gentilly le 6 juin 1855, du mariage de Michel Mailhot-Leblond, cultivateur, et de Julie Bourbeau Beauchemin. Il fit ses études classiques et théologiques au Séminaire des Trois-Rivières où il fut ordonné prêtre le 25 septembre 1881.

Après avoir été vicaire à Gentilly, (dont il a aussi écrit une monographie), à Saint-Célestin et autres endroits, il devint, en 1886, curé de Saint-Louis-de-Blandford jusqu'en 1898, alors qu'il fut curé de Saint-Paul-de-Chester. Il se retira ensuite à l'Hôtel-Dieu d'Arthabaska où il décéda le 13 mai 1937 ; il y fut inhumé dans la crypte.

Il amassa une documentation considérable sur les Bois-Francs, surtout sur les pionniers. C'est lui qui inaugura le monument érigé, en 1927, à Charles Héon, à Saint-Louis-de-Blandford et qui fut l'instigateur du mouvement qui érigea la croix lumineuse d'Arthabaska en hommage aux missionnaires et pionniers des Bois-Francs.

1937
LE CENTENAIRE DE LA VILLE DE SHERBROOKE

Plaque à Sherbrooke sur le mur extérieur de l'hôtel de ville, au no 145, rue Wellington

1837-1937. POUR COMMÉMORER LA CÉLÉBRATION DU CENTENAIRE DE LA FONDATION DE LA CITÉ DE SHERBROOKE DU 31 JUILLET AU 4 SEPT. 1937 LE CONSEIL MUNICIPAL DE LA CITÉ DE SHERBROOKE EN 1937:

TO COMMEMORATE THE CELEBRATION OF THE CENTENARY OF THE FOUNDATION OF THE CITY OF SHERBROOKE FROM JULY 31st TO SEPT. 4th 1937 THE MUNICIPAL COUNSIL OF THE CITY OF SHERBROOKE:

HIS WORSHIP:
SON HONNEUR LE MAIRE:
ED. ÉMILE RIOUX, V.D.

ÉCHEVINS — ALDERMEN
M.T. ARMITAGE; EUGÈNE THIBAULT; A.C. ROSS; J.R. SANGSTER; J.R. ROYER; J.E. LACROIX; HENRI VINCENT; J.L.E. BLAIS; J.W. GENEST; ALFRED CINQ-MARS.

I.P.

Le fondateur de Sherbrooke fut Gilbert Hyatt. Originaire d'Arlington (sur le chemin Ethen Allen dans l'État du Vermont actuel), il multiplia ses démarches avant d'obtenir des titres, en 1803, dans le township d'Ascot. Dès 1792, il y avait commencé la colonisation et en 1795, il y bâtissait un moulin sur la rivière Magog en avant du pont Dufferin. Cet endroit porta le nom de Hyatt's Mills de 1800 à 1818.

Il obtint personnellement 1 175 acres et en acquit d'autres. Il en revendit à Ephraim Wadleigh, Calvin Moulton, James Lobdell, David Moe, Nathaniel Kendell, R. Hendel, Charles Hyatt et autres. Son épouse s'appelait Anna Confield. Il mourut en 1823.

Pour construire ses moulins, il dut emprunter des frères Hart, des Trois-Rivières. Il fit faillite en 1811. Ses biens furent vendus par le sherif, ce qui manifeste non seulement les difficultés à vaincre mais aussi la hardiesse de son entreprise.

La ville porte le nom de Sherbrooke en hommage à John Coape Sherbrooke (1764-1830) qui fut gouverneur général du Canada de 1811 à 1818.

1868-1941 ET 1871-1941
BENJAMIN BENTON MORRILL ET FLORENCE HOMPHREY

Plaque à Stanstead, à Dufferin Heights, sur la route no 143, à environ 1½ mille au nord de la ville

IN MEMORY OF COLONEL BENJAMIN BENTON MORRILL 1868-1941 AND HIS WIFE JESSIE FLORENCE HOMPHREY 1871-1941.

TO USE THIS MAP, LOOK ACROSS THE POINT IN THE CENTER MARKED DUFFERIN HEIGHTS, THEN THE MOUNTAIN BEYOND THE POINT ON THE MAP WILL CORRESPOND THE MOUNTAIN IN THE SAME DIRECTION ON THE HORIZON, NAMES AND HEIGHTS OF THE MOUNTAINS ARE GIVEN AND THEIR DISTANCES IN MILES FROM HERE.

THIS MAP WAS PRESENTED IN MEMORY OF COL. AND MRS. MORRILL BY THEIR FRIENDS ORSON WHEELERS, 1948 *I.P.*

Le colonel Benjamin B. Morrill qui en 1929 devint le président fondateur de la Stanstead County Historical Society, fut l'un des plus illustres descendants des pionniers de la région. Son père William Morrill, et sa mère, Hannah Rogers, tous deux originaires du New Hampshire, s'établirent à Stanstead en 1800, occupant le lot 15, 1e rang (la partie nord de la colline).

Le colonel naquit à « Dufferin Heights » le 9 novembre 1868 ; il était l'aîné d'Eugène et d'Harriet Pomeroy Benton. Il fit ses études au Stanstead College. Lui-même et son épouse, Jessie Florence Homphrey, passèrent toute leur vie dans la maison blanche située au pied du monument précité.

Attiré très jeune par le métier des armes, il avait obtenu sa commission à l'âge de dix-sept ans. Deux ans après, il commandait, comme major, le Stanstead Squadron of Cavalry. De 1908 à 1913, il commanda le 13th Scottish Lt. Dragoons. Six ans de suite il mérita le « *TURNER SHIELD* » c'est-à-dire le plus grand honneur décerné dans la milice canadienne pour la cavalerie.

À l'âge de la retraite, il s'adonna au commerce de l'immeuble à Sherbrooke ainsi qu'à celui du bois de pulpe et du bois de charpente dans le comté de Stanstead. C'est à lui surtout que l'on doit le monument en hommage aux pionniers érigé à Dufferin Heights.

L'auteur de cette carte, Orson Wheeler, sculpteur connu, naquit près de Ways Mills ; il fut vice-président de la Stanstead County Historical Society.

1941
LA PAROISSE SAINT-EUGÈNE DE GRANBY

Monument à Granby, en face de l'église Saint-Eusèbe, rue Laval, à l'angle de la rue Notre-Dame.

EN SOUVENIR DU 25ième ANNIVERSAIRE. PAROISSE ST-EUGÈNE-DE-GRANBY. ÉRIGÉE LE 10 MAI 1941. CURÉ FONDATEUR MGR J-T. DUBUC C.S.

I.P.

Mgr Eugène Pelletier, qui fut curé de la paroisse Notre-Dame-de-Granby durant plusieurs décades, confia en 1941, avec l'assentiment de Monseigneur F.N. Decelles, évêque de Saint-Hyacinthe, le soin d'une partie de ses fidèles à son vicaire, l'abbé J.-Télesphore Dubuc.

Le territoire ainsi desservi comprenait près du quart de la ville de Granby et une grande partie de la campagne, à l'ouest de celle-ci. Il comptait alors 3 239 âmes. Il fut canoniquement érigé en paroisse le 10 mai 1941.

C'est Monseigneur A. Douville, évêque auxiliaire de Saint-Hyacinthe, qui bénit, le 28 septembre suivant, la pierre angulaire de l'église et, le 8 mai 1942, le presbytère. Monseigneur Antoniutti, délégué apostolique, bénissait, le 18 octobre, l'église dédiée à Saint Eugène, nom de baptème du Pape d'alors et également celui du curé Pelletier.

Cette paroisse, tout en conservant à peu près le même nombre de fidèles, permit la formation de cinq autres nouvelles: Saint-Joseph, Saint-Benoît, l'Assomption, Immaculée-Conception et Saint-Luc.

L'abbé Dubuc est né à Milton, comté de Shefford, le 30 décembre 1900, de Joseph, cultivateur, et d'Anastasie Côté. Il fit ses études classiques au séminaire de Saint-Hyacinthe et ses études théologiques au grand séminaire de Montréal. Il fut ordonné prêtre en 1926. Après avoir été professeur à son Alma Mater pendant un an, il alla étudier à Rome où il obtint un doctorat en philosophie. Il remplit ensuite les postes suivants: professeur à son séminaire, vicaire à Farnham et directeur des œuvres à l'évêché de Saint-Hyacinthe jusqu'à ce que sa santé chancelante l'obligea à aller se reposer aux États-Unis.

Son œuvre fut d'être le curé-fondateur de la paroisse Saint-Eusèbe de Granby, et cela avec doigté et succès.

Il décéda subitement le 2 juin 1968 ; il est inhumé dans la crypte du séminaire.

1944
THE SHERBROOKE FUSILIER REGIMENT

Plaques à Sherbrooke, rue Queen, à l'angle de la rue Elisabeth

THE SHERBROOKE FUSILIER REGIMENT. CE RÉGIMENT FUT MOBILISÉ POUR SERVICE ACTIF LE 27 JUILLET 1940. C'ÉTAIT LE SEUL DÉTACHEMENT DE L'ARMÉE CANADIENNE OFFICIELLEMENT AUTORISÉ PAR LES QUARTIERS-GÉNÉRAUX DE LA DÉFENSE NATIONALE À ÊTRE MIS SUR PIED GRÂCE AUX EFFORTS COMBINÉS D'UNE UNITÉ DE RÉSERVE CANADIENNE-FRANÇAISE, «LES FUSILIERS DE SHERBROOKE» ET D'UNE UNITÉ DE RÉSERVE CANADIENNE-ANGLAISE «THE SHERBROOKE REGIMENT». IL FUT D'ABORD UN BATAILLON D'INFANTERIE, ET, AU DÉBUT DE 1942, ALORS QU'IL ÉTAIT EN SERVICE À TERRE-NEUVE, IL FUT CONVERTI EN UNITÉ BLINDÉE. C'EST À CE TITRE QU'IL FIT PARTIE DE LA PREMIÈRE VAGUE DANS L'INVASION DE L'EUROPE LE 6 JUIN 1944. L'UNITÉ FUT DÉMOBILISÉE À SON RETOUR À SHERBROOKE, LE 26 JANVIER 1946, ET CETTE PLAQUE COMMÉMORATIVE EST DÉDIÉE AUX HOMMES QUI, COMPOSANT SES EFFECTIFS, ONT TRAVAILLÉ, ONT COMBATTU ET SONT MORTS POUR UNE MÊME ET GLORIEUSE CAUSE. LE TANK «BOMB» DE CETTE PLAQUE COMMÉMORATIVE (TANK DU THE SHERBROOKE FUSILIER REGIMENT) À COMBATTU DU JOUR «J» AU JOUR «V.E.» C'EST LE SEUL TANK DE L'ARMÉE CANADIENNE POSSÉDANT CE RECORD D'UNE AUTHENTICITÉ ÉTABLIE.

THE SHERBROOKE FUSILIER REGIMENT. THIS REGIMENT WAS MOBILIZED FOR ACTIVE DUTY ON THE 27TH OF JULY 1940. IT WAS THE ONLY FORCE IN THE CANADIAN ARMY THAT WAS OFFICIALLY AUTHORIZED BY NATIONAL DEFENSE HEADQUARTERS TO BE RAISED BY THE COMBINE EFFORTS OF ONE FRENCH-CANADIAN RESERVE UNIT «LES FUSILIERS DE SHERBROOKE» AND ONE ENGLISH CANADIAN RESERVE UNIT «THE SHERBROOKE REGIMENT». IT ORIGINATED AS AN INFANTRY BATAILLON, AND IN EARLY 1942 WHILE SERVING IN NEWFOUND-LAND, WAS CONVERTED TO AN ARMOURED REGIMENT. IN THIS FORM, IT TOOK PART IN THE FIRST INVASION WAVE ON EUROPE THE 6TH OF JUNE 1944. THE UNIT WAS DEMOBILIZED ON ITS RETURN TO SHERBROOKE THE 26TH OF JANUARY 1946, AND THIS MEMORIAL IS DEDICATED TO THE MEN WHO WHILE IN THIS STRENGTH WORKED, FOUGHT AND DIED IN COMMON GLORIOUS CAUSE. THE SHERBROOKE FUSILIER REGIMENT TANK «BOMB» OF THIS MEMORIAL, FOUGHT FROM «D» DAY TO «V.E.» DAY AND IS THE ONLY TANK IN THE CANADIAN ARMY WITH THIS AUTHENTICATED RECORD.

LE TABLEAU D'HONNEUR THE SHERBROOKE FUSILIER REGIMENT.

À L'HONNEUR ET À LA GLOIRE DE CEUX QUI SONT MORTS EN SERVANT DIEU ET LEUR PATRIE.

ALLSOP, F.J.; ANDERSON, W.C.; ANDRES, D.; ATHINSON, H.F.B.; BALKWILL, H.W.; BELVEAL, N.A.; BOLT, J.E.; BOYD, N.S.; BRAZIER, A.W.; BRIDGES, J.R.; BROWN, J.; BROWN, W.L.; CASEY, J.H.; CHASTENAIS, M.; CLARK, E.A.; CLARK, J.A.; CORRIER, J.J.; DAVIDSON, J.; DAVIS, J.W.; DREW, D.A.; ELLIOTT, P.J.H.; ELLIOTT, P.J.; ELSBY, C.F.; ENGLAND, D.F.; EVANS, A.L.; FIDLER, E.; FITZPATRICK, M.J.; FONTAINE, C.; FORBES, W.M.; FOUNTAIN, P.J.; CAFFNEY, M.D.; GANNAW, P.E.; GAREAU, C.O.; GELMAN, D.; GEROW, C.E.S.; GILL, C.V.; GILLIS, J.J.; GILROY, R.B.; GOODHALL, F.; GOUDREAU, C.E.; GOURLAY, J.; GREENWOOD, J.H.; GRUTHER, A.S.; HALVORSON, F.; HAMMOND, E.M.; HAMCHARYK, S.; HARDY, W.G.; HARVEY, L.E.; HENRY, T.H.; HILL, K.; JELLY, A.; JENNE, L.M.; JENNINES, L.W.M.; JOANETTE, E.; JOHNSON, J.P.; JOHNSTON, W.R.; JONES, W.R.; JOUDREY, R.N.; KACHOR, J.; KENNY, H.V.; KLOSE, E.J.; LANG, K.B.; LEARD, A.R.; LEBLANC, J.E.V.; LEFEBVRE, M.; LEGGE, C.C.; LICK, A.E.; LOCKHEAD, R.; LOGAN, J.E.M.; LOVEDAY, E.M.; MACKAY, K.M.; MACKENZIE, D.W.; MACKENZIE, F.; MACCAULEY, H.R.; MCCHESNEY, H.; MCCORMICK, H.A.; MCCRIMMON, I.J.; MCCARRY, T.R.; MCCUIRE, J.K.; MCLEAN, A.; MCKENZIE, M.; MCMILLAN, F.B.; MCMURDO, C.H.; MICHAUD, J.D.A.; MONDOR, M.V.; MORGAN, P.H.; MUNRO, F.V.; MURRAY, T.B.; MUTTER, J.M.; MUTTON, R.G.; NADON, F.G.; NELSON, L.G.; NICK, B.E.; NORDIN, E.C.; NOTT, H.E.; PETIT, J.; PHILIP, H.G.; PROVENCHER, J.H.; PURDY, R.G.; QUANN, F.W.; REID, E.W.; RENO, C.V.; RICE, G.S.; RIDE, L.G.; RIENGUETTE, W.J.; RODGERS, J.L.; SARR, D.A.; SCHNEIDER, E.H.J.; SEASTRAND, F.A.; SEVEREID, J.M.; SHEPHERD, L.J.; SMITH, W.J.; SOSNOWKI, J.; SPENCE, J.A.; STEVENS, T.C.; STEWART, D.H.; STINSON, S.F.; THOMPSON, C.F.; THRENHOLME, W.H.; UHLMAN, M.C.; WHITE, A.; WHITNEY, R.H.; WILLIAMS, L.M.; WILSON, R.; WILKINSON, N.E.; WINDSOR, T.A.L.; WOOD, C.E.; ZEEBEDEE, W.S.

TO THE HONOUR AND GLORY OF THOSE WHO DIED WHILE SERVING GOD AND THEIR COUNTRY.

I.P.

1939-1945

EN HOMMAGE AUX BRAVES DE ULVERTON

Plaque à Ulverton, sur la façade de l'église en brique datant de 1866, au centre du village

HONOUR ROLL
SECOND GREAT WAR 1939-1945
KILLED IN ACTION
LT. F. LYSTER
CNR. W. McMANNIS
SPR. W. RICHARDS
RFM. W. WATERHOUSE

ALSO SERVED

CPL. R. BEAULAC
BDR. L. BOGIE
RFM. E. COTÉ
CPL. J. COUGHMAN
PTE. W. COUCHMAN
PTE W. CRIPPS
RFM. E. DEMERS
LT. E. DOYLE
LAC. E. DOYLE
TPR. W. DOYLE
PTE E. GILCHRIST
PTE H. GILCHRIST
SGT. R. LEATHERBARROW

RFM. A. GRAVES
SGT. D. GRAHAM
GNR. G. HUSK
GNR. C. LYSTER
GNR. O. MALLETTE
PTE. D. MILLS
PTE K. PATRICK
REM. L. PATRICK
F. SGT. K. RICK.
LAC. D. RICK
PTE G. WATERHOUSE
PTE G. WATERHOUSE
CPL. G. WHYBROW

M.M.
ERECTED BY THE COMMUNITY OF ULVERTON

I.P.

1939-1945
LE MONUMENT AUX BRAVES DE ISLAND BROOK

À Island Brook, vis-à-vis l'hôtel de ville

TO THE MEN OF THE TOWNSHIP OF NEWPORT WHO GAVE THEIR LIVES WHILE SERVING IN THE CANADIAN ARMED FORCE 1939-1945.

VICTOR ADAMS: DALE BATES: VICTOR DRUIN: JAMES HARVEAY FRENCH: LEO GIROUX: CARLTON S. GOODENOUGH: WALTER MASTERS: EMERSON PARKER.

I. P.

1939-1945
LE MONUMENT AUX BRAVES

À Knowlton, sur la rue Victoria à l'angle de la rue Davignon (dans le parterre de la Knowlton Academy)

1939-1945. IN MEMORY OF THE CITIZENS OF KNOWLTON WHO MADE THE SUPREME SACRIFICE AND IN HONOUR OF THOSE WHO SERVED IN WORLD WAR II.

BANCROFT, HUGH W.; BLUNT, ALLEN; BOYD, KIRK; BROVILLETTE, ROSS; BROVILLETTE, SIDNEY; McCLINTICK, C. AUSTIN; MIZENER, GERALD A.; PAGE, PIERRE; PARTRACE, DONALD; PIBUS, HARRY; PORRITT, R.A.; ROBERTS, DAVID; ROBSON, S. BENTLEY; TIERNEY, CHARLES; WOODLEY, C. DAVID.

ALLAN, J. BRUCE; ALLAN, JUNE; BAILEY, F. GORDON; BALL, J.K.W.; BALL, S.A.R.; BANCROFT, CATHERINE M.; BATTLEY, ERNEST; BEAN, GEORGE; BEAUDOIN, DOUGLAS; BEAUDOIN, GERALD; BEAUDOIN, PAUL; BELL, ROBERT; BENOIT, J.L.O.; BENOIT, R.F.; BENOIT, R.W.; BLACKWOOD, HOMER M.; BLACKWOOD, MARCUS J.; BLACKWOOD, RUSSELL; BLACKWOOD, WILLIAM G.; BLANCHARD, RODERICK; BLEAU, J. FREDERICK; BOOTH, JAMES; BOWBRRICK, HARRY J.; BOYD, ALLAN R.; BRYANT, RICHARD; BUCHANAN, JAMES W.; BULLARD, EMERSON; BULLARD, IRVING R.; BULLARD, ROBERT; CARMICHAEL, HARRY; CHAMPEAU, HENRY; CHAMPEAU, HOWARD; CLARKE, ROY; CLARKE, THOMAS; COWIN, MAURICE; COWIN, PERCY; CRANDALL, NORMAN; CRANDALL, RALPH; DAVIS, DONALD; DAVIS, DOUGLAS; DAVIS, JAMES; DAVIS, MORRIS J.; DERBY, ALLAN; DESJARDINS, HORMIDAS; DUGGAN, HERRICAL; DURRELL, BRUCE; DUSSAULT, JOSEPH; FARNER, FRANCIS; FARRELL, GORDON; FOSTER, ARTHUR; FOSTER, HERSCHEL; FOSTER, SEWELL; FOSTER, THOMAS; FULLER, MARION; FOURNIER, ROSARIO; FUTTER, HAROLD; CALBRAITH, ALEX; CALBRAITH, NORMAN; CALBRAITH, MABEL; GUILLOTTE, ALFRED; HAMILTON, JOHN; HAMILTON, CHAUNCEY; HINDLE, CHARLES; HINDLE, DOUGLAS; HINDLE, GORDON; INGLIS, SYDNEY; IRWIN, HOWARD W.; KENT, GEORGE; KIMBERLEY, EDDIE; KIRBY, ARNOLD; LAPORTE, DONAT; LEFEBVRE, ROGER; LEFEBVRE, ROLAND; MANDIGO, HAROLD; MANDIGO, GRAHAM; MANDIGO, RALPH; MARTIN, DONALD; MITCHELL, GIFFORD; MITCHELL, MANLIFF; MITCHELL, SYDNEY; MIZENER, JOHN; MIZENER, LAWRENCE; MIZENER, RUPERT; MORLEY, JOHN; MULLARKEY, ROGER; NEEDHAM, KENNETH; NOEL, GERARD; NOEL, HENRI; PAGE, JACQUES; PAIGE, BERNARD; PAIGE, KENNETH; PARTRIDGE, F.R.; PARTRIDGE, H.A.; PAQUETTE, EDGAR; PAQUETTE, LIONEL; PEARSON, CYRIL A.; PORRIT, G.A.; PURCHASE, ARTHUR; PURCHASE, R.W.; RANDALL, JOHN; RANSOM, EDGAR; RANSOM, JAMES; READ, FREDERICK; ROBERTS, JOHN; ROBINSON, ARCHIE F.; ROLLITT, HUBERT; ROLLITT, ROBERT; ROUSSEAU, JOHN; ROUSSEAU, WILLIE; RUSSELL, ARTHUR; RUSSELL, CHARLES; RUSSELL, W.J.; SHAW, H. LEROY Jr.; SHOVER, WILLIAM LLOYD; SOLES, ORLANDO; ST-AMANT, JEAN-PAUL; STONE, CEDRIC A.; STONE, IRVING; STRANGE, MARGARET; STRANGE, SAM Sr.; STRANGE, SAM Jr.; SWEET, IVAN; SYVERG, JOHN; TALBOT, ROLAND; TALBOT, WILBUR; TAYLOR, COLIN D.; TAYLOR, GORDON, D.; TAYLOR, GRAHAM; TAYLOR, MARGUERITE; THOMPSON, ALFRED; TIBBITS, CRAYDON; TIBBITS, MORRIS; TOVEY, GEORGE; VAIL, GERARD; WESTCOTT, L.L.; WIKEN, CARL; WIKEN, NORMA; WILSON, CHRISTOPHER; WILLIS, BRENDA DUCCEN; WILLIAM, R.J.; WINWARD, C.B.; WOODLEY, JANET E.; WOODLEY, STEWART.

I.P.

1939-1945
LE MONUMENT AUX BRAVES

À Richmond, sur la rue du Collège à l'angle de la rue Carpenter.

BRITISH EMPIRE SERVICE LEAGUE
CANADIAN LEGION
RICHMOND BRANCH NO. 15

DEDICATED TO THE MEMORY OF THE MEN OF RICHMOND, MELBOURNE AND THE SURROUNDING DISTRICT WHO LAID DOWN THEIR LIVES IN THE SECOND WORLD WAR.

1939-1945

EMMANUEL BLAIS
ARIEL BOOTH
DONALD H. CLARKE
EDWARD S. DINGLY
JOHN FINNIGAN
RAYMOND FULLER
J. SARTO G. GAIN
EDWARD S. GALE, A.E.C.
MAURICE GAMMOCK
DOUGLAS GIBBS
PATRICK HANNAN
DONALD R. KELLY
FRANKLIN N. LYSTER
RONALD R. MASTINE
DENNIS A. McCABE
PETER J. McGOVERN
WILLIS McMANNIS
J.D. ALBERT MICHAUD
MALCOLM S. MILLER

ROY F. MOORE
RUSSELL G. NOBLE
WALTER L. QUIN
W.F. RICHARD
EARL J. ROSS
EDOUARD W. ST.CYR
ROBERT J. SINCLAIR
J. ANDREW SKERRY
ERNEST S. SMITH
LAWRENCE SMITH
JOHN SMYTHE
CLARENCE STEVENS
ERIC STEVENS
JOHN K. STEVENS
ALVIN TAYLOR
HERBERT A. WALLACE
WILLIAM E. WATERHOUSE
ERIC WATT
IVAN WILLEY

AT THE GOING DOWN OF THE SUN AND IN THE MORNING WE WILL REMEMBER THEM.

ERECTED BY THEIR FELLOW CITIZENS

I.P.

1939-1945
LE MONUMENT AUX BRAVES

À South Durham, rue de l'Hôtel de Ville à l'angle de la rue de l'Église

WAR — GUERRE
1939-45

BATES, E.	GUNTER, N.
DIONNE, B.	NEWELL, L.
BEAULAC, R.	MILLER, B.
BISSON, G.	MILLS, G.
CHURCH, E.	MONTGOMERY, C.
DAVIDSON, E.	MONTGOMERY, W.
DIONNE, W.	MOORE, W.
DOYLE, B.	MOUNTAIN, A.
FEE, D.	NEWELL, M.
GODBOUT, A.	NOEL, A.
HYDE, G.	NOEL, C.
JOHNSTON, I.	PATRICK, R.
LABARRE, A.	PICKEN, A.
LEBLANC, W.	PICKEN, G.
LESTER, A.	ROY, O.
LESTER, W.	TETREAULT, A.
LEVITT, J.	TRAHAN, A.
MALLETTE, A.	WOODBURN, G.
MANDIGO, A.	WOODBURN, R.
MENARD, D.	LORION, C.

ERECTED BY THE CITIZENS OF — ÉRIGÉ PAR LES CITOYENS DE
SOUTH DURHAM

J.P.

1939-1945
LE MONUMENT AUX BRAVES DE 1939

À Cowansville, près de l'hôtel de ville

TO
THOSE
WHO FELL
IN
FREEDOM'S
CAUSE
ILS
ONT DONNÉ
LEUR VIE
POUR
LA LIBERTÉ

I.P.

Jacob Ruiter fut le premier à s'établir dans la région de Cowansville en 1798. Deux ans après, il y construisit un moulin à farine et à scie. En 1805, la localité prit le nom de Nelsonville, en souvenir d'Horace Nelson, amiral anglais.

En 1836, Peter Cowans vint de Montréal s'établir comme marchand. En 1839, il y ouvrit le premier bureau de poste. Comme une autre municipalité en Ontario portait le nom de Nelsonville, on nomma ce bureau Cowansville, et le nom resta.

En 1929, Monseigneur F.Z. Decelles, évêque de Saint-Hyacinthe, détacha de la paroisse Sainte-Rose-de-Lima de Sweetsburg (érigée canoniquement en 1876) celle de Sainte-Thérèse de l'Enfant-Jésus de Cowansville.

C'est en 1876 que le village de Cowansville avait été incorporé, et il devint ville en 1931.

En 1964, y étaient annexées Sweetsburg et une partie du Canton de Dunham.

1848-1948
L'ÉGLISE DU SACRÉ-COEUR

Monument à Stanstead, rue Main (Dufferin Rd), à l'angle de la rue Maple

JE ME SUIS CHOISI CE LIEU POUR LA MAISON DU SACRIFICE.
1848-1948.

1796, 5 mars — J. TAPLIN DÉFRICHE LE SITE OÙ EST CONSTRUITE EN 1849 LA 1re ÉGLISE.

1834, 31 août — 1re MESSE CHEZ D. GALLACHER PAR L'ABBÉ J.B. McMAHON.

1842, 3 août — MGR BOURGET, ÉVÊQUE DE MONTRÉAL, BÉNIT LA 1re CHAPELLE.

1848, 15 OCTOBRE — ARRIVÉE DU PREMIER CURÉ, L'ABBÉ J.B. CAMPEAU.

1877, 10 MAI — MGR FABRE, ÉVÊQUE DE MONTRÉAL, BÉNIT L'ÉGLISE DE STANSTEAD.

1948, 17 OCTOBRE — BÉNÉDICTION DE CE MONUMENT.
RENDONS GRÂCE À DIEU.

I.P.

Voici la liste des prêtres qui furent curés de cette paroisse : J.B. Campeau 1848-51 ; Antoine Thibaudier, c.s.v. 1851-52 ; J. Bienvenue 1852-53 ; O. Pelletier 1853-55 ; H. Millier 1855-56 ; J.J. O'Donnel 1856-59 ; Magloire Pigeon 1859-61 ; N.-O. Domingue 1861-62 ; Ant.-Damasse Limoges 1862-68 ; Michael McAuley 1868-83 ; J.A. Dufresne 1883-91 ; M. Cordeau 1892-1902 ; E.X. Cruveiller 1902-16 ; Henry Beaudry 1916-27 ; Nap. Favreau 1927-30 ; J. Arthur Robidas 1930-32 ; Théo. Lanctôt 1932-38 ; Albert Dionne 1938-58 ; Pierre Comeau 1958-69 ; Roland Mainguy 1969-75 ; Yvon Malouin depuis 1975.

Cette paroisse fut érigée canoniquement en 1890 et civilement en 1891. Ce sont les fidèles qui demandèrent qu'elle soit sous le vocable du Sacré-Coeur. Elle comprend une partie des cantons de Barnston et de Stanstead. Ce dernier nom est celui d'une ville d'Angleterre. Le canton de Stanstead fut érigé le 27 septembre 1800.

Les Ursulines de Québec construisirent leur monastère de Stanstead en 1884 ; elles en prirent possession le 17 août 1885 de la même année.

En 1915, un incendie détruisit l'église ainsi qu'une cinquantaine de résidence.

L'église actuelle fut reconstruite l'année suivante. Mgr Paul Larocque, évêque de Sherbrooke, vint la bénir le 24 mai 1917.

1950

DR F.J. KAESTLI, CONSUL

Plaque à Granby, dans le parc Victoria, près de la rue

PLANTÉ PAR   PLANTED BY

DR F.J. KAESTLI
CONSUL GÉNÉRAL
SUISSE

14 OCT.   1950   OCT 14TH

I.P.

Ce petit monument fut érigé à l'occasion du jumelage de Granby à la ville de Thun, en Suisse, en 1950. C'est le maire de Granby, M. Horace Boivin qui représenta la municipalité à son dévoilement. Il avait lui-même choisi l'essence de cet arbre, un chêne rouge de la montagne de Rougemont. Cet arbre a maintenant près d'un pied de diamètre.

Friedrich J. Kaestli, né à Berne en 1893, y décéda le 26 février 1972. Il termina ses études à l'université de sa ville natale avec le titre de Docteur ès sciences politiques ; il passa trois ans à l'Office central fédéré pour la police des étrangers. En 1922, il fut au service du Département politique fédéral et occupa des postes à Londres, Shanghai, Glasgow, Leipzig, Berne puis Munich où il fut nommé Consul en 1936.

Transféré à Kaunas (Lituanie) en qualité de chef de poste, il se rendit à Zagreb comme Consul puis, en 1943, comme Consul général. En 1947, il se vit confier la direction du Consulat général de Suisse à Montréal jusqu'en 1958, alors qu'il prit sa retraite.

M. Horace Boivin, qui fut maire de sa ville durant vingt-cinq ans (1939-1964), se dévoue encore pour elle en tant que Commissaire Industriel.

1885-1953
LES PRÊTRES NÉS À SAINT-EPHREM D'UPTON

Monument à Upton, sur la continuation de la rue Saint-Ephrem à environ un mille au nord de cette localité

MGR DESMARAIS, PREMIER ÉVÊQUE D'AMOS, ANCIEN AUXILIAIRE DE SAINT-HYACINTHE, CELÉBRAIT SON JUBILÉ D'OR SACERDOTAL, A BÉNI CE MONUMENT ET L'A DÉDIÉ AU CHRIST-ROI-SOUVERAIN-PRÊTRE AU NOM DES PRÊTRES, ENFANTS DE LA PAROISSE, EN MÉMOIRE DU VÉNÉRÉ CURÉ MESSIRE EDMOND LESSARD, L'INFATIGUABLE APÔTRE DES VOCATIONS DANS LA PAROISSE, DE 1885 À 1917.

HOMMAGE AUX PIONNIERS. C'EST ICI QU'ILS SONT VENUS PRIER DANS LA PREMIÈRE CHAPELLE, 1856-76 ET QUE NOUS POUVONS PRIER COMME EUX AU PIED DE CETTE CROIX. 26 JUILLET 1964.

PRÊTRES DE LA PAROISSE SAINT-EPHREM D'UPTON

S.E. MGR J.A. DESMARAIS	1914	MGR DENIS ROBITAILLE	1952
MGR ALBERT TÉTREAULT	1922	MGR NAP. LOISELLE	1919
MGR ULRIC FOURNIER	1921	MGR LOUIS LUSSIER	1922
ABBÉS		ABBÉS	
GEORGES DION	1885	DÉSIRÉ JODOIN	1922
CLEOPHAS SAVOIE	1900	CONRAD MAC DUFF	1928
OVILA BELVAL	1910	ADÉLARD BELVAL	1928
LÉON LEMAY	1911	ANSELME LONGPRÉ	1930
EV. LAROCQUE	1912	LIONEL DUPRÉ	1931
CHRS E. HÉTU	1915	LÉONARD LAFLAMME	1932
CONRAD MAURICE	1916	LUCIEN BELVAL	1949
MASTAI CHICOINE	1917	MARC-AIMÉ LOISELLE	1956
RELIGIEUX		RELIGIEUX	
ERNEST MIGNAULT, O.P.	1916	ANTONIN LOISELLE, O.P.	1932
HENRI GAUTHIER, P.B.	1917	DONAT AUBÉ, C.S.C.	1933
EPHREM LONGPRÉ, O.F.M.	1918	GABRIEL CHAPUT, S.S.S.	1939
VICTOR DESMARAIS, O.F.M.	1926	RAYMOND CHAPUT, O.M.I.	1941
PATRICE ROBERT, O.F.M.	1930	ARTHUR DONAIS, O.F.M.	1953
ZOËL ROBERT, O.F.M.	1942		

JE TE SALUE, Ô CROIX, MON UNIQUE ESPERANCE
FAIS DE NOUS, SEIGNEUR, DES CHRÉTIENS VIVANTS.

I. P.

1954
LAKE ASBESTOS MINE

À Coleraine, dans un parc situé entre les rues Proulx, Saint-Patrick et Bernier

Le lac « Black Lake » avait autrefois 610 acres alors qu'il n'a plus maintenant que 125. C'est au-dessous de la surface ancienne qu'est exploité le minerai d'amiante par la Cie Lake Asbestos. La pierre, dont une photo apparait ci-dessous, est composée de péridotite avec une légère altération de serpentine et quelques veines d'amiante chrysotile.

Les droits sur cette mine furent accordés en 1948 à la United Asbestos mais en 1954, cette compagnie convint avec Asbestos of Quebec Ltd que Lake Asbestos exploiterait cette mine sur une base de partage des profits. $40,000,000 ont été déboursés pour l'exploitation de cette mine : construction du moulin, des ateliers, des bureaux, etc.

Dans la région des Cantons de l'Est, où on trouve de l'amiante depuis 1876, cinq compagnies principales exploitent des mines d'amiante à Asbestos, Black Lake, East Broughton et Thetford Mines, produisant plus d'un million et demi de tonnes de fibre par année, ce qui rapporte au Québec $250,000,000 par an. Les compagnies produisent 150 différentes classes de fibre. L'amiante chrysotile est divisée en huit catégories principales. L'amiante est un minerai. La formule chimique de la chrysotile est $3MgO. 2SiO_2. 2H_2O$. Les autres sortes d'amiante sont l'amosite, l'anthophyllite et la crocidolite. La chrysotile est la plus utile et précieuse composante de ce minerai. 80% de la production canadienne de chrysotile, soit à peu près 30% de la production mondiale, provient d'une zone d'une superficie d'environ cent kilomètres dans les Cantons de l'Est.

1905-1955
HOMMAGE AUX ANCIENS FRÈRES DES ÉCOLES CHRÉTIENNES

Monument à Arthabaska, au no 54 de la rue Laurier

F.F. MANDELLUS DIR
PHILIMON, ANTOINE
SALVATOR, JOSEPH
EUGENIUS, BASILE
CHARLES, PETER

1905 JUBILÉ D'OR 1955

J.P.

Monseigneur L.A. Côté, curé d'Arthabaska, obtint que les Écoles Chrétiennes enseignent aux garçons de la paroisse. Cette congrégation française vint au Canada en 1837. Le frère Mandellus, directeur, et le frère Salvador, économe, arrivèrent à Arthabaska, le 8 août 1905. Ils logèrent d'abord au presbytère et firent la classe dans l'hôtel de ville.

Le nouveau collège fut bénit par Monseigneur Brunault, le 29 août 1906. En décembre suivant fut installée la cloche baptisée BOURBON DES BOIS-FRANCS, don des curés De Courval et Mailhot.

Le collège d'Arthabaska a formé un grand nombre d'élèves qui sont devenus des sommités en maints domaines. Voici la notice biographique des Frères mentionnés sur la plaque précitée :

Mandellus, né Joseph Bourque, en 1873, à Saint-Grégoire-de-Nicolet ; il fut aussi provincial à Montréal et assistant du supérieur général. Philemon (1877-1937) naquit sous le nom de Télesphore Jodoin. Salvator, né sous le nom de Victor Phaneuf, en 1856, mourut à Arthabaska en 1919. Eugenius, Henri Toupin né en 1856 à Champlain, décéda aux Trois-Rivières en 1934. Charles, né Siméon-Frédéric Fiset, en 1880 à Québec, décéda à Laval-des-Rapides, en 1955. Antoine Arthur Lavallée, vit le jour à Montréal en 1885. Joseph Donat-Désiré Lamy, naquit en 1886 à Yamachiche. Basile Charles Riberdy, naquit en 1865, à Sainte-Mélanie. Et Peter, J.-Hyacinthe Fortin, naquit en 1876, à Saint-Antoine (Témiscouata).

Les Frères Mandellus et Philémon restèrent à Arthabaska sept ans, et Salvator, douze ans.

1956
ADÉLARD GODBOUT

Buste à Frelighsburg, au cimetière catholique

HON. ADÉLARD GODBOUT PREMIER MINISTRE DE LA PROVINCE DE QUÉBEC 1939-1944 NÉ LE 24 SEPTEMBRE 1892 DÉCÉDÉ LE 18 SEPTEMBRE 1956

ÉMILE BRUNET, sculpteur

I.P.

Né à Saint-Éloi-de-Témiscouata, il était l'un des 21 enfants de Eugène, cultivateur, et de Marie-Louise Duret. Il fit ses études secondaires au Séminaire de Rimouski et fut reçu agronome à l'École d'Agriculture de Sainte-Anne-de-la-Pocatière, où il fut ensuite professeur.

Élu député libéral de l'Islet en 1929, il devint ministre de l'Agriculture, de 1930 à 1936, dans le ministère Alexandre Taschereau. À la demande de celui-ci, il devint Premier ministre du Québec du 11 juin 1936 au 26 août suivant, alors qu'il fut défait par Maurice Duplessis. Mais, ayant été élu chef du parti libéral en 1937, il mena ce dernier à la victoire et devenait Premier ministre du 8 novembre 1939 au 30 août 1944, durant la période difficile de la seconde guerre mondiale. Parmi ses réalisations, mentionnons dans le domaine scolaire, la fréquentation obligatoire, la gratuité et l'uniformité des manuels, la création de l'hydro-québécoise et l'étatisation de la Montreal Light Heat and Power, le vote féminin, etc.

Il épousa Marie-Dorilda Fortin, institutrice de L'Islet, dont sont issus cinq enfant. En 1931, il acheta 100 acres de terre à Freligsburg, qu'il agrandit jusqu'à 750 acres. Il vint s'y établir en 1948. Il fit la culture de la pomme et exploita une vaste érablière. Il fit aussi l'élevage d'animaux de race.

Il fut victime d'un malheureux accident à sa maison de Frelighsburg ; à sa suite il décéda dans un hôpital de Montréal.

Docteur ès sciences agricoles des universités Montréal et McGill, professeur honoraire de la faculté d'agriculture de Laval et commandeur de l'Ordre du mérite agricole de France, il demeura toujours profondément attaché au sol québécois.

1956
LA FONTAINE WALLACE DONNÉE PAR LA VILLE DE PARIS

À Granby, dans le parc Isabelle,
à l'angle du boulevard Leclerc et de l'avenue Dufferin

DON DE LA VILLE DE PARIS À LA VILLE DE GRANBY, 1956.

LES 50 PREMIÈRES FONTAINES DE CE TYPE ONT ÉTÉ GÉNÉREUSEMENT OFFERTES EN 1872 À LA VILLE DE PARIS PAR LE PHILANTHROPE SIR RICHARD WALLACE (1818-1890) POUR ÊTRE PLACÉES DANS LES RUES DE LA CAPITALE FRANÇAISE.

DONATED BY THE CITY OF PARIS TO THE CITY OF GRANBY, 1956.

THE FIRST FIFTY FOUNTAINS OF THIS TYPE WERE GENEROUSLY GIVEN TO THE CITY OF PARIS IN 1872 BY THE BRITISH PHILANTROPIST SIR RICHARD WALLACE (1818-1890) TO BE PLACED IN THE STREETS OF THE FRENCH CAPITAL.

I. P.

Pierre de Gaule était maire de Paris lorsque cette ville fit don de la fontaine Wallace au maire de Granby, Horace Boivin, en 1956. Celui-ci se dévoue encore aujourd'hui pour sa petite patrie en tant que commissaire industriel.

Joseph Bouchette qui fit beaucoup d'arpentage dans les Cantons de l'Est, inscrivit le nom de Granby en 1803 pour la région où devait être fondé le village du même nom.

Henry Caldwell et 98 associés en furent les premiers concessionnaires, mais comme ils ne s'établirent pas dans le territoire, ils furent déchus de leurs droits.

John Horner fut le premier colon à s'établir en 1813, sur le territoire de la ville actuelle. Il y érigea, près de la rivière Yamaska, une scierie et une meunerie. L'année suivante, il épousait Mary Door. Quelque temps après, il bâtissait avec Richard Frost un immeuble en bois à l'angle des rues Principale et Queen, ou celui-ci ouvrit un magasin général.

Le village de Granby fut érigé en 1858 et le 17 janvier 1859, ses contribuables, au nombre d'une centaine élisaient leur premier conseil municipal. Ils étaient presque tous d'origine anglaise, irlandaise et écossaise. Le premier maire fut Patrick Hackett.

La ville de Granby compte maintenant près de 40,000 habitants, dont 96% sont de religion catholique et 92% de langue française.

1961
HOMMAGE AUX AMIS DES ARBRES : L'ASSOCIATION FORESTIÈRE ET LES CLUBS 4-H DU QUÉBEC

Monument à East-Angus, dans le parc situé entre les rues Angus et Saint-François

4 SEPTEMBRE 1961. MONUMENT ÉRIGÉ PAR CONSERVATION-PROTECTION EN HOMMAGE AUX AMIS DES ARBRES, À L'ASSOCIATION FORESTIÈRE ET AUX CLUBS 4-H.

MONUMENT ERECTED BY OPERATION G.P. IN HOMMAGE TO THE FRIENDS OF OUR TREES, THE FORESTRY ASSOCIATION AND THE 4-H CLUBS.

I.P.

Ce geste d'ériger un monument en hommage aux amis des arbres et particulièrement à l'Association Forestière Québécoise et aux Clubs 4-H est une manifestation d'appréciation extraordinaire en leur faveur. L'Association Forestière Québécoise fut fondée en 1939.

C'est afin d'obtenir la collaboration des filles et garçons de 10 à 20 ans à ses entreprises qu'elle fit les démarches requises pour fonder au Québec les Clubs 4-H. Le premier fut celui de Val Brillant (Matapédia), en août 1942. Dès lors, il fut donné comme objectif à ce mouvement strictement québécois : « Intéresser les jeunes à la conservation de la forêt et des autres ressources naturelles ». Il y a de semblables clubs dans plusieurs pays du monde, mais ils sont, généralement, sous la dépendance de l'État et leur préoccupation est surtout l'agriculture et l'élevage.

Au Québec, le sigle « 4-H » signifie : HONNEUR (dans les actes), HONNÊTETÉ (dans les moyens), HABILETÉ (dans le travail) et HUMANITÉ (dans la conduite). Le but de ce mouvement est d'aider ses membres à devenir des citoyens responsables, en les éveillant au rôle écologique, économique et social du milieu forestier, ainsi qu'à favoriser dans le public, une mentalité de conservation de la forêt et de son environnement.

1962
LE PARC DOLLARD

À Asbestos, sur le boulevard Olivier, à l'angle de la rue Saint-Joseph

Il y a deux parcs à Asbestos : Saint-Barnabé et Dollard. Ce dernier fut ainsi appelé, suivant la résolution du conseil municipal, sur une proposition de M. Osias Poirier, en 1962.

Dès 1940, ce conseil avait décidé de ne pas subdiviser ce terrain, afin d'en faire un parc. Ce dernier logea d'abord le réservoir de l'aqueduc, démoli en 1959.

En 1943, la Chambre de Commerce des Jeunes d'Asbestos obtint que des balançoires y soient installées, ce qui causa une grande joie à la jeunesse. Quatre ans après, une ligue de balle-molle fut organisée avec huit clubs ; des tables furent ajoutées pour les piqueniqueurs. Les jeunes et les moins jeunes s'y rendirent de plus en plus nombreux.

En 1947, l'O.T.J. fut fondée et le parc facilita ses réalisations. Celui-ci fut officiellement inauguré, le 23 juin 1945. La Société Saint-Jean-Baptiste locale y organisa alors une manifestation patriotique, accompagnée du feu de la Saint-Jean. M. le Curé Raoul Bruneau de Saint-Claude, prononça le discours de circonstances. Il fut de tradition, par la suite, d'y célébrer le 24 juin. Les foules étaient heureuses de s'y rendre. Le 14 juin 1953, Monseigneur Georges Cabana bénit le nouveau pavillon de l'O.T.J. ainsi que le kiosque de l'Harmonie. Des travaux importants furent exécutés : installation de l'électricité, jeux de tennis, etc.

Les jeunes étaient si contents d'avoir régulièrement ce parc à leur disposition que, lorsqu'ils apprirent qu'il avait été baptisé du nom de leur héros, Dollard des Ormeaux, les sections étudiantes de la Société Saint-Jean-Baptiste donnèrent le buste de ce dernier, qui fut placé sur un socle formé d'une grosse pierre contenant de l'amiante. Les élèves de l'externat classique, le 18 mai 1962, y organisèrent une manifestation pour son dévoilement.

1937-1963
DAVID BOUCHARD

Plaque à Granby sur la route 112, à l'angle de la route 139

EN HOMMAGE À DAVID BOUCHARD MAIRE DE LA MUNICIPALITÉ DU CANTON DE GRANBY 1938-1963.

LA MUNICIPALITÉ DU CANTON DE GRANBY. 1969

I.P.

David Bouchard fut non seulement maire de la Municipalité du canton de Granby de 1938 à 1963, mais aussi préfet du comté de Shefford durant douze ans et directeur, pendant six ans, de l'Union des Municipalités des comtés du Québec. C'est en reconnaissance de son dévouement à la chose publique que le conseil de la Municipalité du canton de Granby lui a dédié cette plaque.

Il naquit au canton de Granby dans le rang North Ridge, le 27 mars 1885, du mariage de Joseph, cultivateur et de Marie Plante. Il fit ses études à l'école du rang. En 1908, il fit l'acquisition de la beurrerie-fromagerie Noiseux, située au 699 Dufferin, Granby. Lorsqu'il en prit possession, les cultivateurs environnants lui fournissaient 5 000 livres de lait par jour. Lorsqu'il vendit son commerce, en 1962, à ses fils Roméo et Armand, qui y font affaires sous le nom de Crèmerie Bouchard Ltée, ces cultivateurs lui apportaient 60 000 livres de lait quotidiennement.

Il avait épousé, en 1910, Exilda Daragon dont furent issus les deux fils susnommés et deux filles. Son épouse décéda en 1919. Il se remaria en 1928 à Victoria Gervais décédée en 1953.

Durant son terme à la mairie, il fit faire presque cent milles de chemins. La ville de Granby procéda à six annexions en vue de faciliter son expansion.

Après une vie employée tant à ses entreprises personnelles que publiques, il vit agréablement depuis 1972 au 275 rue Daragon, à Granby.

Cette plaque fut dévoilée le 22 août 1969, lors de l'inauguration officielle de la voie d'accès reliant Granby à l'autoroute des Cantons de l'Est ; cette voie porte le nom de Boulevard David-Bouchard.

1939-1964
HORACE BOIVIN MAIRE ET FRANCE BOIVIN-BERGERON MAIRESSE

Monument à Granby sur l'avenue des Érables à l'angle de la rue Paré

HORACE BOIVIN MAIRE 1939-1964
FRANCE BOIVIN MAIRESSE 1939-1964

Horace Boivin a été maire de Granby pendant vingt-cinq années consécutives. Tant à ce titre qu'à celui d'industriel et d'organisateur hors pair il a aidé, considérablement, au progrès de sa ville.

Il vit le jour à Granby le 24 septembre 1 905 du mariage de P.-Ernest Boivin et d'Alma Comtois. Son père fonda Granby Elastic Webb dont Horace prit plus tard la direction et la présidence ; cette compagnie, soit sous ce nom soit sous celui de Granby Elastic & Textile donna de l'emploi à des centaines de personnes durant nombre d'années.

Il fit ses études au collège des Frères du Sacré-Coeur de Granby et au Mont Saint-Louis de Montréal. À son accession à la mairie en 1964, sa population que 14000 habitants ; en 1964, sa population s'élevait à 37000. Il a facilité l'implantation de nombreuses industries en faisant d'incalculables démarches à cette fin, entreprenant même des voyages à l'étranger. Il fut l'initiateur de plusieurs mouvements grandement profitables pour Granby : Fondation d'un zoo qui attire des dizaines de milliers de visiteurs annuellement ; création de la Caisse Populaire et de la Coopérative d'habitation au bénéfice des employés de son usine, etc.

Il fut président et chef de file d'un grand nombre d'associations importantes qu'il serait trop long de nommer ici. Il fut maintes fois délégué à des congrès internationaux. Dans toutes ses fonctions, il n'a ménagé ni son temps ni son argent.

Il a épousé en 1939 France Bergeron dont naquirent plusieurs enfants.

Son dévouement pour la collectivité se poursuit dans d'autres domaines, particulièrement comme conseiller industriel de sa ville.

1964
LA FONTAINE LECLERC

Plaque à Granby sur le boulevard Leclerc entre les rues Providence et Iberville

L. CETTE FONTAINE ÉRIGÉE À LA MÉMOIRE DE J.H. LECLERC (1877-1945) PRÉSIDENT-FONDATEUR DE LA LAITERIE LECLERC LIMITÉE, PRÉSIDENT DE LA COMMISSION SCOLAIRE (1923-1935), ÉCHEVIN (1926-1933), MAIRE (1933-1939), DÉPUTÉ DE SHEFFORD À OTTAWA (1935-1945) A ÉTÉ INAUGURÉE ET REMISE OFFICIELLEMENT AUX CITOYENS DE GRANBY, EN 1964, PAR SES FILS BERNARD, MARCEL ET MARC LECLERC, AU NOM DE LA COMPAGNIE, À L'OCCASION DU CINQUANTENAIRE DE CELLE-CI.

I.P.

Les titres ci-dessus mentionnée attribués à Joseph-Hermas Leclerc sont des preuves suffisantes des nombreux services rendus dans le domaine publique. Ce qui est plus extraordinaire, c'est qu'il les a maintenus toute sa vie.

Né à Saint-Germain-de-Grantham, en 1877, du mariage de Stanislas et de Marie-Anne Poutré, il n'alla qu'à l'école de sa paroisse; mais il ne manqua jamais une chance de s'instruire. Ayant travaillé sur la ferme de ses parents jusqu'à l'âge de 21 ans, il décida alors de devenir beurrier et fromager.

En vue d'apprendre son métier, il s'engagea pour un fabricant de fromage à $9.00 par mois. Bientôt, il dirigea des fromageries ou des beurreries à Savage's Mills, à Racine puis à West Bolton. En ce dernier endroit, il fut propriétaire d'une fromagerie, tout en administrant cinq autres, méritant des médailles.

En 1914, il se sentit prêt. Déménageant à Granby, (qui n'avait alors que 4000 de population), il s'installa rue Centre. Sous le nom de Crèmerie de Granby, il commença à vendre du lait pasteurisé, étant le 5ième au Québec. Il ajouta la crème glacée, l'année suivante. Les progrès, huit ans après, étant devenus si manifestes, il lui fallut déménager et prendre un vaste local rempli de machineries modernes. Le commerce prit le nom de Laiterie de Granby. Son entreprise continua à progresser. Ses fils Bernard, Marcel et Marc s'associèrent à lui vers 1930. En 1954, la compagnie prit le nom de Laiterie Leclerc Limitée. Elle demeura entreprise familiale jusqu'en 1971 alors qu'elle fut amalgamée avec la Coopérative Agricole de Granby. Comme homme public, il aida aussi ses citoyens à améliorer leur sort, y consacrant 22 ans de sa vie, dont une dizaine durant la crise.

Novateur, chef de file, il a été l'un de ceux ayant le plus contribué au progrès de Granby. Un boulevard, une école polyvalente et une fontaine y rappellent son souvenir.

1815-1965
LE 150e ANNIVERSAIRE DE DRUMMONDVILLE

Monument à Drummondville
à l'angle de l'avenue Saint-Joseph et de la rue Saint-Pierre

1815-1965. MONUMENT COMMEMORATIF. 150e ANNIVERSAIRE DE DRUMMONDVILLE.

LA COMMISSION: GRÉGOIRE MERCURE, PRÉS., CLAUDE BÉLAND, SEC., YVON DIONNE, TRÉS., DIRECTEURS: C.W. McDOUGALL, RENÉ BLANCHARD, ROBERT MALOUIN, FERDINAND SMITH, Me JACQUES BIRON, JEAN-PAUL LEVASSEUR, COMMISSAIRE GÉNÉRAL.

GERMAIN N. PONTON, ARCHITECTE. DESHAIES & RAYMOND ENTREPRENEURS.

I.P.

La ville de Drummondville fut fondée à l'été de 1815 par Frederick-George Heriot, assisté de Pierre de Boucherville et de Jacques Adhémar. Les autorités voulaient protéger les townships de Grantham et de Wickham d'une invasion américaine par une forte population.

L'abbé Jean Raimbault curé de Nicolet fut le premier missionnaire à visiter ces colons, en 1816, alors que le premier ministre anglican à y résider, en 1819, fut le Rév. Wood. La construction d'une route jusqu'à Sorel et Sherbrooke facilita non seulement la circulation mais le développement du commerce. En 1844, 917 personnes demeuraient à Drummondville, dont 582 d'origine française et canadienne et 706 catholiques. La construction du chemin de fer, vers 1876, unissant Drummondville, Sorel et Acton, transforma la ville et les environs; de même, en 1891, pour la voie ferrée allant vers Saint-Hyacinthe et Nicolet. En 1889, la population y était de 2 700 âmes.

À partir de 1915, la construction d'une centrale électrique par Southern Canada Power donna un élan extraordinaire à la ville; la Cie Butterfly, en 1919, et peu après, une filiature s'y établirent, donnant de l'emploi à des centaines de personnes, suivie, plus tard, de la Celanese. Des milliers de personnes travaillaient.

En 1822, Drummondville n'avait qu'une petite chapelle. Elle compte maintenant sept paroisses. Près d'une centaine d'industries y prospèrent. La ville groupe maintenant 45 000 personnes.

1806-1966
CASSVILLE UNITED CHURCH

À Stanstead sur la route 143, à environ 2 milles au nord de Stanstead

CASSVILLE UNITED CHURCH. 1806-1966. TO THE GLORY OF GOD AND IN MEMORY OF THOSE WHO FAITHFULLY LABOURED HERE FOR THE CHURCH OF CHRIST.

I.P.

Le territoire desservi par Cassville Church mesurait dix milles carrés. Il fut fondé en 1799 par The Nine Partners, originaires du New Hampshire. Simon, Théophilus et Abraham Cass donnèrent leur nom à la localité puis à l'église ; les autres associés étaient Wm Tripp, Wm McCleary, John Langmaid, James Moses, James Locke et Abraham Libbee.

Le déboisement fait, les familles vinrent s'y établir dès 1800 ; cependant, une vingtaine d'années plus tard, plusieurs de ceux qui avaient réclamé des lots n'étaient pas encore arrivés.

Les Free Baptists et les Wesleyan Mathodists construisirent la Cassville Church en 1846, avec les matériaux de Old Union Meeting House située non loin de là construite en 1816 ; elle pouvait contenir 500 sièges. Cette paroisse fut active. Il fallait arriver de bonne heure à l'église pour y trouver place.

1859 marque l'ouverture de Cassville Academy, où William Heath enseigna l'anglais et le français. À l'étage supérieur, se trouvaient des chambres pour les élèves pensionnaires.

Mais les fidèles de ces congrégations diminuèrent graduellement, même après que ces dernières furent groupées dans l'United Church. L'église de Cassville construite en bois ressemblait à une maison ordinaire en plus grand, avec une couverture pointue surmontée d'un gros clocher.

Le monument original, voisin du cimetière des pionniers et de leurs successeurs, garde précieusement la cloche de l'église de Cassville.

1967
LE CENTRE CULTUREL DE KNOWLTON

Plaque à Lac Brome (Knowlton) sur l'édifice du Centre culturel, rue Riverside

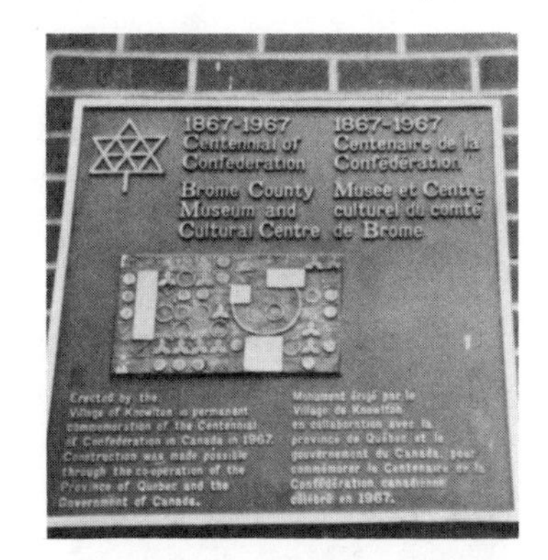

1867-1967
CENTENNIAL OF CONFEDERATION
BROME COUNTY AND
CULTURAL CENTRE

1867-1967
CENTENAIRE DE LA CONFÉDÉ RATION
MUSÉE ET CENTRE CULTUREL
DU COMTÉ DE BROME

ERECTED BY THE VILLAGE OF KNOWLTON IN PERMANENT COMMEMORATION OF THE CENTENNIAL OF CONFEDERATION IN CANADA IN 1967. CONSTRUCTION WAS MADE POSSIBLE THROUGH THE CO-OPERATION OF THE PROVINCE OF QUEBEC AND THE GOVERNMENT OF CANADA.

MONUMENT ÉRIGÉ PAR LE VILLAGE DE KNOWLTON EN COLLABORATION AVEC LA PROVINCE DE QUÉBEC ET LE GOUVERNEMENT DU CANADA, POUR COMMÉMORER LE CENTENAIRE DE LA CONFÉDÉRATION CANADIENNE CÉLÉBRÉ EN 1967.

I.P.

Ce Centre culturel de Brome est une heureuse initiative de la Société historique de ce comté. Celle-ci y possède un musée mais surtout des archives complètes et très riches sur le comté de Brome et la région.

L'inauguration eut lieu le 10 septembre 1967. M. H. Parkes, maire de Knowlton et M. W. Thibault, préfet du comté et maire d'Abercorn, souhaitèrent à tous la bienvenue. M. G. Brown, président de la Société, présenta les invités. L'ouverture officielle se fit sous la présidence de M. H. Shufelt, Mme H. Parkes et M. W. Thibault. M. le curé Paul-Eugène Boucher et le Rév. D.C. Warren bénirent l'immeuble et le Canon E.E.B. Nurse récita la prière d'usage. M. le curé Gagnon et le Rév. J.W. Davidson adressèrent la parole aussi. La fanfare de Knowlton School était au programme.

Sur la façade de l'immeuble on peut lire : HARRY B. SHUFELT MEMORIAL ARCHIVES. C'est un hommage rendu à ce personnage après avoir été longtemps membre de son conseil. Il avait collaboré avec l'architecte dans la préparation des plans de ce centre. Né en 1896 à Brome, il fit ses études à l'école de Brome et à Knowlton Academy. Époux de Mabel Henshaw, il décéda en 1973. On lui doit les ouvrages suivants : ALONG THE OLD ROAD, LORE AND LEGENDS OF BROME COUNTY, NICHOLAS AUSTIN THE QUAKER AND THE TOWNSHIP OF BOLTON, THE SHUFELT GENEALOGY et de nombreux articles sur l'histoire.

1967

L'EXPOSITION 1967 ET LE CENTENAIRE DE LA CONFÉDÉRATION

À Cookshire au no 180 sud, rue Craig

EXPO 67. CONFEDERATION CANADA. 1867-MCM67 « A POSSE AD ESS ». OHIXLHO. C.C.F.

I.P.

L'Exposition 1967, coïncidant avec le centième anniversaire de la Confédération canadienne, a attiré des millions de visiteurs, non seulement aux îles Sainte-Hélène et Notre-Dame mais aussi par tout le Québec. Ces gens, curieux de connaître nos belles localités, se montrèrent particulièrement intéressés à l'histoire des divers villages et villes traversées. Les personnes à qui ils s'informaient devaient souvent, faute de documentation, avouer leur ignorence.

Ainsi, qui a fondé Cookshire ? Vers quelle année ? Qui en furent les pionniers ? Cookshire porte ce nom en souvenir de John Cook qui, le 4 décembre 1800, acquit 1 200 acres de terre dans le canton d'Eaton. Il en fut l'un des premiers colons avec Jesse Couper, Levi French, Luther French, Abner Osgood, Orsemus Bailey, Ward Bailey et Ebenzzer Learned. Aux dates ci-après on voit les noms de : John Frenon (1797), John Brazel (1823), Louis Labonté (1824) et Antoine Martel, Léon Desruisseaux ainsi qu'Élie Laroche (1838).

L'abbé J.B. McMahon en fut le premier missionnaire de 1834 à 1840, suivi de P.H. Harkin de 1840 à 1846. Ils disaient la messe chez Patrick Farrell, les premiers colons catholiques étant, dans une forte proportion, irlandais. La première messe fut célébrée en 1835 et la première chapelle construite en 1853. L'abbé Pierre-Edmond Gendreau y devint le premier curé de 1868 à 1874. Les registres s'ouvrirent en 1868.

L'incorporation de la municipalité du canton d'Eaton eut lieu en 1845 et celle du village de Cookshire en 1892. La paroisse Saint-Camille-de-Cookshire fut érigée canoniquement en 1890 et civilement en 1891.

Le premier conseil municipal fut formé de : W.H. Learned, maire ; W.W. Bailey, Horace Sawyer, George Flaws, H.A. Planche, L.J.D. Gauthier et Georges Côté, conseillers.

1967

MGR ALBERT GRAVEL, HISTORIEN DES CANTONS DE L'EST

Plaque à Sherbrooke, au no 1693, rue Martel

ICI VÉCUT MGR ALBERT GRAVEL, PD., HISTORIEN DES CANTONS DE L'EST. GIVEN BY AMERICAN FRIENDS. 1967

I.P.

Mgr Albert Gravel a écrit de nombreux et solides ouvrages sur l'histoire des Cantons de l'Est, entre autres : HISTOIRE DE SAINTE-PRAXEDE DE BROMPTONVILLE ; MIETTES, CROQUIS ET SOUVENIRS ; HISTOIRE DE LAC MEGANTIC ; HISTOIRE DE COATICOOK ; LES CANTONS DE L'EST ; PRÉCIS HISTORIQUE DE SAINT-HERMENEGILDE ; AUX SOURCES DE NOTRE HISTOIRE DANS LES CANTONS DE L'EST ; PAGES D'HISTOIRE RÉGIONALE ; VADE MECUM DES SHERBROOKOIS ; L'ABBÉ ÉLIE-J. AUCLAIR ET SON OEUVRE ; L'OBITUAIRE-ALBUM et un grand nombre de brochures et articles.

Mgr Albert Gravel vit le jour le 7 novembre 1894 à Saint-Laurent (près Montréal), dans le rang Bois-Franc, du mariage d'Aldéric et de Rose-de-Lima-Émélina Auclair. Il fut le seul à survivre d'une famille de quatre garçons et une fille. Lorsqu'il eut deux ans, ses parents allèrent s'établir sur une terre de Saint-Vincent-de-Paul. Son père décéda en 1896. Sa mère dut se débrouiller seule avec une terre, animaux, etc.

Il fit ses études classiques au Séminaire de Sainte-Thérèse mais compléta sa philosophie au Collège l'Assomption. Il fit ses études théologiques au Grand Séminaire de Montréal. L'abbé Elie-J. Auclair lui suggéra d'aller exercer son ministère dans le nouveau diocèse de Sherbrooke. Il y fut ordonné prêtre en 1920. Alors qu'il vivait au séminaire de cette ville, il en fréquenta assidûment la bibliothèque. Il développa le goût de l'histoire, particulièrement celle des Cantons de l'Est. Maintenant à sa retraite à l'adresse ci-dessus, il n'en continue pas moins ses recherches dans ce domaine.

1967

LES FONTAINES DU CENTENAIRE

Plaque à Waterloo, au parc central

FONTAINE DU CENTENAIRE
CENTENARY FOUNTAIN
AOÛT — 8 — AUGUST 1967

I. P.

Ces fontaines du centenaire, inaugurées le 8 août 1967, rappellent que c'est le 26 mars 1867 que la paroisse Saint-Bernardin-de-Waterloo a été érigée civilement.

Son territoire comprend une partie du canton de Shefford. Des missionnaires desservirent les catholiques jusqu'en 1864. L'année suivante, un curé résident fut nommé, qui ouvrit, alors, les registres de l'état civil. Il s'appelait l'abbé Pierre-Edmond Gendreau.

Silas Lewis, capitaine de milice, né à Templeton, Massachusetts, États-Unis, est considéré comme le premier colon à s'établir dans la région en 1796. Il y décéda en 1849, père de neuf enfants.

Pour s'approvisionner, les premiers colons devaient se rendre à Saint-Jean, situé à une quarantaine de milles.

Les Canadiens français ne purent s'établir dans le canton de Shefford que vers 1860. Cent ans après, ils forment les trois quarts de la population.

La municipalité du Canton de Shefford fut érigé le 1er juillet 1855. Le village fut incorporé sous le nom de Waterloo le 17 septembre 1866 et comme ville le 30 décembre 1890. Ce nom, rappelant la défaite de Napoléon 1er, fut choisi par Héseliah Robinson à la suggestion de son beau-père, le juge Thomas-A. Knowlton.

1874-1974
LE CENTENAIRE DE ROXTON POND (SAINTE-PUDENTIENNE)

Plaque à Roxton Pond

CENTENAIRE — ROXTON POND — CENTENNIAL. LE SEUL ENDROIT AU CANADA OÙ L'ON FABRIQUE DES RABOTS DEPUIS PLUS DE CENT ANS. THE ONLY LOCATION IN CANADA WHERE PLANES HAVE BEEN MANUFACTURED FOR ONE HUNDRED YEARS. THE STANLEY WORKS OF CANADA LIMITED. DÉVOILÉE PAR M. RICHARD VERREAULT, M.P.P. 15 JUIN 1974.

I.P.

La paroisse Sainte-Pudentienne fut érigée civilement le 24 février 1874 après l'avoir été canoniquement le 2 septembre 1873.

Elle eut son curé résident en 1873, date de l'ouverture de ses registres.

Son territoire fut détaché des paroisses de Saint-Valérien-de-Milton, de Sainte-Cécile-de-Milton, de Notre-Dame-de-Granby, de Saint-Joachim-de-Shefford et de Saint-Jean-Baptiste-de-Roxton.

La municipalité de Sainte-Pudentienne a été érigée en 1875 et celle du village en 1886. Le nom « Roxton » vient du canton ainsi nommé en souvenir d'un village d'Angleterre et érigé en 1803. « Pond » signifie : étang situé près du village.

The Stanley Works of Canada Limited est une entreprise qui a contribué considérablement au progrès économique de la localité et même des alentours.

Les personnalités paraissant sur la photo du dévoilement de cette plaque sont, de gauche à droite : M. G. Bernier, maire de la paroisse ; M. R. Verreault, député provincial de Shefford ; Mme F. Desparts, présidente du Comité du Centenaire ; M. R.M. St-Onge, vice-président de celui-ci ; M.B. Corriveau, contremaître de l'usine ; M. H. Ducharme, maire du village.

1975
HOMMAGE AUX VICTIMES DES MINES D'AMIANTE

Plaque à Thetford Mines à l'angle des rues Notre-Dame sud et Saint-Alphonse

AUX TRAVAILLEURS QUI ONT LAISSÉ LEUR VIE DANS LES MINES D'AMIANTE. 1er MAI 1975.

I.P.

Le 19 mars 1975, une grève fut déclenchée par les travailleurs de l'amiante de la région de Thetford Mines, pour diverses raisons, particulièrement pour que la santé des mineurs soit mieux protégée. Elle dura plusieurs mois et fut difficile à régler. Il fut décidé que la fête du Travail serait célébrée à Thetford Mines le 1er mai suivant.

M. Paulin Toulouse, président du Comité central de cette ville et M. Robert Tarini, président du syndicat des enseignants de la région suggérèrent à M. Oliva Lemay, président du syndicat en grève qu'à cette occasion un monument fût érigé en hommage aux victimes des mines d'amiante, ce qui fut accepté. Les susnommés, ainsi que la Société nationale des Québécois, représentée par son président M. Paul Vachon, qui était aussi le président du Comité central d'appui aux grévistes, commencèrent les démarches à cette fin.

La fabrique de Saint-Alphonse donne l'autorisation de placer ce monument sur le terrain. Le conseil municipal, accorda le permis de transport de la grosse pierre et de poser une plaque. M. Léopold Paquet et quelques travailleurs furent chargée des travaux. Le dévoilement se fit le 1er mai, au cours d'une manifestation qui attira un grand nombre de personnes. Il fut décidé que, chaque premier mai, une cérémonie aurait lieu au pied de ce monument original.

Cette grève se termina avec les résultats suivants : 1.- Formation de comité de sécurité ; 2.- Adoption par le gouvernement provincial d'un règlement sur les normes de poussières acceptables ; 3.- Formation d'un comité d'étude par le gouvernement sur la salubrité dans l'industrie de l'amiante ; 4.- Adoption d'un arrêté en conseil obligeant tout mineur à posséder un permis et autorisant l'enlèvement d'un tel permis dans les cas de mineurs atteints d'amiantose ou de sélicose. 5.- Demande d'une loi modifiant la composition et les barèmes de compensation de la C.A.T. ; et 6.- Adoption de la loi 52, accordant à un travailleur atteint d'amiantose ou de silicose une compensation de 90% de son salaire net, indexé sur le coût de la vie.

1977
LA MAISON DES HONORABLES CORMIER

À Plessisville, au No 1353 rue Saint-Calixte

Cette maison a été construite en 1885, par le sénateur et conseiller législatif Charles Cormier, et par son fils, le conseiller législatif Napoléon Cormier. Celui-ci la reconstruisit plus belle, en 1895, après avoir été incendiée lors d'une conflagration de presque toute la ville.

La notice biographique de Charles Cormier est donnée dans le présent ouvrage (tome V).

Napoléon Cormier, né à Montréal, le 26 avril 1844, fit ses études au collège des Jésuites de Montréal, où il fut le confrère d'Honoré Mercier. Il reçut ensuite deux diplômes du collège militaire de Kingston. Après avoir aidé son père dans l'exploitation de son magasin à Plessisville, il lui succéda. La famille Cormier était très fortunée ; elle travailla au progrès de toute la population.

Il fut nommé, à 22 ans, secrétaire de l'Institut canadien local ; il fut aussi l'animateur inlassable de la Société Saint-Jean-Baptiste, fondée par son père en 1856. Il fut élu maire en 1887 et marguiller en 1889. Mercier favorisa son élévation au conseil législatif en 1889.

En 1870, il avait épousé Aglaé Larochelle. Au retour de leur voyage de noces, la population, la fanfare en tête, leur fit, à la gare, un chaleureux accueil. De cette union naquit une fille.

Il eut la grande épreuve de perdre la vue durant une quinzaine d'années. Avant l'opération de son dernier œil, il tint à faire le tour de son village bien aimé, voulant revoir, une dernière fois, ses rues, ses maisons, ses arbres et jusqu'au cimetière. Il fut foudroyé à l'œuvre, le 6 mars 1915, en pleine séance du conseil législatif ; transporté à l'Hotel Dieu de Québec, il expira quelques heures après. Il aurait été heureux de voir son manoir, vendu aux Sœurs de la Charité de Québec, servir d'hôpital. Cette maison servit maintes fois à des réceptions ayant un cachet de distinction et de cordialité au temps de Napoléon Cormier, particulièrement en 1896, où un diner fut offert à Wilfrid Laurier, premier ministre du Canada.

Cette maison a été classée monument historique en 1977.

BIBLIOGRAPHIE

AUTEURS :

SHERBROOKE, L.-P. Demers
DE KTINE À SHERBROOKE, M. O'Bready
VADE MECUM DU SHERBROOKOIS, A. Gravel
HISTORY OF BROME COUNTY, E.-M. Taylor
HISTORY OF COMPTON COUNTY
A HISTORY OF EATON, C.S. Lebourveau
ALBUM-SOUVENIR DE SUTTON
ANNALS OF RICHMOND COUNTY AND VICINITY
REGARDS SUR LES COMMENCEMENTS DE DRUMMONDVILLE, P. St-Germain
BOTTIN TOURISTIQUE & HISTORIQUE DE LA RÉGION DE DRUMMOND-HULL, L. Brault
LES CANTONS DE L'EST, A. Gravel
JOURNAL OF STANSTEAD COUNTY HISTORICAL SOCIETY
LES PONTS COUVERTS, Ministère du Tourisme, de la Chasse et de la Pêche
LE TRÈS HON. LOUIS-S. ST-LAURENT, J.J. Lefebvre
DRUMMONDVILLE : 150 ANS, E. Charland
NOTES SUR LA FAMILLE O'BREADY, M. O'Bready
LES AVOCATS DE LA RÉGION DE QUÉBEC, P.G. Roy
LE CONSEIL LÉGISLATIF DE QUÉBEC, G. Turcotte
ALBUM HISTORIQUE DU DIOCÈSE DE SAINT-HYACINTHE
ALBUM : UN SIÈCLE D'HISTOIRE : BÂTISSEUR DE GRANBY
THE CANADIAN DIRECTORY OF PARLIAMENT
LES BOIS-FRANCS, C.E. Mailhot
HISTOIRE DE LA PROVINCE DE QUÉBEC, R. Rumilly
L'ESTRIE, J. Mercier

DICTIONNAIRES :

DICTIONNAIRE BEAUCHEMIN CANADIEN, section historique : J.J. Lefebvre
DICTIONNAIRE BIOGRAPHIQUE DU CANADA
DICTIONNAIRE BIOGRAPHIQUE DES OBLATS
DICTIONNAIRE GÉNÉRAL DU CANADA, L. Le Jeune
DICTIONNAIRE DU CLERGÉ CANADIEN-FRANÇAIS, J.B.A. Allaire
ENCYCLOPEDIA CANADIANA
THE ENCYCLOPEDIA AMERICANA
THE MACMILLAN DICTIONARY OF CANADIAN BIOGRAPHY

JOURNAUX ET REVUES :

L'OPINION PUBLIQUE
QUEBEC DIOCESAN GAZETTE
CHÂTELAINE
LA TRIBUNE (DE SHERBROOKE)
(Cahier historique)
SHERBROOKE DAILY RECORD
LE BORREMEEN
THE MONTREAL DAILY STAR
QUÉBEC-HISTOIRE

ARCHIVES :

Le ministère des Affaires culturelles de Québec
L'archevêché de Sherbrooke
L'évêché de Saint-Hyacinthe
La Société d'Histoire des Cantons de l'Est
La Bibliothèque du Parlement de Québec
La Bibliothèque du Parlement d'Ottawa
La Bibliothèque nationale

TABLE DES MATIÈRES

1. PAR ORDRE ALPHABÉTIQUE

A

ABBAYE SAINT-BENOIT DU LAC, l' 170
ACADEMY» DE KNOWLTON, «OLD 84
«ACADEMY», la première d'Eaton Centre 217
ANNIVERSAIRE DE DRUMMONDVILLE, le 150e 245
ARLES, la maison natale de Henri Beaudet dit Henri d' 114
ARNOLD, Benedict: envahisseur du Canada 16
ARRIVÉE DES PREMIERS COLONS À SUTTON, l' 21
ASBESTOS CORPORATION, l' 216
ASBESTOS MINE, Lake 236
ASBESTOS, le monument aux braves d' 193
ASSOCIATION FORESTIÈRE, l' 240
ATKINSON, Henry-Morrell 174
AUSTIN, Nicolas 17
AYER'S CLIFF, le monument aux braves d' 208

B

BEAUCHESNE, Charles 52
BEAUDET DIT HENRI D'ARLES, la maison natale de Henri 114
BEAUREGARD, Elie 136
BEAUVOIR, la chapelle de 212
BEDFORD, le monument aux braves de 183
BEEBE, le monument aux braves de 188
BÉLANGER, Charles-Édouard et Ambroise Pépin 66
BÉLANGER, le missionnaire Charles-Édouard 67
BÉNÉDICTION DE LA CHAPELLE SAINT—PIERRE ET DU CIMETIÈRE ADJACENT PAR HUCH PAISLEY, la 45
BERCEAU DES BOIS-FRANCS, le 33
BERGERON-BOIVIN, France 243
BIBLIOGRAPHIE 253
BISHOP, John, l'établissement à Duswell 24
BLANCHETTE (Ulverton), le moulin 130
BOIS-FRANCS, le berceau des 33
BOIVIN-BERGERON, France 243
BOIVIN, Georges-Henri 134
BOIVIN, Horace 243
BOLTON CENTRE, le monument aux braves de 190
BONHOMME, Mgr Joseph 148
BONSECOURS, Notre-Dame-de-Stukely 128
BOOTH, David 36
BOUCHARD, David 242
BRASSARD, Adolphe: la maison natale d' 149
BROCHKHILL: Pionniers inhumés dans le cimetière de 55
BRODEUR, Mgr Rosario: la maison natale de 147
BROWN, Albert-Joseph 94
BROWNIE CASTLE, Palmer Cox et son 162
BURY, le monument aux braves de 203

C

CABANA, Mgr Georges 154
CABANA, Mgr Louis-Joseph: la maison natale de 155
CADIEUX, Lorenzo 164
CANNON, Arthur 125
CANNON, Lucien 144
CASSVILLE UNITED CHURCH 246
CÉLÉBRATION DE LA PREMIÈRE MESSE À WOTTON, la 76
CENTENAIRE DE LA CONFÉDÉRATION ET L'EXPOSITION, le 248
CENTENAIRE DE LA PREMIÈRE MESSE DE LAURIERVILLE, le 82
CENTENAIRE DE LENNOXVILLE, le 115
CENTENAIRE DE ROXTON PONT (SAINTE-PUDENTIENNE), le 251
CENTENAIRE DE SAINT-EPHREM-D'UPTON, le 86
CENTENAIRE DE LA VILLE DE SHERBROOKE, le 222
CENTENAIRE DE VICTORIAVILLE 96
CENTRE CULTUREL DE KNOWLTON, le 247
CHAMPOUX, John: fondateur de Disraéli 110
CHAPELLE DE BEAUVOIR, la 213
CHAPELLE SAINT-PIERRE ET DU CIMETIÈRE ADJACENT:
la bénédiction de la 45
CHARTIER, Émile 122
CHARTIER, Jean-Baptiste: curé fondateur de Coaticook 111
CHEMIN CRAIG, le 26
CHURCH, Philipsburg 31
CIMETIÈRE BROCKHILL: pionniers inhumés dans le 55
CINQ CENTS ANS AVANT JÉSUS-CHRIST 13
CLOCHE DE LA CHAPELLE DE WICKHAM, la 74
CLUB DES 4 H, le 240
COATICOOK, Jean-Baptiste Chartier, curé fondateur de 111
COATICOOK, le monument aux braves de 184
COLBY, Charles-William 108
COLLINS, Henry 20
COLERAINE, la fondation de 99
COLONISATION DES CANTONS DE L'EST INAUGURÉE À WOTTON, la 75
COMBAT SINGULIER MENA'SEN, le 15
COOKSHIRE, le monument aux braves de 187
COOKSHIRE, le pont de 58
CORMIER, la maison des honorables 253
CORNELL, le moulin 42
COTE, Marc-Aurèle-Suzor: la maison natale de 112
COWANSVILLE, le monument aux braves de 232
COX, Palmer et son Brownie Castle 162
CRAIG, le chemin 26

D

DANVILLE, le monument aux braves de 192
DÉFRICHEMENT DES PREMIERS 10 ACRES DU TOWNSHIP DE
NEWPORT, le 18
DENISON, le moulin 77
DESILETS, Alphonse 146
DESILETS, Joseph 143

DESMARAIS, Mgr J.-Louis-Aldée 151
DESROCHERS, Alfred 161
DILIGENCE: un service de: entre Saint-Jean et Stanstead 53
DISRAELI: John Champoux, fondateur de 110
DOMAINE HOWARD, le 212
DOR (DORE), Georges: la maison natale de 219
DORION, Jean-Baptiste-Éric 105
DRUMMONDVILLE; Georges Frederick Heriot, fondateur de 27
DRUMMONDVILLE, le 150e anniversaire de 245
DRUMMONDVILLE, le monument aux braves de 198
DUDSWELL, l'établissement de John Bishop à 24
DUFRESNE, Alfred-Élie: le grand vicaire 152
DUNKIN, Christopher 116
DURAND, Mgr Louis-Prosper 141

E

EAST-ANGUS, le monument aux braves de 206
EAST FARNHAM, quelques-uns des pionniers de 48
EATON CENTRE, l'église-musée d' 60
EATON CENTRE, la première « Academy » d' 217
ÉCOLE DE TIBBITS HILL, l' 69
ÉCOLE: la vieille de pierre, l' 37
EDGAR, James-David 61
ÉDIFICE HASKELL, l' 165
ÉGLISE ANGLICANE, l'emplacement de la première 39
ÉGLISE DU SACRÉ-COEUR, l' 233
ÉGLISE DE CASSVILLE, l' 246
ÉGLISE DE PHILIPSBURG, l' 31
ÉGLISE ÉRIGÉE PAR JAMES STEWART, l' 30
ÉGLISE-MUSÉE, la vieille d'Eaton Centre 60
ELISON, Joseph: John Fordyce et Michael Hearne 22
EMPLACEMENT DE LA PREMIÈRE ÉGLISE ANGLICANE, l' 39
ESCARMOUCHE DE MOORE'S CORNER, l' 57
ÉTABLISSEMENT À KINGSEY, le premier 23
ÉTABLISSEMENT DE JOHN BISHOP À DUDSWELL, l' 24
EXPOSITION 67 ET LE CENTENAIRE DE LA CONFÉDÉRATION, l' 248

F

FANFARE DE PLESSISVILLE, la fondation de la 117
FARNHAM, le monument aux braves de 185
FARNHAM-EST, quelques-uns des pionniers de 48
FESSENDEN, Reginald-Aubrey 103
FONDATEUR DES BOIS-FRANCS: Charles Héon, le 34
FONDATION DE COLERAINE, la 99
FONDATION DE LA FANFARE DE PLESSISVILLE, la 117
FONDATION DE SAINT-ROMAIN, la 102
FONTAINES DU CENTENAIRE DE WATERLOO, les 250
FONTAINE LECLERC, la 244
FONTAINE ROMAINE, la 218
FONTAINES EN FONTE, les 49
FONTAINE WALLACE, la 239

FORDYCE: John: Joseph Ellison et Michael Hearne 22
FORTIER, Samuel 85
FOSTER, George-Green: la maison natale de 93
FRELIGHSBURG, le moulin de 59
FRÈRES DES ÉCOLES CHRÉTIENNES, hommage des anciens aux 237

G

GAGNON, Mgr Joseph-Roméo: la maison natale de 163
GAGNON, Mgr Alphonse-Osias 91
GALE, Samuel et Rebecca Wells 35
GALT, Alexander-Tilloch 118
GARIEPY, Charles 68
GENDREAU, Ernest: la maison natale de 129
GÉRARD, Jacques (Poisson) 158
GINGRAS, Joseph 156
GOBEIL, Samuel 120
GLOIRE À CEUX QUI ONT SOUTENU NOTRE FOI, NOTRE LANGUE ET NOS DROITS 220
GODBOUT, Adélard 238
GOUDREAU, Joseph-Georges 173
GRANBY, le monument aux braves de 194-195-196
GRANBY, la paroisse Saint-Eugène de 224
GRANDES-FOURCHES, les 14
GRAVEL, Mgr Albert: historien des Cantons de l'Est 249
GRAVEL, Louis-Pietro (Pierre) 109

H

HACKETT, John-Thomas 138
HACKETT, Michael-Félix 83
HASKELL, l'édifice 165
HATLEY, le monument aux braves de 191
HEARNE, Michael: John Fordyce et Joseph Ellison 22
HÉBERT, Louis-Philippe 78
HÉON, Charles: fondateur des Bois-Francs 34
HERIOT, George-Frederick: fondateur de Drummondville 27
HERIOT, George-Frederick, la mort de 63
HILL, George-William 97
HOMMAGE AUX AMIS DES ARBRES 240
HOMMAGE DES ANCIENS AUX FRÈRES DES ÉCOLES CHRÉTIENNES 237
HOMMAGE AUX BRAVES D'ULVERTON 227
HOMMAGE AUX PIONNIERS DE WARWICK 92
HOMMAGE AUX PIONNIERS DE SAINT-VALÈRE 95
HOMMAGE AUX VICTIMES DES MINES D'AMIANTE DE THETFORD MINES 252
HOMPHREY, Jessie-Florence et Benjamin Benton Morrill 223
HOWARD, le domaine 212
HUGOLIN, : Père Stanislas Lemay 126
HUNTINGTON, Lucius-Sept 38
HUNTINGVILLE, le moulin d' 28

I

INVERNESS, les pionniers d' 41
ISLAND BROOK, le monument aux braves d' 228
IVES, William-Bullock 62

J

JENKS, Nathaniel 150
JOHNSON, Daniel 172
JOHNSON, John: inhumé au Mont Johnson 43

K

KAESTLI, le Dr. F.J. 234
KINGSEY, le premier établissement à 23
KIROUAC, Conrad: la maison natale de (Frère Marie-Victorin) 140
KNOWLTON, la «Old Academy» de 84
KNOWLTON, le centre culturel de 247
KNOWLTON, le monument aux braves de (1914-1918) 181
KNOWLTON, le monument aux braves de (1939-1945) 229
KNOWLTON, Paul-H: construisit un moulin à farine 56

L

LAC-MÉGANTIC, le monument aux braves de 196
LAFERTÉ, Hector: la maison natale d' 142
LAFOND, Jean-Baptiste 50
LAFONTAINE, Zoé et Wilfrid Laurier 211
LAKE ASBESTOS MINE, la 236
LALIBERTÉ, Alfred 127
LAMPTON, la première messe à 65
LANCTOT, Mgr Albert 171
LAURIER, Robert: la maison natale de 153
LAURIER, Wilfrid: à Arthabaska 107
LAURIER, Wilfrid et Zoé Lafontaine 211
LAURIER, Wilfrid: la maison de 123
LAURIERVILLE, la première messe et le centenaire de 82
LATIMER, William, et Walter E. Prince 159
LAURION, Aimé 167
LAVERGNE, Armand: la maison natale de 133
LECLERC, Édouard 46
LECLERC, la fontaine 244
LEMAY, Stanislas: Père Hugolin 126
LENNOXVILLE, le centenaire de 115
LENNOXVILLE, le monument aux braves de 175
LUSSIER, Mgr Louis—Philippe 168

M

MAGOG, le monument aux braves de 182
MAHEUX, Arthur: la maison natale de 137
MAILHOT, Charles-Édouard 221
MAISON DES HONORABLES CORMIER, la 253

MAISON DE WILFRID LAURIER, la 123
MAISON HABITÉE PAR ADOLPHE POISSON, la 215
MAISON NATALE DE HENRI BEAUDET DIT D'ARLES, la 114
MAISON NATALE D'ADOLPHE BRASSARD, la 149
MAISON NATALE DE MGR ROSARIO BRODEUR, la 147
MAISON NATALE DE MGR LOUIS-JOSEPH CABANA, la 155
MAISON NATALE DE MARC-AURÈLE-SUZOR CÔTÉ, la 112
MAISON NATALE DE GEORGES DOR (DORE), la 219
MAISON NATALE DE GEORGE-GREEN FOSTER, la 93
MAISON NATALE DE MGR JOSEPH-ROMÉO GAGNON, la 163
MAISON NATALE D'ERNEST GENDREAU, la 129
MAISON NATALE DE MAURICE O'BREADY, la 160
MAISON NATALE DE CONRAD KIROUAC: Frère Marie-Victorin), la 140
MAISON NATALE DE ROBERT LAURIER, la 153
MAISON NATALE D'ARMAND LAVERGNE,la 133
MAISON NATALE D'HECTOR LAFERTÉ, la 133
MAISON NATALE D'ARTHUR MAHEUX, la 137
MAISON NATALE DU FRÈRE MARIE-VICTORIN: Conrad Kirouac, la 140
MAISON NATALE DE HENRI MILES, la 89
MAISON NATALE DE MAURICE O'BREADY, la 160
MAISON NATALE DE BOURBEAU RAINVILLE, la 119
MAISON NATALE DE LOUIS-S. ST-LAURENT, la 135
MANOIR TRENT, le 72
MANSONVILLE, le monument aux braves de 210
MARIE—VICTORIN (Conrad Kirouac), la maison natale de 140
MASSE, Oscar 131
MELBOURNE-RICHMOND, le monument aux braves de 179
MESSE, la célébration de la première: à Wotton 76
MESSE, la première à Lampton 65
MESSE, la première dans la région de Sherbrooke 29
MESSE, le centenaire de la première à Laurierville 82
MILES, Henry: la maison natale de 89
MINER, Stephen-Henderson-Campbell 51
MITCHELL, James-Simpson 214
MITCHELL, Walter-George 124
MONTREAL-RICHMOND-PORTLAND, le premier train entre 80
MONUMENT À WALTER E. PRICE ET WILLIAM LATIMER, le 159
MONUMENT À WILLIAM LATIMER ET À WALTER E. PRICE, le 159
MONUMENT AUX BRAVES D'ASBESTOS, le 193
MONUMENT AUX BRAVES D'AYER'S CLIFF, le 208
MONUMENT AUX BRAVES DE BEDFORD, le 183
MONUMENT AUX BRAVES DE BEEBE, le 188
MONUMENT AUX BRAVES DE BOLTON CENTRE, le 190
MONUMENT AUX BRAVES DE BURY, le 203
MONUMENT AUX BRAVES DE COATICOOK, le 184
MONUMENT AUX BRAVES DE COOKSHIRE, le 187
MONUMENT AUX BRAVES DE COWANSVILLE, le 232
MONUMENT AUX BRAVES DE DANVILLE, le 192
MONUMENT AUX BRAVES DE DRUMMONDVILLE, le 189
MONUMENT AUX BRAVES D'EAST-ANGUS, le 206
MONUMENT AUX BRAVES DE FARNHAM, le 185
MONUMENT AUX BRAVES DE GRANBY, le 194-195-196
MONUMENT AUX BRAVES DE HATLEY, le 191

MONUMENT AUX BRAVES DE KNOWLTON (1914-1918), le 181
MONUMENT AUX BRAVES DE KNOWLTON (1939-1945), le 229
MONUMENT AUX BRAVES D'ISLAND BROOK, le 228
MONUMENT AUX BRAVES DU LAC-MÉGANTIC, le 196
MONUMENT AUX BRAVES DE LENNOXVILLE, le 175
MONUMENT AUX BRAVES DE MAGOG, le 182
MONUMENT AUX BRAVES DE MANSONVILLE, le 210
MONUMENT AUX BRAVES DE NORTH HATLEY, le 177
MONUMENT AUX BRAVES DE PHILIPSBURG, le..................... 189
MONUMENT AUX BRAVES DE RICHMOND, le 178
MONUMENT AUX BRAVES DE RICHMOND, le 179
MONUMENT AUX BRAVES DE RICHMOND, le 230
MONUMENT AUX BRAVES DE ROCK ISLAND, le 186
MONUMENT AUX BRAVES DE SAWYERVILLE, le.................... 200
MONUMENT AUX BRAVES DE SHERBROOKE, le 176
MONUMENT AUX BRAVES DE SOUTH DURHAM, le 231
MONUMENT AUX BRAVES DE STANSTEAD, le 197
MONUMENT AUX BRAVES DE STANSTEAD, le 209
MONUMENT AUX BRAVES DE SUTTON, le.......................... 202
MONUMENT AUX BRAVES DE THETFORD MINES, le 207
MONUMENT AUX BRAVES D'ULVERTON, le 180
MONUMENT AUX BRAVES D'ULVERTON, le 227
MONUMENT AUX BRAVES DE VICTORIAVILLE, le 205
MONUMENT AUX BRAVES DE VICTORIAVILLE, le 204
MONUMENT AUX BRAVES DE WATERLOO, le 201
MONUMENT AUX BRAVES DE WINDSOR MILLS, le 199
MOORE'S CORNER, l'escarmouche de 57
MORRILL, Benjamin Benton: et Jessie-Florence Homphrey 223
MORT DE GEORGE-FREDERICK HERIOT, la 63
MOULIN À FARINE: Paul-H. Knowlton construisit un 56
MOULIN CORNELL, le 42
MOULIN D'UNTINGVILLE, le 28
MOULIN BLANCHETTE D'ULVERTON, le 130
MOULIN DE FRELIGHSBURG, le 59
MOULIN DENISON, le 77
MUNICIPALITÉ STANSTEAD, la 87

N

NICOL, Jacob 121
NORTH HATLEY, le monument aux braves de 177
NOTRE-DAME-DE-BONSECOURS-DE-STUKELY 128

O

O'BREADY, Maurice: la maison natale de................................ 160
O'BREADY, Patrick 71
O'HEA, Timothé: décoré de la croix Victoria 104
OLD ACADEMY DE KNOWLTON, l' 84
OLIVIER, Charles-Frédéric 166

P

PAISLEY, Huch: la bénédiction de la chapelle Saint-Pierre par 45

PARC DOLLARD, le 240
PAROISSE SAINT-EUGÈNE DE GRANBY, la 224
PELLERIN, hommage à Joseph 54
PÉPIN, Ambroise: et Charles-Édouard Bélanger 66
PHILIPSBURG CHURCH 31
PHILIPSBURG, le monument aux braves de 189
PIONNIERS D'EAST-FARNHAM, quelques-uns des 48
PIONNIERS DE WARWICK, hommage aux 92
PIONNIERS DE SAINT-VALÈRE, les 95
PIONNIERS ÉCOSSAIS D'INVERNESS, les 41
PIONNIERS INHUMÉS DANS LE CIMETIÈRE BROCKHILL, les 55
PIONNIERS D'UNE PARTIE DE STANSTEAD, les 40
PIONNIERS, quelques-uns du canton d'East Farnham, les 48
PLESSISVILLE, la fondation de la fanfare de 117
PONT DE COOKSHIRE, le 58
POISSON, Jacques: Gérard 158
POISSON, la maison habitée par Adolphe 215
POPE, John-Henry 32
POPE, Rufus-Henry 88
PRÊTRES NÉS À SAINT-EPHREM D'UPTON, les 235
PRICE, Walter-E.: le monument à 159

R

RAINVILLE, Bourbeau 119
RAINVILLE, Paul 145
REGIMENT, the Sherbrooke Fusillier 225-226
RICHARD, Édouard 64
RICHARD, J.-Auguste 90
RICHMOND, le monument aux braves de 230
RICHMOND, le monument aux braves de 178
RICHMOND, le monument aux braves de 179
RIVARD, Jean: défricheur et économiste 47
ROBERGE, Eusèbe 101
ROBIDOUX, Louis-Philippe 157
ROCH ISLAND, le monument aux braves de 186
ROXTON PONT (Sainte-Pudentienne), le centenaire de 251

S

SAINT-BENOIT-DU-LAC, abbaye 170
SAINT-EPHREM-D'UPTON, le centenaire de 86
SAINT-EPHREM-D'UPTON, les prêtres nés à 235
SAINT-EUGÈNE DE GRANBY, la paroisse 224
SAINT-JEAN ET STANSTEAD, un service de diligence entre 53
SAINTE-PUDENTIENNE (Roxton Pont), le centenaire de 251
SAINT-ROMAIN, la fondation de 102
SAINT-VALÈRE, hommage aux pionniers de 95
SAVOIE, François-Théodore 70
SAWYER, Joseph: fondateur de Sawyerville 19
SAWYERVILLE, le monument aux braves de 200
SENNETT, Mark: Michael Sinnott 132
SERVICE DE DILIGENCE ENTRE SAINT-JEAN ET STANSTEAD, un ... 53
SHERBROOKE FUSILLIER REGIMENT, the 225-226

SHERBROOKE, la première messe dans la région de 29
SHERBROOKE, le centenaire de 222
SHERBROOKE, le monument aux braves 176
SINNOTT, Michael: Mark Sennett 132
«SOCIETY OF FRIENDS» DES QUAKERS, the 113
SOUTH DURHAM, le monument aux braves de 231
STANSTEAD, l'église du Sacré-Cœur de 233
STANSTEAD, la municipalité de 87
STANSTEAD, le monument aux braves de 197
STANSTEAD, le monument aux braves de 209
STANSTEAD, les pionniers d'une partie de 40
STANSTEAD, un service de diligence entre Saint-Jean et 53
STEWARD, James: l'église érigée par 30
ST-LAURENT, Louis-S. : la maison natale de 135
STOCKWELL, Ralph-Frederick 139
SUTTON, arrivée des premiers colons à 21
SUTTON, le monument aux braves de 202

T

TANGUAY, Edmond-Charles 99
TAYLOR, Henry-Seth 44
THETFORD MINES, le monument aux braves de 207
TIBBITS HILL, l'école de 69
TOUTIGNY, Paul 79
TRAIN ENTRE MONTREAL-RICHMOND-PORTLAND, le premier 80
TREE, Caleb 25
TRENT, le manoir 72

U

UNITED CHURCH DE CASSVILLE, l' 246
UPTON, le centenaire de Saint-Ephrem-d' 86
ULVERTON, le monument aux braves d' 180
ULVERTON, le monument aux braves d' 227
ULVERTON, le moulin Blanchette d' 130
USINE DE PÂTE À PAPIER À BASE DE BOIS AU CANADA, la première 100

V

VACHON, Félix 73
VICTIMES DES MINES D'AMIANTE, hommage aux 252
VICTORIAVILLE, hommage aux héros de 204
VICTORIAVILLE, le centenaire de 96
VICTORIAVILLE, le monument aux braves de 205
VILAS, William-Frederick 81
VINCENT, Margaret 106

W

WARWICK, hommage aux pionniers de 92
WATERLOO, les fontaines du centenaire de 250
WATERLOO, le monument aux braves de 201
WELLS, Rebecca et Samuel Gate 35

WICKHAM, la cloche et la chapelle de 74
WINDSOR, la première usine de pâte à papier à base de bois au Canada 100
WINDSOR-(MILLS), le monument aux braves de 199
WOTTON, la célébration de la première messe à 76
WOTTON, la colonisation des Cantons de l'Est inaugurée à 75
WOMEN'S INSTITUTE AU QUÉBEC, le premier 169

2. PAR ORDRE DE LOCALITÉS

ACTON VALE

BRODEUR, Mgr Rosario : la maison natale de 147

ARTHABASKA

ARLES, Henri d' : (né Henri Beaudet) : la maison natale de 114
BEAUCHÊNE, Charles 52
BEAUDET, Henri : la maison natale de (Henri d'Arles) 114
CANNON, Arthur 125
CANNON, Lucien 144
COTÉ, Marc-Aurèle-Suzor : la maison natale de 112
FRÈRES DES ÉCOLES CHRÉTIENNES, hommage des anciens aux 237
GÉRARD, Jacques (Poisson) 158
HOMMAGE DES ANCIENS FRÈRES DES ÉCOLES CHRÉTIENNES 237
LAFONTAINE, Zoé et Wilfrid Laurier 211
LAURIER, la maison de Wilfrid 123
LAURIER, Robert : la maison natale de 153
LAURIER, Wilfrid à Arthabaska 107
LAURIER, Wilfrid et Zoé Lafontaine 211
LAVERGNE, Armand : la maison natale de 133
MAISON HABITÉE PAR ADOLPHE POISSON, la 215
MAILHOT, Charles-Édouard 221
POISSON, Adolphe : la maison habitée par 215
POISSON, Jacques (Gérard) 158
RAINVILLE, Bourbeau 119
RAINVILLE, Paul 145
TOURIGNY, Paul 79

ASBESTOS

MONUMENT AUX BRAVES D'ASBESTOS, le 193
PARC DOLLARD, le 241

AYER'S CLIFF

MONUMENT AUX BRAVES D'AYER'S CLIFF, le 208

BARNSTON

JENKS, Nathaniel 150

BEDFORD

MONUMENT AUX BRAVES DE BEDFORD, le 183

BEEBE

MONUMENT AUX BRAVES DE BEEBE, le 188

BISHOPTON

BISHOP, John : l'établissement à Dudswell 24

BOLTON-CENTRE

MONUMENT AUX BRAVES DE BOLTON-CENTRE, le 190

BOLTON-EST

FASSENDEN, Reginald-Aubrey 103

BONSECOURS (STUKELY-NORD)

BONSECOURS, Notre-Dame-de 128
GAGNON, Mgr Alphonse-Osias 91
BROME-OUEST COLLINS, Henry 20
BROMONT PIONNIERS, quelques-un des: canton d'East Farnham 48

BURY

MONUMENT AUX BRAVES DE BURY, le 203

CASSVILLE

CASSVILLE UNITED CHURCH 246

COATICOOK

CHARTIER, Jean-Baptiste: curé fondateur de Coaticook 111
DURAND, Mgr Louis-Prosper 141
GENDREAU, Ernest: la maison natale de 129
MONUMENT AUX BRAVES DE COATICOOK, le 184
POPE, Rufus-Henry 88

COLERAINE

ASBESTOS CORPORATION 216
FONDATION DE COLERAINE, la 99
LAKE ASBESTOS MINE 236

COOKSHIRE

CENTENAIRE DE LA CONFÉDÉRATION ET L'EXPOSITION 67, le 248
MONUMENT AUX BRAVES DE COOKSHIRE, le 187
POPE, John-Henry 32
PONT DE COOKSHIRE, le 58

COMPTON

HUNTINGTON, Lucius-Sept 38
IVES, William-Bullock 62
ST-LAURENT, Louis-S. 135

COWANSVILLE

ELLISON, Joseph: John Fordyce et Michael Hearne 22
FORDYCE, John: Joseph Ellison et Michael Hearne 22
HEARNE, Michael: Joseph Ellison et John Fordyce 22

MONUMENT AUX BRAVES DE COWANSVILLE, le 232

DANBY

MITCHELL, Walter-George 124

DANVILLE

BRASSARD, Adolphe : la maison natale d' 149
JOHNSON, Daniel 172
MONUMENT AUX BRAVES DE DANVILLE, le 192
O'HEA, Timothy : décoré de la croix Victoria 104
STOCKWELL, Ralph-Frederick 139

DISRAELI

CHAMPOUX, John : fondateur de Disraeli 110

DRUMMONDVILLE

ANNIVERSAIRE DE DRUMMONDVILLE, le 150e 245
DOR (DORE), Georges : la maison natale de 219
HERIOT, George-Frederick : fondateur de Drummondville 27
HERIOT, George-Frederick : la mort de 63
MANOIR TRENT, le 72
MONUMENT AUX BRAVES DE DRUMMONDVILLE, le 198
TRENT, le manoir 72

DUNHAM

WOMEN'S INSTITUTE : le premier au Québec 169

EAST-ANGUS

CLUB 4 H DU QUÉBEC ET L'ASSOCIATION FORESTIÈRE 240
MONUMENT AUX BRAVES D'EAST-ANGUS, le 206

EATON

PIONNIERS INHUMÉS DANS LE CIMETIÈRE BROCKHILL, les 55

EATON CENTRE

« ACADEMY » : la première d'Eaton Centre 217
ÉGLISE-MUSÉE, la vieille 60

ECCLES'HILL

VINCENT, Margueret 106

FARNHAM

MONUMENT AUX BRAVES DE FARNHAM, le 185

FARNHAM-EST

PIONNIERS, quelques-uns du canton d'East Farnham 48
«SOCIETY OF FRIENDS» DES QUAKERS, la 113
VILAS, William-Frederick 81

FRELIGHSBURG

GODBOUT, Adélard 238
MOULIN DE FRELIGHSBURG, le 59

GARTHBY

VACHON, Félix 73

GRANBY

BOIVIN, Georges-Henry 134
BOIVIN, Horace 243
BOIVIN-BERGERON, France 243
BOUCHARD, David 242
BROWNIE CASTLE: Parmer Cox et son 162
CABANA, Mgr Georges 154
CABANA, Mgr Louis-Joseph: la maison natale de 155
CADIEUX, Lorenzo 164
COX, Parmer et son Brownie Castle 162
FONTAINE LECLERC, la 244
FONTAINE ROMAINE, la 218
FONTAINE WALLACE, la 239
GLOIRE À CEUX QUI ONT SOUTENU NOTRE FOI,
NOTRE LANGUE ET NOS DROITS 220
GRANBY, le monument aux braves de 194-195-196
HACKETT, Michael-Félix 83
KAESTLI, Dr. F.J. 234
LATIMER, William et Walter E. Price 159
MASSE, Oscar 130
MINER, Stephen-Henderson-Campbell 51
MONUMENT AUX BRAVES DE GRANBY, le 194-195-196
PAROISSE SAINT-EUGÈNE DE GRANBY, la 224
PRICE, Walter E. et William Latimer 159

HATLEY

ÉGLISE ÉRIGÉE PAR CHARLES-JAMES STEWART, l' 30

EDGAR, James-David 61
MONUMENT AUX BRAVES DE HATLEY, le 191

HUNTINGVILLE

MOULIN D'UNTINGVILLE, le 28

INVERNESS

PIONNIERS ÉCOSSAIS D'INVERNESS, les 41

ISLAND BROOK

MONUMENT AUX BRAVES D'ISLAND BROOK, le 228

KINGSEY

KINGSEY, le premier établissement de 23

KINGSEY FALLS

FRÈRE MARIE-VICTORIN (Conrad Kirouac): la maison natale de 140
KIROUAC, Conrad (Frère Marie-Victorin): la maison natale de 140

KNOWLTON (LAC-BROME)

CENTRE CULTUREL DE KNOWLTON, le 247
DUNKIN, Christopher 116
ÉCOLE DE TIBBITS HILL, l' 69
ÉCOLE DE PIERRE, la vieille 37
FOSTER, Georges-Green: la maison natale de 93
GALE, Samuel et Rebecca Wells 35
KNOWLTON, Paul-H.: construisit un moulin à farine 56
HUGOLIN, le Père: Stanislas Lemay 126
LEMAY, Stanislas: Père Hugolin 126
«OLD ACADEMY» DE KNOWLTON, l' 84
MAISON NATALE DE GEORGE-GREEN FOSTER, la 93
MOULIN À FARINE CONSTRUIT PAR PAUL-H. KNOWLTON, le 56
MONUMENT AUX BRAVES (1914-1918), le 181
MONUMENT AUX BRAVES (1939-1945), le 229
WELLS, Rebecca et Samuel Gale 35

LAC-BROME (voir Knowlton)

LAC-MÉGANTIC

ARNOLD, Benedict: envahisseur du Canada 16
MONUMENT AUX BRAVES DE LAC-MÉGANTIC, l' 196

LAMPTON

MESSE, la première à Lampton 65

LA PATRIE

BEAUREGARD, Elie 136
DORION, Jean-Baptiste-Éric 105
GOBEIL, Samuel 120

LAURIERVILLE

CENTENAIRE ET PREMIÈRE MESSE DE LAURIERVILLE, le 82
ROBERGE, Eugène 101

L'AVENIR

CHAPELLE SAINT-PIERRE ET LE CIMETIÈRE ADJACENT, le 45
CLOCHE ET LA CHAPELLE DE WICKHAM, le 74
DORION, Jean-Baptiste-Éric 105

LEEDS

FORTIER, Samuel 85

LENNOXVILLE

CENTENAIRE DE LENNOXVILLE, le 115
MILES, Henry: la maison natale de 89
MONUMENT AUX BRAVES DE LENNOXVILLE, le 175

MAGOG

MONUMENT AUX BRAVES DE MAGOG, le 182

MANSONVILLE

MONUMENT AUX BRAVES DE MANSONVILLE, le 210

NOTRE-DAME-DE-BONSECOURS

BONSECOURS, Notre-Dame: de Stukely 128
GAGNON, Mgr Alphonse-Osias 91

NORTH HATLEY

ATKINSON, Henry-Morrell 174
MONUMENT AUX BRAVES DE NORTH HATLEY, le 177

PHILIPSBURG

MONUMENT AUX BRAVES DE PHILIPSBURG, le 190
PHILIPSBURG CHURCH 31

PIKE-RIVER

ROBIDOUX, Louis-Philippe 157

PLESSISVILLE

BÉLANGER, le missionnaire Charles-Édouard 67
CORMIER, la maison des honorables 253
FANFARE DE PLESSISVILLE, la fondation de la 117
FONTAINES EN FONTE, les 49
LAFOND, Jean-Baptiste 50
MAISON DES HONORABLES CORMIER, la 253
PELLERIN, hommage à Joseph 54
RIVARD, Jean: défricheur et économiste 47
SAVOIE, François-Théodore 70

PRINCEVILLE

BÉLANGER ET AMBROISE PÉPIN, Charles-Édouard 66
BÉLANGER, Charles-Édouard, et Ambroise Pépin 66
GRAVEL, Louis-Pietro-Pierre 109
LECLERC, Édouard 46
PÉPIN, Ambroise et Charles-Édouard Bélanger 66
RICHARD, Édouard 64
RICHARD, J.-Auguste 90

RANBORO

DÉFRICHEMENT DES PREMIERS 10 ACRES
DU TOWNSHIP DE NEWPORT, le 18

RICHMOND

CHEMIN CRAIG, le 26
ÉCOLE DE PIERRE, la vieille 37
DENISON, le moulin 77
HILL, George-William 97
MONTREAL-RICHMOND-PORTLAND, le premier train entre 80
MONUMENT AUX BRAVES DE RICHMOND, le 178
MONUMENT AUX BRAVES DE RICHMOND, le 179
MONUMENT AUX BRAVES DE RICHMOND, le 230
MOULIN DENISON, le 77
SENNETT, Mark: Michael Sinnott 132
SINNOTT, Michael: Mark Sennett 132
TRAIN, le premier entre Montréal-Richmond-Portland 80

ROCK ISLAND

HASKELL, l'édifice 165
MONUMENT AUX BRAVES DE ROCK ISLAND, le 186

ROXTON PONT (SAINTE-PUDENTIENNE)

CENTENAIRE DE ROXTON PONT, le 251
GINGRAS, Joseph 156
LAURION, Aimé 167
NICOL, Jacob 121

SAINT-ARMAND

MOORE'S CORNER, l'escarmouche de 57

SAINT-BENOIT-DU-LAC

ABBAYE SAINT-BENOIT-DU-LAC, l' 170
AUSTIN, Nicolas 17
SAINT-CAMILLE-DE-WOTTON BONHOMME, Mgr Joseph 148

SAINT-CYRILLE-DE-WENDOVER

GAGNON, Mgr Joseph-Roméo: la maison natale de 163

GARIEPY, Charles 68

SAINT-ELISABETH-DE-WARWICK

LALIBERTÉ, Alfred 127

SAINT-ÉLIE D'ORFORD

DESROCHERS, Alfred 161

SAINT-EPHREM D'UPTON

CENTENAIRE DE SAINT-EPHREM D'UPTON 86
DESMARAIS, Mgr J.-Louis-Aldée 151
PRÊTRES NÉS À SAINT-EPHREM, les 235

SAINT-GERMAIN-DE-GRANTHAM

LAFERTÉ, la maison natale d'Hector 142
MAISON NATALE D'HECTOR LAFERTÉ, la 142

SAINT-JACQUES-DE-LEED (LEMESURIER)

FORTIER, Samuel 85

SAINT-PUDENTIENNE (ROXTON PONT)

CENTENAIRE DE ROXTON PONT, le 251
LAURION, Aimé 167
NICOL, Jacob 121

SAINTE-JULIE-DE-MÉGANTIC

MAISON NATALE D'ARTHUR MAHEUX, la 137
ROBERGE, Eusèbe 101

SAINT-LOUIS-DE-BLANDFORD

BOIS-FRANCS, le berceau des 33
HEON, Charles: fondateur des Bois-Francs 34

SAINT-ROMAIN

FONDATION DE SAINT-ROMAIN, la 102

SAINTE-SOPHIE

HÉBERT, Louis-Philippe 78

SAINT-VALÈRE

PIONNIERS DE SAINT-VALÈRE, les 95

SAWYERVILLE

MONUMENT AUX BRAVES DE SAWYERVILLE, le 200

SAWYER, Joseph : fondateur de Sawyerville 19

SHERBROOKE

BEAUVOIR, la chapelle de 213
CENTENAIRE DE LA VILLE DE SHERBROOKE, le 222
CHAPELLE DE BEAUVOIR, la 213
CHARTIER, Emile 122
CINQ CENTS ANS AVANT JÉSUS-CHRIST 13
COMBAT SINGULIER MENA'SEN, le 15
DOMAINE HOWARD, le 212
DUFRESNE, le grand vicaire Alfred-Élie 152
ÉGLISE ANGLICANE, l'emplacement de la première 39
GALT, Alexander-Tiloch 118
GRANDES-FOURCHES, les 14
GRAVEL, Mgr Albert : historien des Cantons de l'Est 249
HOWARD, le domaine 212
LANCTOT, Mgr Albert 171
MESSE, la première dans la région de Sherbrooke 29
MITCHELL, James-Simpson 214
MONUMENT AUX BRAVES DE SHERBROOKE, le 176
OLIVIER, Charles-Frédéric 166
SHERBROOKE, le centenaire de 222
SHERBROOKE FUSILLIER REGIMENT, le 225-226

SOUTH BOLTON

DILIGENCE : un service entre Saint Jean et Stanstead 53

SOUTH DURHAM

MONUMENT AUX BRAVES, le 231

STANBRIDGE-EST

CORNELL, le moulin 42
JOHNSON, John : inhumé au Mont Johnson 43
TREE, Caleb 25

STANBRIDGE-STATION

ROBIDOUX, Louis-Philippe 157

STANSTEAD

CASSVILLE UNITED CHURCH 246
COLBY, Charles-William 108
ÉGLISE DU SACRÉ-COEUR, l' 233
HACKETT, John-Thomas 138
HOMPHREY, Jessie-Florence 223
MONUMENT AUX BRAVES DE STANSTEAD, le 197
MONUMENT AUX BRAVES DE STANSTEAD, le 209
MORREL, Benjamin-Benton 223
MUNICIPALITÉ DE STANSTEAD, la 87

PIONNIERS D'UNE PARTIE DE STANSTEAD, les 40
TAYLOR, Henry-Seth 44

SUTTON

ARRIVÉE DES PREMIERS COLONS À SUTTON, l' 21
MONUMENT AUX BRAVES DE SUTTON, le 202

STUKELY NORD (BONSECOURS)

BONSECOURS, Notre-Dame-de 128
GAGNON, Mgr Alphonse-Osias 91

THETFORD MINES

GOUDREAU, Joseph-Georges 173
MONUMENT AUX BRAVES DE THETFORD MINES, le 207
VICTIMES DES MINES D'AMIANTE : hommage aux 232

ULVERTON

MONUMENT AUX BRAVES D'ULVERTON, le 180
MONUMENT AUX BRAVES D'ULVERTON, le 227
MONUMENT AUX BRAVES D'ULVERTON, le 130
MOULIN BLANCHETTE, le 130

UPTON

CENTENAIRE DE SAINT-EPHREM D'UPTON, le 86
DESMARAIS, Mgr J.-Louis-Aldée 151
PRÊTRES NÉS À SAINT-EPHREM, les 235

VICTORIAVILLE

CENTENAIRE DE VICTORIAVILLE, le 96
DESILETS, Alphonse 146
DESILETS, Joseph 143
MONUMENT AUX BRAVES DE VICTORIAVILLE, le 205
MONUMENT AUX BRAVES DE VICTORIAVILLE, le 204

WARWICK

PIONNIERS DE WARWICK, les 92

WATERLOO

BOOTH, John 36
GINGRAS, Joseph 156
FONTAINES DU CENTENAIRE, les 250
MONUMENT AUX BRAVES DE WATERLOO, le 201

WEEDON

LUSSIER, Mgr Louis-Philippe 168
TANGUAY, Edmond-Charles 98

WENDOVER ET SIMPSON

GARIEPY, Charles 68

WINDSOR (MILLS)

BROWN, Joseph-Albert 94
MONUMENT AUX BRAVES DE WINDSOR MILLS, le 199
USINE DE PÂTE À PAPIER À BASE DE BOIS: la première au Canada ... 100

WOTTON-WATTONVILLE

COLONISATION DES CANTONS DE L'EST À WOTTON, la 75
MESSE, la célébration de la première à Wotton 76
O'BREADY, Maurice: la maison natale de........ 160
O'BREADY, Patrick 71

NOTE : Toutes les photos de cet ouvrage sont de l'auteur, sauf les suivantes :

1. ARCHIVES NATIONALES DU QUÉBEC : 63, 64, 70, 79, 81, 83, 88, 98, 101, 105, 121, 122, 125, 127, 134, 139, 144, 146, 161, 172, 205, 222.
2. ARCHIVES PUBLIQUES DU CANADA : 26, 36, 38, 61, 62, 103, 118, 138.
3. RENÉ FOURNIER : 90, 120, 126, 131, 145.
4. ALCIDE FLEURY : 52, 114, 158.
5. VILLE DE VICTORIAVILLE : 96, 204.
6. VILLE DE LAC-MEGANTIC : 196.
7. ÉTOILE DE GRAVELBOURG : 109.
7. ÉTOILE DE GRAVELBOURG : 109.
8. STUDIO B.J. HÉBERT : 151.
9. ANNETTE GINGRAS : 156.
10. LA TRIBUNE : 157.
11. LA VOIX DE L'EST : 167.
12. L'ABBAYE DE SAINT-BENOÎT-DU-LAC : 170.
13. ARCHIVES DE L'UNIVERSITÉ McGILL : 108.
14. HÉLÈNE FORTIER PARKER : 85.
15. CINÉMATHÈQUE QUÉBÉCOISE : 132.
16. CAPITAL PRESS SERVICE : 136.
17. GISLAN PHOTOGRAPHIE : 171.
18. LÉGION CANADIENNE D'ASBESTOS : 193.
19. LE BORROMÉEN : 13.
20. LE STUDIO ÉCLAIR : 22.
21. ELIZABETH COLLINS : 113.
22. CONSEIL MUNICIPAL D'AYER'S CLIFF : 208.
23. MONTEL À LA CLAIRE FONTAINE : 41.
24. MME LIONEL MARTIN : 91.
25. GÉRALDINE HÉBERT : 154.
26. LIBRAIRIE BEAUCHEMIN : 131.

Imprimerie des Éditions Paulines, 250 nord, boul. St-François, Sherbrooke, Qué., JIE 2B9
IMPRIMÉ AU CANADA

MAP OF THE EASTERN TOWNSHIPS OF LOWER CANADA,

LES BOIS - FRANCS
PROVINCE DE QUÉBEC
ECHELLE DE MILLES
0 1 2 4 8 12
VICTORIAVILLE 15 AOUT 1955
GOULET & ST-PIERRE
Ingénieur P.
Arpenteur-G.
72°00
71°30
LOTBINIERE
NICOLET
MEGANTIC
ARTHABASKA
DRUMMOND
RICHMOND
WOLFE
BLANFORD
STANFOLD
SOMERSET
INVERNESS
NELSON
HALIFAX
BULSTRODE
CHESTER
HORTON
WARWICK
TINGWICK
WOLFESTOWN
HAM NORD
HAM-SUD
ST-OCTAVE
St-Joseph de-Blandford
Villeroy
Lourdes
Manseau
Lyster
Ste-Anastasie
N.D.-de-Lourdes
Glenlloyd
Inverness
Plessisville
Daveluyville
Lavergne
St-Louis
Princeville
Ste-Sophie
Larochelle
New Ireland
St-Ferdinand
Maple Grove
St-Norbert
Victoriaville
Arthabaskaville
St-Valère
Rivière Noire
Ste-Eulalie
St-Albert
Nicolet
Chesterville
Chester-Ouest
Chester Est
Chester Nord
Halifax S.O.
St-Julien
St-Fortunat
St-Jacques
Warwick
Ste-Elizabeth
Kingsey-Falls
Tingwick
Trout Brook
St-Rémi
Canton Tingwick
Ham-Nord
L. Nicolet
L. aux Canards
St-Joseph
Ham
Grand Bronc
Rivière du Loup
72°00
71°30